VOS ENTRETIENS D'EMBAUCHE EN ANGLAIS

LES AUTEURS DE « VOS ENTRETIENS D'EMBAUCHE EN ANGLAIS »

Dès la publication de *Travailler en anglais* il est apparu à ses auteurs, *Guy de Dampierre* et *Victoria Mortimer*, que les entretiens d'embauche en anglais figuraient désormais parmi les examens les plus redoutés – à juste titre – et que, pour les mener à bien avec succès, une méthode de travail s'imposait.

Marianne Ravel a voulu comprendre comment fonctionnaient de l'intérieur les entretiens d'embauche, et ce qu'était pour le recruteur un « bon candidat ». Elle a coordonné et animé le comité de professionnels du recrutement qui s'est constitué autour de ce projet d'édition.

Nicolas Manset a effectué ses études et vécu en Angleterre, puis aux États-Unis pendant une dizaine d'années. Depuis quatre ans, il est consultant au sein d'un des grands cabinets américains de chasseurs de têtes. À ce titre, il mène chaque mois des entretiens, à Londres et à Paris, pour les sociétés internationales qui confient leurs missions à ce cabinet.

Guy de Dampierre est HEC et éditeur. Son objectif : aider les candidats à passer avec succès les entretiens d'embauche – en anglais et en français – et révéler ce qui, pour cela, est essentiel.
Fidèle à l'esprit d'Alistair, il dit les choses en face.

Victoria Mortimer, américaine de naissance, est directrice de la société de traduction Tricode et diplômée de l'ESIT. Elle a travaillé aux États-Unis, en France et en Grande-Bretagne. Elle met ici sa connaissance du monde anglo-saxon des affaires au service des candidats.

De nationalité britannique, *Pamela Drinnan*, co-auteur de « *Comment le dire en anglais* », enseigne la grammaire et l'étymologie du français.

Trilingue français, italien, anglais, *Jean Rognetta* est journaliste économique.

Couverture : Atelier Roselyne for ever
Composition : Solévil
Impression : La Source d'or

La présentation de cet ouvrage est déposée à titre de Modèle.

ISBN 2-910566-04-8

46, rue des Cinq-Diamants, 75013, Paris

Marianne RAVEL
Guy de DAMPIERRE

Victoria MORTIMER
Nicolas MANSET

Pamela DRINNAN
Jean ROGNETTA

VOS ENTRETIENS D'EMBAUCHE EN ANGLAIS

ÉDITIONS
ALISTAIR

Remerciements

Vos entretiens d'embauche en anglais est une œuvre collective.

Notre travail s'est déroulé en liaison avec un comité éditorial de professionnels du recrutement. Nous tenons à remercier tous ses membres et, en particulier :

– Laurence de Castilla, conseil en recrutement, *CAPFOR Dirigeants* ;

– Christopher James, directeur des ressources humaines, *PECF Warner Bros* ;

– Hervé Le Jeune, directeur associé, *Bixis* ;

– Jean-Louis Pages, directeur Paris-Île-de-France, *RH Partners* ;

ainsi que Nina Caurier, Virginia Cowen-Pilpoul, Philippe Courtin, Claire Desserrey, Marie Durcy, Laurence Etienne, Birgitta Eygelaar, Chantal Méral, Olivia Moulonguet, Caecilia Pieri, Patrick Robin, Sophie de Vilmorin, Liliana Zuluaga-Montjotin.

Que tous trouvent ici l'expression de notre gratitude.

Les Auteurs

CHEZ LE MÊME ÉDITEUR :

Comment le dire en anglais, Guy de Dampierre et Pamela Drinnan.

Comment voyager en anglais, Pascal Lavergne, Victoria Mortimer, Guy de Dampierre, Simon Lane.

Travailler en anglais, Guy de Dampierre et Victoria Mortimer.

Les **3 cassettes audio** de ***Travailler en anglais.***

En préparation :

Les **cassettes audio** de ***Vos entretiens d'embauche en anglais.***

Travailler en espagnol, Guy de Dampierre et Liliana Zuluaga.

Pour savoir si vous allez passer des entretiens en anglais, lisez ce témoignage.

Pour préparer **Vos entretiens d'embauche en anglais,** *nous avons enquêté auprès de nombreux « 2e/3e poste » pour savoir comment leurs entretiens récents s'étaient déroulés.*

C'est ainsi que nous avons fait la connaissance d'Alexandre R. Ses études, son passé professionnel – brillants – et son témoignage nous ont paru rendre compte si clairement de la réalité des entretiens d'embauche, que nous avons décidé de publier ce témoignage en tête du livre.

En effet, toutes les déclarations que nous avons recueillies nous ont convaincus d'en faire encore davantage pour aider les francophones de 20/40 ans à se mettre « à niveau ». Car ces derniers ont du mal à imaginer qu'après dix, quinze ou vingt ans d'études en français, leur entrée et leur avenir dans une société internationale dépendent aujourd'hui de la qualité de leurs entretiens en anglais.

« Je m'appelle Alexandre R. J'ai 30 ans. Je suis diplômé d'une Grande École de Commerce.

Après mon service militaire, je suis entré dans un cabinet d'audit, l'un des six plus connus de la place.

J'ai gravi les échelons. J'étais manager, il y a encore sept mois.

J'aurais pu rester dans mon job. Mais n'étant pas expert-comptable et ne voulant pas le devenir, j'avais mon bâton de maréchal puisque, pour la dernière étape – devenir partner – il faut précisément l'être.

Il fallait donc que je réponde aux recruteurs.

Je n'étais pas inquiet. J'avais une bonne réputation sur le marché et un parcours professionnel sans bavure. (J'ai audité de A jusqu'à Z plus de vingt entreprises.)

Quand j'ai décidé de changer, il y a deux ans, j'ai commencé à passer des entretiens, avec des professionnels de l'interview. Je me suis fait étendre un nombre incalculable de fois : j'ai fait allemand première langue, (ma mère est bilingue, français/allemand) ; en anglais, je n'étais pas au niveau. Dès qu'on passait à l'anglais, mon diplôme et mon expérience ne valaient plus rien. J'étais immédiatement déprécié.

Chaque entretien se déroulait à peu près selon le même scénario. Je commençais bien, avec calme. Au bout d'une vingtaine de minutes, le recruteur passait à l'anglais. Souvent, sans prévenir. Et aussitôt, c'était de la bouillie qui sortait de ma bouche. Pour me concentrer, je fixais la lampe ou un coin du plafond... Mais tout ce qui s'était passé avec naturel devenait heurté... Phrases incohérentes, vocabulaire inadapté, je ne savais pas dire les choses les plus simples... L'entretien tournait au massacre, jusqu'à ce que le recruteur y mette brusquement fin. J'étais passé à la trappe !

Pour couronner le tout, un jour un recruteur m'a fait remarquer mon attitude fuyante. Effectivement, pour mieux me concentrer, je ne le regardais plus dans les yeux.

Quand j'ai vu que l'anglais devenait un handicap, j'ai décidé de prendre le taureau par les cornes. J'ai acheté vos deux livres [1] et les cassettes de *Travailler en anglais*. Je me suis rendu compte que je pouvais sans trop de mal me souvenir de phrases entières ; cela m'a motivé. Je les ai écoutées, répétées, écoutées... pendant trois mois ! Dans ma salle de bains, dans la voiture, dans le métro... chaque endroit devenait une occasion d'ingurgiter de l'anglais... trois mois pendant lesquels j'ai appris à penser, raisonner, m'exprimer en anglais. À la fin, j'étais complètement transformé, libéré. Les cassettes m'ont sauvé.

Pendant cette période d'apprentissage, j'ai passé d'autres entretiens qui se sont déroulés sans trop de problèmes. À la fin de l'entretien j'étais toujours... liquéfié, mais je n'étais plus éliminé !

Et puis, il y a six mois, un chasseur de têtes a décidé de me présenter à un groupe industriel qui cherchait son chef de l'audit interne. Un boulot cousu main pour moi. Une centaine de filiales dans le monde. Langue de travail : l'anglais !

J'ai passé deux entretiens avec ce chasseur de têtes et trois avec les responsables de ce groupe. En anglais, je me sentais enfin prêt.

1. *Comment le dire en anglais* et *Travailler en anglais.*

Le premier entretien avec le directeur du contrôle de gestion s'est déroulé de façon irréelle. J'ai appuyé sur mon bouton « Play » et j'ai répondu sans effort particulier. J'avais acquis les automatismes, les tics de langage ; je tenais la distance, et surtout je relançais la conversation !

Le second entretien, avec une femme, s'est encore déroulé en anglais, un entretien très professionnel qui a duré une heure. Là aussi, ça a marché.

Le dernier entretien était avec le DAF [1]. Il est belge et a préféré me parler en français. Le courant est bien passé. Heureusement ! C'est lui qui a décidé en dernier ressort ! Je me suis presque senti frustré de ne pas avoir été testé ! J'ai eu le job. Je dépends de lui, sans intermédiaire.

Pendant cette période, j'ai appris plusieurs choses.

La première : tout ce qui distingue des autres plaît. Mon brevet de parachutiste plaît beaucoup. De toutes façons, il faut se distinguer des autres.

La seconde : à rester en contact, à demander des renseignements sur la société qui embauche, à rappeler... Cela rassure le chasseur de têtes. En fait, on sent très bien quand on intéresse les gens. Il faut être positif, détendu ; ça donne confiance à celui qui recrute.

Que dire encore ? À la fin, la relation avec le chasseur de têtes change complètement. Il vous tient au courant de vos chances. Il vous téléphone après chaque interview pour vous donner le « feedback » de l'autre côté. Mais on reste dans le flou jusqu'au bout.

Maintenant... cela va faire quatre mois que j'y suis. J'ai déjà rencontré des Hollandais, des Danois, des Allemands, des Américains. Je dois faire tous mes rapports d'audit en anglais. Ça c'est dur ! Mais, je me détends, et je m'éclate. Je prends des leçons quand je suis à Paris, pour m'améliorer. Et puis, le job est grandiose, mais je ne suis pas souvent chez moi ! »

L'Éditeur

1. Directeur administratif et financier.

S'entraîner, voilà le maître mot

Le « candidat » a acheté un ou deux livres sur les entretiens d'embauche en prenant bien soin de choisir ceux qui mentionnaient des ***Réponses*** sur la couverture.

Pour faire bonne mesure, il a aussi acheté un livre de langue anglaise. Sur sa couverture figure en caractères d'affiche : *"Questions and **answers**"*.

Maintenant, assis à son bureau, le candidat feuillette les livres de plus en plus fébrilement. Car, de réponses, il n'en trouve pas. Pas plus en anglais qu'en français.

Des questions, en revanche, il y en a ! Des plus banales aux plus alambiquées, elles se succèdent page après page. « Et dire qu'il va falloir répondre à tout ça ! » pense le candidat.

Et il lit : « Combien de temps pensez-vous rester dans notre entreprise ? »

La ligne suivante apporte la « réponse » : « On ne vous pose pas cette question en pensant que vous allez donner une réponse précise... »

Pour comparer, le candidat ouvre le manuel d'anglais :

Question : *"What are your strengths overall?"*

et la « réponse » : *"Questions of this kind are difficult to answer and need to be carefully thought over."*

« Me voilà bien avancé ! », pense-t-il, et il continue son investigation. De la patience, il lui en faudra, car à chaque question succède un « pavé » d'une dizaine de lignes. Questions et pavés défilent les uns après les autres, expliquant dans quel sens il faut répondre, mettant en garde contre les erreurs, tous ces pièges où le postulant risque de s'enliser...

En bon français, ces lignes se nomment des conseils, des directives, des consignes, une incitation, des impératifs, des indications, des recommandations, des suggestions...

Ce qu'elles ne sont *jamais,* c'est une réponse précise et argumentée à la question qui est posée.

Dommage. Car ce que le recruteur attend de l'homme ou de la femme assis(e) en face de lui pendant un entretien, c'est exactement ceci : une réponse précise et argumentée...

Mais pourquoi tous ces livres annoncent-ils des réponses qui n'en sont pas ?

Nous nous sommes posé la même question, et nous avons imaginé quelques raisons.

1. Il est plus facile de donner un conseil qu'une réponse. Une réponse engage. Des centaines de conseils distillés au fil des pages, et se contredisant parfois, n'engagent personne.

2. Il y a autant de réponses pertinentes que de candidat(e)s, donc aucune ne peut convenir à tout le monde. Donner des conseils, c'est tout ce qu'on peut faire...

Il est grand temps que nous vous expliquions pourquoi ***Vos entretiens d'embauche en anglais*** comporte des questions, des RÉPONSES véritables et, bien entendu, des commentaires sur les questions et les réponses que vous allez lire.

Les conseils, eux, sont en petit nombre pour que vous ne négligiez pas de les suivre, si vous recherchez un deuxième/troisième poste ou un tout premier – et, bien sûr, ils sont adaptés à votre situation.

Maintenant, voilà pourquoi il est essentiel que vous ayez accès aux réponses que des candidat(e)s couronné(e)s de succès ont faites pendant leurs entretiens en anglais et en français.

80 % de l'anglais que vous aurez à employer au cours de vos entretiens pour expliquer qui vous êtes et à quel point vous êtes fait(e) pour le poste, sera l'anglais dont se servent les candidats à d'autres postes.

En voici la preuve.

Dès les premières questions, et les premières réponses, vous entendez :

« Je poursuis un double objectif. »

« Je voudrais mettre ma connaissance de ces pays et de ces langues au service de votre département export... »

« Mais elle ne me laissera pas sa place ! »

« J'essaie de passer le barrage des secrétaires. »

« C'est un exercice difficile ! »

« On peut dire qu'on apprend la persévérance sur le tas ! »

Pensez-vous pouvoir dire la même chose en anglais, sans bafouiller ? [1]

(Les 20 % qui ne correspondent qu'à vous – à commencer par votre nom et votre adresse – et à cette expérience unique que vous avez eue de travailler sur un chalutier, vous devrez apprendre à en parler par vous-même [nous vous expliquons comment au chapitre 2].)

Vos entretiens d'embauche en anglais est un manuel d'entraînement. Outre l'atmosphère des entretiens qui se dégage des questions posées et des réponses des postulants, il vous montre l'importance de l'effort qui vous est demandé pour atteindre le niveau du candidat engagé : ce dernier s'exprime presque aussi bien en français qu'en anglais.

Vous l'avez compris, les entretiens – en anglais et en français – ne s'improvisent pas. Pour qu'ils ne deviennent pas un handicap et une obsession, il faut s'entraîner et ne rien laisser au hasard. Un entraînement de commando ! selon la méthode préconisée ici.

Votre « improvisation », pendant vos entretiens, sera d'autant plus brillante qu'elle reposera sur une connaissance approfondie du sujet : les questions qu'on pose aux interviews, les réponses que vous tenez à y faire, la connaissance du métier de l'entreprise qui recrute ; celle, intime, de votre propre CV, etc.

Très entraîné(e), volontaire, sûr(e) de vous, vous serez détendu(e). C'est justement ce qu'attend de vous votre recruteur.

Commencez vite !

Les Auteurs

---

1. *"My objective is twofold... I believe my knowledge of these countries and of their languages would be an asset for your export department... But she's not about to let me take her place!... I try to bypass secretarial stonewalling/red tape... Quite a challenge!... You certainly learn persistence on the job!"*

Avant-propos

Vos entretiens d'embauche en anglais est bâti ainsi :

– les chapitres 1, 2, 3 et 4 s'adressent pour l'essentiel à des candidats qui cherchent un poste pour la première fois ;

– les chapitres 5, 6, 7, 8, 9, 10, 11, 12, 13 et les 82 pages de questions/réponses sont communs à tous les candidats ;

– les chapitres 15,16, 17 et 18 intéressent surtout les 2e/3e postes. Ils permettent d'étalonner leur anglais par rapport au bilinguisme absolu.

Les *"tricks of the trade"*, qui sont familiers aux lecteurs des livres d'Alistair, insistent sur les différences de mentalité et de culture, sources constantes de malentendus.

L'orthographe suivie est américaine dans le texte et britannique dans les *"tricks of the trade"*. À vous de les comparer !

Beaucoup de mots presque identiques en français et en anglais ne sont pas pour autant faciles à prononcer. Nous vous indiquons leur prononciation dans les chapitres 15 et 16, en distinguant le *i court* (comme dans « rire ») du *i diphtongué* (qui se rapproche du mot « ail »). Les lettres soulignées exigent l'accent tonique.

Enfin, pour préserver l'anonymat des entreprises citées, nous avons masqué leur identité sous un pseudonyme. Vous n'aurez pas trop de mal à trouver le lien qui les unit...

S'il advenait que l'un des noms cités fût celui d'une véritable société ou d'une personne physique bien vivante, nous voulons croire que son détenteur ne nous tiendrait pas rigueur de ce hasard.

La méthode Alistair pour réussir vos entretiens d'embauche en anglais

Première partie : Voici pourquoi vous allez être convoqué(e)

Deuxième partie : Voici pourquoi vous allez être retenu(e)

Troisième partie : Voici pourquoi vous allez être engagé(e)

1 S'organiser, c'est investir

Vous l'avez lu partout et tout le monde vous l'a répété : trouver un job est un job en soi-même. Et pas un travail facile.

Aussi, dès maintenant, il vous faut modifier votre vision des choses : trouver une situation, c'est d'abord être très bien organisé, pour se montrer efficace.

S'organiser, afin de ne pas passer deux heures à faire ce qui ne doit pas excéder dix minutes. Cela a un prix. Car il faut disposer d'un minimum de matériel et apprendre à s'en servir. À savoir :

– un micro-ordinateur avec son logiciel de traitement de texte ;

– une imprimante.

En effet, vous apprendrez au chapitre 4 que vous n'envoyez jamais exactement la même lettre de candidature, puisque vous l'adaptez à l'annonce – ou à l'entreprise que vous souhaitez toucher directement, dans le cas d'une « candidature spontanée ».

Quant à la lettre de remerciement que vous pensez utile d'envoyer, elle tiendra compte des conclusions de l'entretien. Par définition, elle ne peut se recopier.

C'est en adaptant lettres et CV à l'entreprise que vous devenez crédible. Encore faut-il vous donner les moyens techniques de le faire.

S'ajoutent à ces dépenses :

– les frais de papeterie (papier en ramette de 500 feuilles) ;

– les enveloppes, les timbres ;

– les frais de téléphone, incluant peut-être le branchement d'une ligne, l'abonnement et l'achat d'un répondeur ;

– les frais de documentation : le prix d'une revue, d'un livre...

– les frais de photos et de duplication, lorsque vous joindrez une photo à votre CV.

Vous n'oublierez pas non plus les frais de déplacement, si vous vous déplacez d'une ville à une autre.

Enfin, prévoyez le coût de l'achat et de la remise en état périodique de la tenue que vous allez réserver aux entretiens. Les jeunes candidats l'appellent souvent « l'uniforme ».

1 Getting organized means investing

You have read it everywhere and everybody has told you many times : finding a job is a job in itself. And not an easy one.

You might as well change your approach right now : finding a position means first of all being well organized in order to be efficient.

Getting organized so as not to spend two hours doing what should take ten minutes has its price. You must indeed have certain tools and know how to use them, i.e. :

- a computer with its word processor ;
- a printer.

You will see in Chapter 4 that you never send exactly the same letter of application, since you will be tailoring it to the ad - or the company you are contacting directly in the case of an "unsolicited application".

As for the thank-you letter you will want to send, it will depend on what happened after the interview. By definition, it cannot be standardized.

Your credibility will come from customizing your CV and letters for the company. But you need the technical means to do so.

The additional expenses will include :

- paper (500-page reams) ;
- envelopes, stamps ;
- phone charges, maybe including putting in and subscribing to an extra line, and buying an answering machine ;
- documentation costs : magazines, books ...
- photo and duplication costs when you send a picture with your CV.

And don't forget travel, if you must go to other cities.

Finally, include the cost of buying and periodically dry-cleaning the clothes you will wear to interviews. Young candidates often call it the "uniform".

La liste n'est pas tout à fait close.

Si, comme nous vous le suggérons au chapitre suivant, vous incorporez un Anglo-Saxon à votre groupe de recherche, prévoyez votre part de sa rémunération.

Chercher un job, c'est investir des sommes importantes, chaque mois, pendant plusieurs mois.

Il est logique que vous soyez conduit(e) à freiner ces dépenses en vous « débrouillant » :

« Je prends l'ordinateur de mon paternel... J'ai une copine qui me prête son imprimante pendant le week-end, etc. »

Malheureusement, très vite, vous vous rendrez compte que votre rythme de recherche dépend non seulement des petites annonces, des entreprises, de l'humeur des recruteurs, etc., mais encore de toutes ces personnes... Elles ont été d'accord, à un moment précis, pour vous donner un coup de main, mais elles ont trop souvent besoin de leur ordinateur ou de leur imprimante au même moment que vous.

Investir préserve votre liberté.

Toute votre énergie doit être tournée vers le triple impératif :

1. décrocher un rendez-vous ;
2. être retenu parmi les cinq ou six candidats potentiels ;
3. obtenir le job.

Il ne faut pas qu'elle soit détournée vers des à-côtés qui vous perturbent et, en définitive, vous freinent dans votre parcours.

Enfin – autre dépense à prendre en charge – pour certains postes qui exigent qu'on prenne la route, on vous demandera votre permis de conduire – et les Anglais précisent : *"a clean driving licence"*, c'est-à-dire un permis à points non écorné.

Aussi, profitez peut-être de la période pour le passer...

En résumé, l'organisation et le matériel qu'elle nécessite sont au candidat ce que l'équipement est au sportif : l'équipement ne fait pas le sportif, mais sans l'équipement, ce dernier n'ira pas loin.

En outre, ce n'est pas bon pour le moral de ne pas se battre à armes égales.

Et il y aura toujours autour de vous des gens qui sortiront un CV adapté au poste, impeccablement tapé, lisible et sans fautes d'orthographe; et qui auront placé bien en évidence sur le dessus de leur dossier le rapport annuel de la société qui les convoque. Ce sont des gens *organisés.*

The list doesn't quite end here.

If, as we suggest in the next chapter, you hire an English-speaking coach for your research group, budget your share of his fees.

Looking for a job means investing quite large sums of money, every month, for several months.

You will naturally try to curb expenses by being "resourceful" :

"I can use Dad's computer... I can borrow a friend's printer over the week-end, etc."

You will unfortunately soon realize that the pace of your research depends not only on ads, companies, recruiters' moods, etc., but also on all these people. They agreed at some point to help out, but too often need their computer or printer just when you do.

Investing protects your freedom.

All your energy must be focused on three essentials :

1. getting an interview;
2. being short-listed as one of the five or six possible candidates;
3. getting hired.

It must not be wasted on aggravating side-issues which will slow you down.

Finally - another cost to consider - for some jobs which involve traveling around, a / driving licence [GB] / driver's license [US] / will be required - and a clean one in some cases.

This might be the right time to get a driving license...

To sum it up, a good organization and the necessary tools are to the candidate the equivalent of proper sports equipment : it won't turn you into a champion, but you can't go far without it.

Furthermore, it is bad for your morale not to be on equal terms with the others.

And you will constantly be running into people who come up with a customized, impeccably typed and spell-checked CV; and who are displaying on top of their file the annual report of the company interviewing them. These are *organized* people.

Pour les premiers jobs :

Vous connaissez de façon précise, un an à l'avance, la date à laquelle vous vous mettrez en chasse…

Soyez une fourmi et économisez chaque mois de quoi vous constituer un budget de recherche d'emploi. Un an plus tard, vous ne le regretterez pas !

Car il ne faut pas s'éliminer de la course avant qu'elle ait commencé par méconnaissance de la règle du jeu. D'où ce chapitre préliminaire.

Nous allons maintenant vous montrer ce que l'anglais va vous apporter et comment vous en servir.

2 Ne pas rester seul(e),

travailler en groupe, s'adjoindre un collaborateur anglophone

Votre recherche vous laissera des moments où vous souhaiterez changer d'ambiance. Pour garder votre moral au beau fixe, nous vous suggérons de lire – ou de relire – *les Trois Mousquetaires* et *Vingt ans après.*

Outre la fameuse bande des quatre, vous y trouverez des gens qui n'avaient pas froid aux yeux et mettaient en pratique leur devise : « Un pour tous, tous pour un ! »

Devant de si prestigieux modèles, comment ne pas vous crier, à vous aussi : « Groupez-vous ! »

Pour bien des raisons.

7 raisons de vous grouper

1. Enthousiasme et solitude ne font pas bon ménage. Être isolé dans sa recherche alors qu'on doit attaquer le monde du travail avec enthousiasme, c'est cumuler deux situations difficiles.

2. Être en groupe, c'est bénéficier de « l'œil du groupe » (« Là tu es mauvais ; arrête de regarder tes mains quand tu parles !… »).

For first jobs :

You know a year ahead of time exactly when you are going to start your hunt…

Be a beaver and put some money aside every month so you have an adequate job-hunting budget by end of the year. When the time comes, you won't be sorry!

Make sure you don't get yourself knocked out of the race before starting because you don't know the rules. This is the object of this preliminary chapter.

We shall now show you how English will help and how to use it.

2 Don't stay alone!

Work with a group, hire an English-speaking coach !

While looking for a job, there will be times when you need a change of atmosphere. To keep your spirits up, we suggest you read - or re-read - *The Three Musketeers* and its sequel.

You will find not only the four famous heroes, but also plenty of brave people who were true to the motto : "All for one, one for all !"

With such enticing models, we can only cry in turn : "Get together!"

For many reasons.

7 reasons for getting together

1. Enthusiasm and loneliness aren't a good combination. Feeling lonely in one's research at a time when one must enthusiastically dive into the world of business means making the situation twice as difficult.

2. Belonging to a group means taking advantage of the group's "eye" ("That's no good; stop staring at your hands when you are talking…").

3. Être en groupe, c'est aussi profiter de la dynamique du groupe et s'astreindre à une discipline.

4. Surtout, c'est garder le rythme… ou l'acquérir !

« On constate qu'une personne qui recherche un emploi toute seule répond en moyenne à une dizaine d'annonces par semaine, et envoie cinq à dix candidatures spontanées : cet effort est largement insuffisant.

Le nombre de démarches effectuées en moyenne par un candidat reclassé avec succès est de cinquante à cent offres d'emploi, deux cents candidatures spontanées[1]. »

5. Travailler sous le regard des autres, c'est se soumettre en permanence à la critique. Un groupe est exigeant. Vous serez plusieurs à imposer la cadence. On devient vite meilleur à plusieurs. En cas de déprime momentanée, les autres, par leur seule présence, aident à se ressaisir.

6. On s'organise mieux à plusieurs, et on obtient des prix négociés avec les fournisseurs.

7. Chercher en groupe, c'est diminuer son temps de recherche de 25 à 40 %, parce que, en groupe, on envoie davantage de CV, on cerne mieux et on répond avec plus d'à-propos aux petites annonces, on est beaucoup plus efficace pendant les entretiens puisqu'ils ont été mieux préparés.

Votre atout maître : vous adjoindre temporairement un anglophone

Pour s'assurer de vos compétences, les entreprises :

– font passer certains entretiens en anglais ;

– parfois, aussitôt votre CV reçu, effectuent la sélection elle-même sur la qualité de votre anglais.

Par exemple, si une société cherche un ingénieur thermicien et que la tâche de ce dernier sera de former du personnel non francophone sur les gros chantiers, le premier critère retenu ne sera pas sa compétence en thermique mais son aptitude à transmettre ses connaissances en anglais.

Donc on retiendra 20 candidats bilingues et, parmi ceux-ci, on choisira le meilleur thermicien.

---

1. Pierre Sahnoun, *Créer ou rejoindre un groupe de chercheurs d'emploi,* Éditions Rebondir. Nous vous recommandons chaudement ce petit livre qui vous aidera à professionnaliser votre recherche.
Vous y trouverez ce qu'il est nécessaire de connaître pour faire fonctionner un groupe de travail. En particulier, les aspects d'organisation et d'animation. Un groupe, bien sûr, sécrète ses propres problèmes, mais tout vaut mieux que la solitude !

3. Belonging to a group means sharing the group's dynamics and applying a code of discipline.

4. Above all, it means keeping... or acquiring the right pace!

"It is reckoned that a person looking for a job alone answers an average of ten ads a week and sends five or ten unsolicited applications : this is a highly insufficient effort.

The average work achieved by a successfully appointed candidate goes from fifty to one hundred ads, two hundred unsolicited applications."

5. Working while others are watching means being permanently assessed. A group is demanding. Several of you will be setting the pace. One improves faster with others. If you feel momentarily depressed, the others, just by being there, will help you pull yourself together.

6. As a group, you'll be better organized and get rebates from suppliers.

7. Group research means a 25 % to 40 % gain of time, because belonging to a group means sending more CVs; the ads are better defined and the answers more adequate, and you'll perform better during interviews as they will have been better prepared.

Your major asset : hiring a temporary English-speaking coach

To assess your skills, companies will :

- conduct some interviews in English;

- sometimes base the selection itself on the quality of your English, upon receiving your CV.

If, for instance, a company is looking for a thermal engineer who will be in charge of training non-French speaking staff on large building sites, the first skill involved will not be his knowledge of thermal systems but his capacity to convey his knowledge in English.

Thus 20 bilingual candidates will be short-listed, and among them, the best thermal engineer will be chosen.

Il y a quelques années on faisait l'inverse : on retenait les 20 meilleurs ingénieurs et on engageait celui qui parlait l'anglais le moins mauvais.

La différence entre les deux systèmes de sélection ne vous échappe pas !

En quoi un anglophone est-il indispensable ?

C'est grâce à lui, ou à elle, que vous allez vous mettre à niveau. À quel niveau exactement ? Au sien.

D'abord, vous vous réhabituerez à un accent que vous n'avez peut-être plus dans l'oreille. (Il n'est pas question qu'il parle français, surtout pour vous « expliquer »...)

Bien sûr, vous apprendrez les expressions qui vous manquent, mais votre mentor fera aussi la chasse à vos gallicismes et tournures impropres – comprenez à celles qui lui écorchent les oreilles.

De toute façon, il ne vous comprendra que si vous ne vous trompez pas dans la place de l'accent tonique.

Plutôt britannique ou américain ?

Si vous êtes plusieurs à faire appel au même intervenant – ce qui est financièrement la meilleure solution – vous pouvez être sûr(e) que les avis différeront jusqu'à devenir passionnés.

Cette question n'est pas essentielle, et vous n'aurez peut-être pas à vous la poser : il vaut mieux un Américain doué d'un sens pédagogique et accrocheur qu'un Britannique qui ne s'occuperait pas de vous et vice-versa !

Les anglophones, qui sont des gens pratiques, n'abordent pas la question ainsi. Ils disent : « Nous nous comprenons tous, malgré nos accents différents, parce que nous plaçons l'intonation sur la même syllabe, que nous soyons australiens, irlandais, etc. » (il y a très peu de mots qui se prononcent différemment d'un pays à l'autre). C'est cela le principal.

Et pourquoi pas des professeurs d'anglais de langue française ?

Avoir recours à un francophone, c'est trop commode ! Vos réflexes de survie ne risquent pas de jouer, et vous n'aurez rien prouvé.

Nos pays francophones accueillent des anglophones, jeunes gens « au pair » (même mot en anglais), étudiants qui passent 6 à 12 mois dans les grandes villes et cherchent à y arrondir leurs fins de mois.

Vous pouvez négocier avec eux des conditions raisonnables et des horaires souples.

A few years ago, it worked the other way around : the 20 best engineers were short-listed and the one who spoke the best English was hired.

You will agree that the two selection systems are quite different!

Why is an English-speaking person essential?

Thanks to him, or her, you will have to level up. To what level? To his/hers.

First you will once again get used to an accent which may no longer sound familiar. (There must be no French spoken, especially not to "explain".)

Of course you will learn the expressions you don't know, but your mentor will also rid you of your idiomatic and improper expressions – which grate on his ears.

In any case, you will only be understood if you stress words in the right place.

British or American?

If several of you are seeking the same person's assistance - which is financially the best solution - you can be sure there will be strong disagreements.

This is not a crucial question, and you may not have to consider it : you will be better off with a good aggressive American teacher than with an uncaring British coach and vice-versa.

English-speaking people are practical and do not have this approach. They say : "We all understand each other, despite our different accents, because we stress the same syllable, whether we are Australian, Irish, etc." (very few words are pronounced differently from one country to another). That is the main point.

And why not French-born English teachers?

Being coached by a French native is just too easy! You won't be fighting for dear life and you won't be proving anything.

French-speaking countries welcome plenty of English-speaking "au-pairs", students who are always trying to make a little pocket money during the 6 to 12 months they spend in large cities.

You can negotiate reasonable prices and flexible hours with them.

Pendant la journée, ils ont du temps libre.

Mais n'attendez pas d'eux des cours de grammaire.

S'ils ne connaissent rien à la vie d'entreprise, ils seront néanmoins capables de vous dire que vous venez d'employer une expression... bizarre!

Enfin, il y a un filon auquel on a trop peu recours parce qu'on n'y pense pas : celui des conjoints des expatriés anglophones.

Ce sont souvent des femmes. Ces épouses ont davantage de temps libre que leur mari, cadre supérieur anglophone d'une entreprise de la ville.

Elles cherchent souvent, sans grand succès, à s'insérer dans le tissu social francophone qui n'est pas toujours accueillant.

N'est-ce pas pour elles une occasion inespérée et, pour vous, une chance à saisir?

Les missions que vous allez confier à un anglophone

• Relire votre CV anglais ou américain et votre lettre de candidature, et les corriger.

• Écouter vos réponses à des questions d'interviews et faire des commentaires qui, *idéalement,* seraient de cet ordre :

« Tu dois être plus affirmatif, Paul. Tu as l'air d'hésiter.

– C'était mieux la seconde fois... Tu peux recommencer. Ne te presse pas tant, on te comprend mieux quand tu parles lentement.

– Hélène, c'est un entretien, pas une confidence. Parle plus fort... c'est vraiment ça que tu veux dire? C'est très négatif, on a l'impression que tu as peur d'avoir le job. Insiste plus sur les syllabes qu'on accentue...

– C'est assez drôle de répondre ça, ça devrait plaire. Dis-le encore une fois... »

Nous disons *« idéalement »,* parce que, si votre intervenant anglophone a 22 ans et vous 40, il ne se permettra jamais d'en dire autant.

À vous donc d'interpréter sans complaisance envers vous ses silences, ses réticences, etc.

Mais il est primordial qu'il ou elle ne vous parle qu'anglais.

Au début, sachez-le, vous serez « mauvais(e) ». Vous vous sentirez rouillé(e) et totalement à court du vocabulaire adéquat (« Gaby, comment dit-on "je suis resté(e) six mois sans travailler" ? ») ; et c'est vrai qu'on vous portera à bout de bras.

Au bout de quelques semaines de tâtonnements, tout va se mettre en place. Vous ferez alors des progrès rapides et prendrez de l'assurance. En français et en anglais. À ce moment-là, votre anglais commencera à se rapprocher de votre français, et vous oublierez que vous vous exprimez en anglais pour vous concentrer sur ce que vous voulez dire, comme vous le faites en français.

In the daytime, they have free hours they are ready to put to good use.

If they have little knowledge of the business world, they are at least capable of telling you that they find your expression... bizarre!

There is also a source one rarely uses because one doesn't think of it : the partners of English-speaking expatriates.

They are often women. These wives have more free time than their husbands - English-speaking executives working for a company in the city.

They are often trying, with little success, to gain access to French homes.

It might be a wonderful opportunity for them and one for you to seize!

Your English-speaking teacher's mission

• Proof-read your English or American CV and letter of application, and correct them.

• Listen to your answers to interview questions and make comments which would *ideally* be something like this :

"Your should be more assertive, Paul. You sound hesitant.

- It was better the second time... Do it again. Don't go so fast, you're easier to understand when you speak slowly.

- Helen, this is an interview, not pillow talk. Speak up... is that really what you mean? It's very negative, one gets the impression you're afraid of getting the job. Insist more on stressed syllables...

- That's a funny answer, it should go down well. Say it again..."

We say "*ideally*" because, if your English-speaking teacher is 22 and you're 40, he'll never dare go that far.

It will then be up to you to consider silences, reservations, etc., as reproaches.

But it is essential that he/she only speaks to you in English.

You've got to realize that at first you will be no good at all. You will feel rusty and be groping for the right word ("Gaby, how do you say 'I spent six months without working'?") ; and you will truly need intensive coaching.

After a few weeks of trial and error, things will fall in place. You will then make quick progress and have more confidence. Both in French and English. At that point, English will seem almost as familiar as French and you will forget you are speaking English and just concentrate on what you want to say, as you do in French.

Enfin, sachez que certains recruteurs passent du français à l'anglais, sans transition au cours de l'entretien. On a beau être prévenu, cela surprend.

Après vos heures de pratique intensive, vous n'y attacherez pas une importance particulière puisque vous vous retrouverez dans la situation exacte que vous avez connue à l'entraînement.

Vous prendrez votre régime de croisière en anglais, sans vous crisper.

Pratiquez la « conduite chauffeur » !

Un truc : quand vous parlerez **français** pendant vos entretiens, parlez lentement.

Pourquoi cela, et pourquoi le dire ici ?

S'exprimer d'une voix posée et distincte, c'est se laisser le temps de réfléchir, de sourire. Vous donnez à votre interlocuteur l'impression d'être calme, posé(e), attentif(ve) et intéressé(e).

Ce sont beaucoup de qualités et vous marquez des points !

À cette première raison, s'en ajoute une seconde. Si vous parlez votre langue maternelle à toute allure, et peu après l'anglais lentement, le contraste entre les deux discours indiquera d'emblée à votre vis-à-vis que vous n'êtes pas à l'aise en anglais.

De plus, il vous est plus facile d'adapter votre français à votre anglais que l'inverse.

En fait, si votre débit ne change pas d'une langue à l'autre, vous accréditez l'idée que vous êtes la même personne dans les deux langues. Les automobilistes qui pratiquent la conduite « chauffeur », quel que soit l'état de la route (traduisez : *l'état de votre langue*), ne font pas autre chose !

Pour conclure

Le groupe vous donnera un moral d'acier. Il vous permettra de faire quelques économies que vous investirez sans hésiter en honoraires pour l'intervenant anglophone.

Dans un petit groupe, et avec un moniteur anglais, vous travaillerez dans des conditions optimales.

Finally, you must know that some interviewers switch from French to English, with no warning, during the meeting. Even if you are forewarned, you will be put off.

But after hours of intensive practice, you won't mind as much, since you will be in the exact same situation you were in while you were training.

You will reach your cruising speed in English without strain.

Take it easy!

A tip : when you speak French during the interview, speak slowly.

Why, and why say so at this point ?

Speaking in a controlled, clear voice, means giving oneself time to think, to smile. You will give the interviewer the impression you are calm, in control, attentive and interested.

These are quite a few qualities, and you will be scoring extra points!

There is also a second reason. If you speak your mother tongue at great speed, then English slowly, the contrast between the two will clearly indicate that you are not at ease in English.

And it's easier to adapt your French to your English than the other way around.

In fact, if the flow is the same in both languages, you will give the impression you are the same person in both languages. That's exactly what drivers who take it easy whatever the state of the road (of the language in this case) do!

To conclude

The group will boost your morale. It will allow you to save a little money, which you will unhesitatingly invest in fees for the English teacher.

Within a small group, and assisted by an English-speaking coach, you will be working in the best conditions.

3 Votre projet professionnel tient la route

Ce chapitre s'adresse uniquement aux candidats à un premier poste. Si vous postulez à un 2e, 3e, voire un 4e poste, passez au chapitre suivant. En effet, vous avez déjà un projet professionnel et vous n'en êtes plus à cette étape primordiale.

En revanche, si vous n'êtes pas satisfait(e) de votre métier et voulez changer d'orientation, quelques idées exprimées ici à l'intention des débutants peuvent relancer votre réflexion.

L'erreur éliminatoire à ne pas commettre

Entrons tout de suite dans le vif du sujet : aucun recruteur n'engage un candidat indécis. Ne sachant pas ce qu'il veut, ce candidat n'a pas arrêté le métier qu'il – ou elle – souhaitait exercer, et n'a pas pu réfléchir à celui-ci. Il ne sait donc pas formuler un projet professionnel. D'où la première règle d'or (voir colonne « Autant vous le dire ! »).

Or, tous les recruteurs constatent que la plupart des étudiants qui entament la recherche d'un premier poste commettent cette erreur.

Ils demandent au recruteur de leur dire ce qu'il leur propose, compte tenu de leur diplôme. Un recruteur ne répond pas à ce genre de question. Il attend qu'un candidat lui dise « voici ce que je peux faire pour votre entreprise » (2e/3e poste) ou, au moins, « voici ce que je voudrais faire pour votre entreprise » (1er poste), (voir « Nécessaire, mais pas suffisant ! »).

Sur la planète Travail, les règles du jeu ont changé

En effet, c'est une erreur que de calquer sa démarche d'embauche sur celle qui vous a permis de passer avec succès vos examens.

On ne vous demande plus de restituer des connaissances et de raisonner.

On vous demande de prouver que vous êtes apte à mener à bien la mission précise pour laquelle l'entreprise recrute. Bien sûr, le diplôme est un élément important dans la construction de cette quasi-certitude. Mais il n'est nullement le seul.

D'où la deuxième règle d'or.

AUTANT VOUS LE DIRE !

Nécessaire, mais pas suffisant !

Il ne faut pas en vouloir aux étudiants de se présenter uniquement sous la bannière de leur diplôme. Pendant 15, 20 ans d'études, on leur a expliqué qu'il fallait passer un examen pour franchir l'étape suivante… puis encore un, et encore un, etc ! Une fois leurs études terminées, comment n'attribueraient-ils pas à ce fameux diplôme un caractère sacré !

Première règle d'or

Ne vous mettez pas sur le marché du travail tant que vous n'avez pas de projet professionnel… et n'attendez surtout pas d'un recruteur qu'il vous aide à le définir. C'est une question trop personnelle !
De plus, il n'a pas de temps à y consacrer !

Deuxième règle d'or

- *Vous ne serez pas embauché(e) tant que vous n'aurez pas quitté votre peau d'étudiant(e).*
- *La meilleure façon de la quitter est de vous mettre dans la peau du recruteur.*
- *Tous les efforts que vous ferez pour vous mettre dans la peau du recruteur vous seront rendus au centuple.*

3 You've got the right career plan

This chapter is only for those looking for their first job. If you are seeking your 2nd, 3rd or even 4th, go straight to the next chapter, since you already have a career plan and have passed this paramount stage.

However, if you don't like your job and are considering a new orientation, some of the ideas below may turn out to be useful.

A major mistake to avoid

Let's get right down to it : nobody hires a hesitant candidate. Such a candidate doesn't know what he wants, has not defined the kind of job that would suit him, and therefore has given it no thought. He is incapable of drawing up a career plan. So golden rule number one is : (see "Tricks of the trade" column).

Yet all recruiters observe that most students looking for their first job make this mistake.

They ask the recruiter to tell them what he has to offer, considering their diplomas. A recruiter does not answer this kind of question. He expects a candidate to say : "This is what I can do for your company" (2nd/3rd job), or at least "This is what I would like to do for your company" (1st job) (see "Necessary, but not sufficient!").

On Planet Work, the rules of the game have changed

It is indeed a mistake, when you start looking for a job, to use the same approach you used for passing exams.

It is no longer a question of showing knowledge and reasoning.

You are supposed to prove you can successfully achieve exactly the mission the company has to offer. A diploma is naturally an important asset to convince them. But not the only one.

So golden rule number two is :

TRICKS OF THE TRADE

Necessary, but not sufficient !

One can't blame students for only waving the banner of their diploma. For the last 15 or 20 years they have been told that one exam leads to another, and yet another... No wonder, once they have finished their studies, they consider their diploma sacred!

Golden rule number one

Don't start looking for a job without a career plan... and don't expect a recruiter to help you define it. It is much too personal ! Furthermore, he has no time for that !

Golden rule number two

You won't be hired until you have given up your student mentality.

The best way of doing that is putting yourself in the recruiter's shoes.

All the energy you will put into thinking like a recruiter will truly pay off.

AUTANT VOUS LE DIRE !

Clair et concis

Vous n'êtes pas encore persuadé(e) que votre CV doit être un chef-d'œuvre de présentation standard sans fioritures, et votre lettre courte et lisible ?

Un(e) chargé(e) de recrutement reçoit 150 candidatures spontanées par jour.

Il/elle leur consacre 50 % de son temps, soit plus ou moins 4 heures, soit 240 minutes ou 100 secondes par candidature.

Si vous comptez les interruptions, les téléphones, les urgences, il lui reste 50 secondes, lettre de motivation manuscrite comprise.

Pourquoi moi ?

Il n'y a que vous qui puissiez convaincre le recruteur de vous engager. Personne ne s'en chargera à votre place. Argumentez vous-même. Sinon quelqu'un d'autre le fera à son profit et emportera le morceau !

Qui est le recruteur ?

L'entreprise ne sait faire que trois choses : acheter, produire, vendre.

Le recruteur achète pour l'entreprise le « capital humain ».

L'angoisse du recruteur est de se tromper de personne. C'est pourquoi il cherche autant à cerner la personnalité du candidat qu'il s'intéresse à son diplôme. (En général, il passe peu de temps sur le diplôme car il fait confiance à ceux qui vous l'ont décerné.)

Bref, pour lui, le candidat n'est pas seulement un cerveau mais avant tout un être humain.

Qui exerce la fonction de recruteur ?

Pour simplifier, le terme de recruteur qu'on emploie dans ce livre recouvre plusieurs genres de personnes qui toutes exercent cette fonction.

• Dans les PME, ce sera le supérieur hiérarchique dont vous dépendrez ou le dirigeant de l'entreprise que vous rencontrerez. Leur métier n'est pas de recruter. Ils vous parlent beaucoup du poste et de la société, et vous poseront moins de questions sur vous que des professionnels du recrutement.

• Dans les entreprises moyennes et grandes, vous rencontrerez le directeur des ressources humaines qui recrutera en fonction d'une définition de poste qu'il aura mise au point avec le directeur du département pour lequel il agit.

Il s'attachera à vérifier que vous avez les qualités et les compétences requises pour le poste. Mais ce n'est pas lui qui décidera en dernier ressort ; ce sera toujours le directeur du département qui recrute. C'est à lui que le directeur des ressources humaines présentera une sélection de quelques candidats.

• Dans les grandes entreprises et les entreprises multinationales, s'il s'agit d'un poste clé (pas un poste de débutant, donc) vous aurez affaire à un professionnel du recrutement.

Voilà pourquoi vous allez être engagé(e)

Se tromper, pour le recruteur, c'est faire prendre à son entreprise un risque inutile et très coûteux. Par exemple, celui de vous voir partir au bout de deux mois… parce que vous avez fait le tour du job et que vous voulez faire autre chose !

Vous persuaderez le recruteur que vous êtes le ou la meilleure pour le job si vous en êtes vous-même persuadé(e) et si vous présentez vos arguments de façon convaincante, en donnant des exemples concrets de vos réalisations.

Who is the recruiter?

A company mainly does three things : it buys, produces, sells.

The recruiter buys "human assets" for the company.

His great fear is hiring the wrong individual. This is why the candidate's personality is as important to him as his diploma. (He generally spends little time on the diploma, trusting those who awarded it.)

In a word, to him the candidate is not only a brain but above all a human being.

What kind of people do the recruiting?

To simplify things, in this book the word recruiter covers several kinds of people.

• In small companies, it will be your future boss. Recruiting is not his job. He will tell you all about the position and the company and ask fewer questions about yourself than a professional recruiter.

• In medium-sized and large companies, you will meet the human resources manager, who is looking for someone with the profile he and the manager of the department concerned have defined together for the job.

He will make sure you have the qualities and skills required for the position. But the final decision will be left to the department manager, who will study a selection of candidates short-listed by the HR manager.

In very large companies and multinationals, if it is a key position (i.e. not one for a beginner), you will mostly see the professional recruiter.

This is why you'll be hired

If the recruiter makes a mistake, the company will uselessly waste a lot of money. For instance, if you leave after two months, because you have found out what the job is about and want to do something else!

You will convince the recruiter you are the best suited for the job only if you have convinced yourself first, and if you provide strong arguments and evidence of your achievements.

TRICKS OF THE TRADE

Short and sweet

You are still not convinced that the layout of your CV must be a model of clarity and your letter short and legible?

A recruting executive receives 150 unsolicited job applications per day. To these he devotes 50% of his time. That is to say roughly 4 hours, or 240 minutes, or 100 seconds per application.

If you take into account interruptions, telephone calls and emergencies we are left with 50 seconds for both CV and supporting letter.

Why me?

You're the only one who can convince the recruiter to hire you, no one else will. Think of good arguments, or someone else will think of them and get hired!

AUTANT VOUS LE DIRE !

La Croix-Rouge, c'est à côté !

Vous l'avez compris, l'entreprise ne rend pas service, elle ne fait pas plaisir. Elle ne fait pas non plus de cadeaux. Elle achète – au juste prix – votre compétence.

Ce que résume ainsi un recruteur : nous ne sommes ni « Médecins sans Frontières », ni « l'Armée du Salut », ni « SOS Amitiés »...

Et, bien sûr, l'entreprise à horreur du risque : elle ne joue pas au Loto !

Tout ça n'est pas pour moi !

« Je n'aime pas travailler dans le stress » (activité portuaire)... « Je n'aime pas travailler la nuit » (hôtellerie)... « Je n'aime pas conduire » (représentation commerciale)... « Je n'aime pas travailler dans le bruit » (certaines usines)... « Je n'aime pas l'odeur » (tanneries, chocolateries)... (à suivre).

Montrer à l'entreprise ce qu'on peut lui apporter, c'est un des points essentiels que nous allons travailler ensemble. Bien sûr, il faut le dire avec simplicité et une certaine modestie, mais aussi faire preuve d'une grande conviction.

Si votre attitude est suffisante et prétentieuse, vous ne serez évidemment pas engagé(e).

Dans un premier job, vous ne pouvez pas faire preuve de compétences professionnelles puisque vous n'avez pas encore pris la mesure de votre nouveau métier. Alors, l'entreprise se contentera de la quasi-certitude que la personnalité que vous êtes pourra prendre en charge avec succès le poste proposé.

Du romantisme au réalisme

L'entreprise doit choisir entre des dizaines de personnes qui ont des diplômes équivalents ou proches. Entre plusieurs CV de valeur égale, elle donnera toujours la préférence à la personne qui, au cours des entretiens, l'aura convaincu qu'elle se défoncera pour le job. À sa place, vous feriez la même chose.

Or, vous ne pouvez pas convaincre le recruteur si vous n'avez jamais mis les pieds dans une entreprise. D'où l'intérêt des stages, jobs d'été, boulots divers que vous avez faits.

Pour l'employeur, ils représentent la meilleure garantie de la sincérité de vos convictions : vous savez déjà – un peu – ce dont il s'agit. Par exemple, vous avez appris que :

Travailler dans une librairie, ce n'est pas lire toute la journée ; c'est rester debout toute la journée près de la caisse, et manipuler des paquets généralement lourds.

Travailler pour une agence d'architecture signifie ne pas avoir d'emploi du temps personnel au moment des « charrettes » – quand toute l'agence se mobilise autour d'un projet à rendre quelques jours plus tard. Même remarque pour les agences de publicité qui préparent une campagne, ou une présentation à un client.

Être représentant en alcools, vins et spiritueux, c'est lever le coude et trinquer avec une quinzaine de personnes par jour. On peut trouver que c'est beaucoup. Surtout quand on sait d'avance qu'on pèsera quinze kilos de trop à 35 ans !

Pour élaborer votre projet personnel, repensez à vos stages !

Il est rare qu'un stage se révèle passionnant. Les stages donnent néanmoins une bonne idée de l'entreprise dans laquelle on les effectue. Car on peut vous refuser d'accéder à des dossiers, et ne rien vous expliquer, mais on ne peut pas cacher l'impression générale d'un corps social en activité.

Showing the company what one can contribute is one of the essential points we are going to work on together. You must naturally remain simple and humble, but be very convincing.

If your attitude is conceited and pretentious, you obviously won't be hired!

For a first job, you can't give evidence of your professional skills, since the job is entirely new to you. Which means the company will rely on being as sure as possible that your personality enables you to successfully achieve the work offered.

From romanticism to realism

The company has to choose between dozens of individuals with similar diplomas. CVs being equal, it's the person who has convinced them they will put their all into the job who will get it. You'd do the same.

Yet it is hard to convince the recruiter if you have never worked for a company. This is where internships, summer jobs and odd jobs will help!

For an employer they guarantee your dedication : you already know - a little - what it's about. You have for instance learnt that :

Working in a bookstore doesn't mean spending your time reading; it means being on your feet all day, using a cash register and carrying heavy packages.

Working for an architect's office means giving up all your free time in an emergency - when the whole team is working on a project to be handed in a few days later. The same applies to advertising agencies before a campaign or a presentation to a customer.

Being a liquor and wine salesman means drinking and clinking glasses with some fifteen people a day, which is a lot, especially when you know you will be twenty pounds overweight by the age of 35!

To draw up your career plan, remember your internships!

Internships rarely turn out to be fascinating. However, they give a good idea of the company. People may not give you access to files and do a lot of explaining, but you still get an impression of a true working environment.

TRICKS OF THE TRADE

Try next door for the Red Cross!

You realize companies are not trying to help or please you. Or be kind. They are buying your skills - for the right price.

As a recruiter put it : "We are not the Peace Corps or the Salvation Army or a fraternity… "

And companies naturally hate to take a risk : they're not trying to win at Bingo!

I don't want any of this!

"I can't stand stress" (port authority)… "working at night" (hotel business)… "driving" (salesman)… "noise" (plants)… "certain smells" (leather plants, chocolate)…

AUTANT VOUS LE DIRE !

Tout ça n'est pas pour moi ! (suite)

« C'est trop fatigant », « On passe son temps devant les écrans », « On ne dort pas assez ! », « On ne voit personne », « J'ai horreur du sang ! », « C'est trop répétitif »...

Le stage permet d'accélérer le tri entre ce qu'on aime faire et ce qu'on ne veut pas faire. Parfois, il permet de trouver sa voie.

Il force toujours à réfléchir.

Troisième règle d'or

Ne dites pas seulement : « J'aime écrire », mais « J'aime écrire et j'ai réalisé pour le compte de mon école un livret d'accueil de 128 pages destiné aux « première année ». Il leur présentait nos activités et toutes les possibilités qu'offrait l'école. »

Vous avez saisi la différence ?

Et le temps qui s'écoule avec une lenteur épouvantable, si vous vous ennuyez, vous aide à préciser tout ce que vous n'aimez pas et ne voulez pas faire. Ce qui vous aidera à cibler vos recherches par la suite.

En plusieurs stages on fait le tour de ses phobies et des secteurs à éviter, et on commence à tourner autour de ce qui nous plaît.

Car, pour réussir dans une entreprise, il faut adhérer aux valeurs prônées dans le secteur où elle s'insère, et les avoir « touchées du doigt » sans excès de romantisme.

Apprendre à se définir en termes de réalisations

Si vous ne reteniez qu'une seule phrase dans ce livre, il faudrait que ce soit cette suite de huit mots. Parce que, dès que vous serez entré(e) dans le bureau du recruteur, l'une des premières questions qu'il vous posera sera : « Qui êtes-vous ? », et, quels que soient les termes que vous emploierez pour vous décrire, il faudra que le recruteur se dise, toujours en huit mots :

« Voilà la femme, ou l'homme, qu'il me faut. »

Tout compte pour vous définir. Ne laissez rien de côté et surtout pas vos activités extra-scolaires. Les stages, certes, mais aussi toutes sortes d'activités qu'on ne pense pas à associer à une définition de soi-même : « J'ai fait la moisson..., j'ai fait les vendanges..., etc. »

La réponse à « Qui êtes-vous ? » est toujours : « Voilà ce que j'ai fait. »

D'où la troisième règle d'or.

« D'ailleurs »... le mot-Sésame

En voici quelques exemples :

« Je suis quelqu'un d'assez physique, j'aime être à l'extérieur, j'aime me dépenser. D'ailleurs, j'ai fait des travaux de ferme pénibles comme la moisson. »

« J'aime travailler en équipe. Je suis plutôt du genre boute-en-train et je n'ai pas de mal à m'intégrer à un groupe. D'ailleurs, j'ai fait trois automnes de suite les vendanges dans le Beaujolais. »

« Je suis disposé(e) à m'investir assez longtemps pour faire avec d'autres un travail de longue haleine, très minutieux. D'ailleurs, je monte en ce moment une pièce de théâtre avec une troupe d'amateurs... »

« Je suis quelqu'un d'organisé, j'aime les procédures. D'ailleurs, j'étais fourrier dans l'armée et je n'avais droit à aucune erreur... »

And if it seems endless, if you are bored, you discover what you don't like and don't want to do. It will help you target your research later.

After several internships, you have a good idea of what you hate and the sectors to avoid, and you are focusing on what you like.

To succeed in a company, you indeed have to agree with its overall business philosophy, be realistic and give up romantic dreams.

Learn how to define yourself by your achievements

If you only get one thing out of this book, it should be these eight words. As soon as you walk into the recruiter's office, one of his first questions will be : "Who are you?" and however you describe yourself, the recruiter will have to conclude in eight words :

"This is the woman, or man, I need."

When defining yourself, every detail counts. Don't leave anything out, especially not extra-curricular activities. Talk about internships of course, but also all kinds of activities you might not think of quoting to define your personality : "I harvested... picked grapes...", etc.

The answer to "Who are you?" is always : "This is what I have done."

So here's the golden rule number three.

The Open Sesame word : "Actually..."

A few examples :

"I'm a rather physical person, I like being outside, I like to use up my energy. Actually I have done some tough farm jobs, such as harvesting."

"I enjoy teamwork. I'm very sociable and easily fit in a group. Actually, I picked grapes in the Beaujolais region three autumns in a row."

"I am able to put a lot of effort into collaborating on a meticulous long-term job. Actually, I'm setting up a play with a group of amateurs..."

"I'm very organized, I like schedules. Actually I was a quartermaster in the Army, where they don't allow mistakes..."

TRICKS OF THE TRADE

I don't want any of this! (continued)

"It's too tiring", "One is glued to a screen", "One never gets any sleep!", "One never gets to see anybody", "Blood makes me sick!", "It's too repetitive"...

Internships help you sort out what you like to do and refuse to do. They sometimes give you a clear view, and always make you think.

Golden rule number three

Don't just say : "I like to write", say : "I like to write and I actually wrote a 128-page welcome booklet for first-year students, with all the activities and possibilities the school has to offer."

See the difference?

AUTANT VOUS LE DIRE !

C'est vrai que j'ai fait tout ça !

Je faisais partie d'un club de philatélistes... d'une chorale... d'une équipe de volley... j'ai voyagé... j'ai accompagné des colonies de vacances... j'ai écrit dans la revue de l'école... j'ai géré le Foyer du soldat pendant mon service militaire... j'ai mon brevet de secouriste... je rendais visite à des personnes âgées... je bricolais des motos dans un atelier de mécanique, je suis un(e) mordu(e) de l'informatique... de l'électronique... j'ai passé mon permis...

« J'aime expliquer aux autres, leur apprendre quelque chose. D'ailleurs, pendant deux ans, j'ai enseigné le secourisme à l'association "Le geste qui sauve". »

« Je le/la sens bien dans ce poste. »

Après avoir défini – par écrit – votre personnalité, vos points forts, vos points faibles, il vous faut traduire cette connaissance de vous-même en termes qui séduisent l'entreprise, c'est-à-dire en qualités ou compétences que celle-ci recherche précisément dans tel ou tel poste. Parlez de vous en termes concrets, et si possible, quantifiés.

Grâce à cette recherche sur vous-même, vous allez :

• passer de la logique de l'étudiant à celle du professionnel ;

• éviter de perdre votre temps en vous trompant de cible, et donc de poste ;

• tenir un discours cohérent, par écrit d'abord (lettre, CV...), puis par oral (entretien) en vous montrant capable d'argumenter, sans changer de ligne.

Ne perdez pas de vue que le temps de votre interlocuteur est limité. En quelques secondes, quand il vous lira, en quelques minutes, quand il vous verra et vous écoutera, il doit se faire une image claire de vous. La plus claire possible. Si le doute s'insinue dans son esprit («Je ne le/la sens pas dans ce poste... »), vous êtes mort(e) !

Une fois votre projet professionnel défini, vous vous sentirez beaucoup plus sûr(e) de vous. Avoir une image claire de soi permet d'être naturel(le), cohérent(e), sérieux(euse).

On verra au chapitre suivant comment votre CV et la lettre qui l'accompagne contribueront à véhiculer votre cohérence et votre force de conviction.

Quelques bonnes raisons de partir travailler à l'étranger

Enfin, c'est maintenant qu'il faut vous interroger sur votre vocation internationale et votre mobilité. Car vous avez quelques raisons de penser que c'est le moment ou jamais de partir pour l'étranger.

1. Vous êtes plus libre que vous ne le serez jamais. Aucune attache familiale ne vous scotche à un endroit précis.

2. Vous avez à votre disposition un bagage de langues qui ne demande qu'à prendre l'air et à s'étoffer.

3. Vous avez la certitude que vous apprendrez beaucoup des autres et vous êtes déjà avide de connaître d'autres horizons, d'autres styles de vie.

"I like to explain things to others, to teach them things. Actually I taught First Aid for two years at the 'Helping Hand association'."

"I can just see him/her in the job."

After defining - in writing - your personality, your assets and weaknesses, what you are looking for, what you refuse to do, you must translate this knowledge of yourself into arguments to convince the company, i.e. into precisely the qualities or skills they are looking for in a job. Remember to describe yourself in a down-to-earth, and if possible, quantified manner.

Thanks to the research accomplished on yourself, you will :

- move from student logic to professional logic ;
- avoid wasting your time by choosing the wrong target, i.e. job ;
- have a consistent approach, first in writing (letter, CV) then orally (interviews), proving you can provide arguments all along the same line.

Don't forget the recruiter has little time. He must in a few seconds, by reading your letter, seeing you and listening to you, have a clear image of you. As clear as possible. His slightest doubt ("I can't see her/him in the job") will kill you!

Once you have decided on your career plan, you will feel much more confident. Having a clear image of yourself will allow you to be natural, consistent, serious.

We will see in the next chapter how your resumé and the letter that goes with it will contribute to support your consistency and power of conviction.

A few good reasons to take a job abroad

Now is the time to wonder about your international aspirations and how mobile you are. There are several reasons for thinking it's the perfect time to go abroad :

1. You will never be as free, you don't have a family to tie you down.

2. You can use and perfect the languages you speak.

3. You know you will learn a lot from others, and are eager to discover new horizons and life styles.

TRICKS OF THE TRADE

I really did all of that !

I belonged to a stamp collectors' club... a choir... a volley-ball team... I have traveled... worked at a summer camp... I wrote in the school paper... I managed the Soldier's Club when I was in the Army... I have a First Aid certificate... I used to visit old people... I fixed motorbikes in a workshop... I'm great with computers... electronics... I have passed my driving test...

AUTANT VOUS LE DIRE !

Quatre ?

Philippe a travaillé dans quatre continents différents en quatre ans. Il résume ainsi son expérience.

« J'ai parlé quatre langues différentes dont l'allemand et l'arabe, appris pendant cette période.

J'ai eu l'impression que ma vie se déroulait sur grand écran et que beaucoup des personnages que j'ai rencontrés crevaient l'écran[1].

Accessoirement, j'ai gagné pas mal d'argent... »

1. « Par leur personnalité ! »

4. Vous êtes habité(e) par la conviction que, ce que vous n'aurez pas entrepris dans les deux ou trois ans à venir, vous n'aurez plus jamais l'occasion de le faire.

5. Vous êtes agacé(e) par la morosité de votre environnement, que ce soit justifié ou non.

6. En définitive, votre intime conviction est que quelques années à l'étranger font figure de voyage initiatique, un voyage qui vous apprendra qui vous êtes autant qu'il vous montrera comment les autres se comportent.

Si vous adhérez à ces réflexions, n'hésitez pas à écrire dans votre projet professionnel que vous êtes mobile et que vous souhaitez travailler à l'étranger et y partir le plus vite possible.

Vous serez surpris(e) de voir l'attitude du recruteur changer radicalement vis-à-vis de vous : vous commencez à l'intéresser vraiment.

4. You are convinced that you may never get another chance to catch up on the opportunities you miss within the next two or three years.

5. You are sick of the gloomy social climate, whether or not this is justified.

6. And you are basically convinced that a few years abroad will be a true initiation, a time to find out who you are and what makes other people tick.

If such are your thoughts, don't hesitate to add in your career plan that you are mobile, ready to work abroad and to leave as soon as possible.

You will be surprised to see the change in your recruiter's attitude : you are beginning to really interest him.

TRICKS OF THE TRADE

Four ?

Philip worked on four different continents in four years. This is how he summarizes his experience :

"I spoke four different languages, including German and Arabic, which I learnt at the time. I felt my life was like a major movie and some of the people I met were top stars.

Incidentally, I also made a lot of money."

4 Pourquoi votre CV va passer sur le haut de la pile

Avant de rédiger votre CV, réfléchissez une fois encore à votre « profil de poste ». La plupart des gens sont capables de postuler à des postes différents. Par exemple le rédacteur en chef d'un journal peut devenir directeur de la communication d'une société.

Toutefois, à chaque poste recherché par un candidat doit correspondre le CV approprié.

Donc, un candidat peut produire un, deux, trois CV différents correspondant à des axes de recherche particuliers. En revanche, il est imprudent de prétendre modifier son CV en fonction de l'annonce à laquelle on répond, car la mise à jour d'un CV est un exercice long et difficile. Vous n'aurez pas le temps de le faire.

C'est par la lettre d'accompagnement que vous mettrez en valeur ce que vous allez apporter de spécifique à l'entreprise qui se décrit dans l'annonce.

La méthode pour préparer votre CV, en français comme en anglais

Pour rédiger votre CV, l'exercice préliminaire consiste à composer un tableau.

Dans la colonne de gauche, vous faites la liste de toutes les compétences (savoir-faire) et des qualités (savoir-être) requises dans le poste que vous visez. Dans l'absolu, et quelle que soit la société qui vous recrute(rait).

Un exemple : à la question : « Qu'ai-je envie de faire dans ma vie professionnelle ? », vous avez répondu : « Je veux obtenir un poste Junior dans un département de ressources humaines et, si possible, dans un établissement financier. » Vous allez donc, dans une colonne de gauche, faire la liste des compétences, aptitudes et qualités requises dans ce poste.

Ce qui va donner ceci :

Compétences requises :

Connaissances

- des techniques de gestion du personnel, 1 ;
- de la gestion, administration : fiches de paie, etc., 2 ;
- de la psychologie : tests, entretiens recrutement, graphologie, 3 ;
- de la législation du travail, 4.

Aptitudes / qualités :

- esprit d'équipe, 5 ;
- grande capacité d'écoute, 6 ;
- sens de l'organisation, 7.

En face de cette colonne, vous allez faire figurer dans la colonne de droite les réalisations qui montrent que vous maîtrisez ces compétences ou possédez ces qualités, et comment vous les avez acquises et perfectionnées.

Ce qui va donner, en face de :	*Réalisations*
1.	Étude des procédures de Caixa Bank international.
2.	Stage à la Caixa Bank, Lisbonne.
3.	Diplôme : maîtrise de psycho.
4.	Diplôme : Sciences-Po, Paris.
5.	Pratique du chant choral.
6.	Pas de réalisation.
7.	Responsable de l'association « Acropolis ».

Ce travail initial est le plus difficile à faire, car il malmène vos illusions et met vos préjugés à rude épreuve : celle du marché de l'emploi et celle de la réalité de vos compétences. Mais, il vaut mieux affronter les difficultés ou les incohérences à ce stade plutôt que se désespérer, quelques semaines plus tard, parce qu'on ne répond pas aux CV que vous envoyez.

Entrez dans le détail : le tableau doit être long, car complet et détaillé, puisqu'il s'agit ici de ne rien oublier. En revanche, le CV doit toujours être concis.

Voici pourquoi votre CV sera toujours concis et impeccable

(Pour un premier poste : 1 page, pour un deuxième : 2 pages, pour un troisième ou quatrième : 3 pages maximum.)

• *Parce qu'un CV doit remplir deux rôles à la fois :*

– permettre au recruteur d'éliminer le plus vite possible les candidats en dehors de la cible (évitez d'en faire partie !) ;

– vous permettre d'être invité(e) à participer aux entretiens d'embauche.

(Faites partie des invités.)

• *Parce que votre CV doit donner de vous une image claire et logique,* construite en fonction d'un poste qui existe sur le marché, et non pas en fonction de considérations autobiographiques qui n'intéressent que vous.

• *Parce qu'il doit permettre de répondre vite* et de manière positive aux quatre questions que se pose tout recruteur.

Les 4 questions que se pose le recruteur

1. ***Ce candidat correspond-il au profil de mon poste ?*** (profil défini dans l'annonce)

Par exemple : Que sait-il faire ? On demande un ingénieur, est-il ingénieur ?... parlant anglais, parle-t-il anglais ? etc.

À ce stade, le recruteur réagit ainsi : « Si oui, j'en lis plus ; si non, j'élimine. »

2. ***Qu'a-t-il / elle fait jusqu'ici ?***

D'où vient-il ? Quel a été son parcours ?

À ce stade, le recruteur sait si ce candidat répond ou non au profil du poste. Il réagit ainsi : « Si oui, je continue à lire ; si non, j'élimine. »

3. ***Au fait... qui est cette personne ?***

Sa personnalité, sa vie extra-professionnelle, l'impression qui se dégage de son courrier de candidature...

À ce stade, le recruteur fait la chasse à ce qui paraît bizarre, déplaisant, bref éliminatoire dans le CV et dans la lettre sur laquelle il vient de jeter un coup d'œil (présentation fantaisiste, fautes d'orthographe, lettre maladroite, etc.).

Jusqu'ici votre CV a été retenu. Il est probable que vous allez figurer dans une liste restreinte de personnes à convoquer. À moins que...

4. ***Le poste correspond-il à ce que ce(tte) candidat(e) veut* vraiment *faire ?***

Le recruteur lit la lettre de motivation pour être certain que vous avez bien compris la nature du poste dont il dispose et que l'enthousiasme dont vous faites part est justifié.

À ce stade, si la réponse est positive, vous allez être convoqué(e) aux entretiens pour apporter la confirmation de ce qu'il a déduit de votre courrier.

Il faut désormais montrer que, parmi une dizaine de candidats, vous êtes le meilleur.

(Et la personne que vous rencontrerez ne sera plus quelqu'un qui élimine… mais quelqu'un qui recrute.)

Ces deux bilans en tête, il ne vous reste plus qu'à saisir votre CV.

Il vous faut le rendre très lisible. Les règles de base suivantes conviennent, quel que soit votre ordinateur.

Que votre CV tienne une forme… assistée par ordinateur !

Dans la plupart des logiciels de traitement de texte [1], il existe en effet des fonctions peu utilisées qui permettront à votre CV de se démarquer, par son efficacité et non par son originalité. Vous ne serez pas obligé(e) pour autant de faire appel à des logiciels de PAO souvent complexes. (*N.B.* Le mot « style » qui revient fréquemment signifie : mise en forme du paragraphe.)

Avant tout, il faut réfléchir à la structure de votre CV pour déterminer quelles sont les informations à mettre en valeur, et donc comment utiliser l'habillage graphique (le type de caractère, l'italique, le gras). Quelques astuces permettent ensuite de mettre en œuvre les règles fondamentales. Voici une visite guidée.

Quels sont vos titres ?

Le CV de Sarah, qui a été réalisé en Word 7 [2] pour Windows, égrène clairement ses informations principales : le nom, l'objectif professionnel (en drapeau), les parties du CV par ordre d'importance.

Vous le trouverez, pages 48 et 49, à une échelle réduite.

1. Il existe sur le marché des logiciels de mise en pages professionnels : QuarkXPress®, Aldus PageMaker®, Ventura®. Leur usage est complexe et ils nécessitent des ordinateurs souvent assez puissants. Cependant, la plupart des logiciels de traitement de texte ont des capacités parfaitement suffisantes pour mettre en pages un CV de manière claire.

2. Les fonctionnalités des autres versions de Microsoft Word sont, à peu de chose près, les mêmes. La plupart des autres traitements de texte vous permettront d'arriver au même résultat ; nous avons choisi MS Word uniquement parce qu'il s'agit du logiciel de sa spécialité le plus répandu.

Pour chaque titre, un même style a été utilisé : celui que Word attribue au « Titre 1 » d'un document. Il s'agit d'un caractère droit (l'Arial, une « antique »), de taille 14, gras. Il se distingue, par défaut, au premier coup d'œil du texte normal, qui est dans un caractère à empattement (le Times, une « elzévir »), plus petit (12 points), et normal (« maigre »). Pour renforcer ce contraste, le paragraphe est précédé d'une ligne blanche (12 points) et d'un espace plus petit (3 points). Cela permet au lecteur de se repérer dans le CV.

Le menu déroulant appelé « Format / Style » vous permet de choisir le style d'un paragraphe. On utilise les styles pour s'assurer une mise en pages uniforme. Le style sera enregistré dans un fichier particulier, le « modèle », appelé par défaut « normal.dot ». Vous pouvez également charger d'autres modèles qui contiennent des styles prédéfinis. Certains d'entre eux ont été créés à l'usage des CV.

Pour l'esthétique, on a réduit les caractères des titres au corps (taille) 12. L'espace avant le paragraphe a été réglé à 30 points, pour répartir les parties harmonieusement dans la page.

Pour faire tout cela, il suffit de se placer dans le menu déroulant (« Format / Style » et de sélectionner le « Titre 1 », le bouton « modifier », puis, dans le menu « Format », les options « caractère » et « paragraphe ». Les modifications s'appliquent automatiquement à tous les paragraphes concernés. Attention ! Sortir du menu par « Fermer » et non par « Appliquer ».

Certains paragraphes ont un format unique : le drapeau, par exemple, est en titre 1, mais centré, avec un espace avant de 36 points. Pour cela, il faut bien sûr appliquer le style « Titre 1 », puis utiliser le menu « Format Paragraphe ». Pour mettre « Ressources humaines dans un établissement… » sur deux lignes, ce qui le rend plus lisible, il suffit d'insérer un retour à la ligne (Maj. Entrée) et non un retour de paragraphe (Entrée). En effet, un style s'applique à un paragraphe.

Quels sont vos mots clés ?

La « lecture en diagonale » se fait pour l'essentiel dans la moitié gauche de la feuille, et en s'arrêtant sur les mots les plus visibles : les titres et les mots que vous aurez mis en relief. C'est cette lecture en diagonale qui va donner envie de lire votre CV : on doit s'apercevoir, au premier coup d'œil, que votre profil correspond au poste. Ce qui donne envie d'aller plus loin…

Écrire un mot en gras est la manière la plus efficace de le faire ressortir, à condition de ne pas abuser du procédé.

Soulignez tous les mots clés de votre profil – et rien qu'eux, car pas plus d'une demi-douzaine de mots ne peuvent s'imprimer dans le cerveau du lecteur. Autant qu'ils correspondent aux deux ou trois idées fondamentales que vous voulez communiquer, et qui résument votre profil.

Dans le CV de Sarah, quelques mots clés sont mis en valeur : diplôme, maîtrise, Caixa Bank, trilingue : voici une jeune diplômée, trilingue, avec une expérience de la banque. Deux défauts de communication pourtant : les « ressources humaines » n'apparaissent pas et, surtout, « diplôme » cache l'information importante, qui est l'école que Sarah a faite (puisqu'elle est bien cotée).

Dans la plupart des logiciels, il suffit de cliquer deux fois sur un mot pour le mettre en surbrillance : le gras s'applique alors par un bouton ou par un raccourci-clavier (dans le cas de Word, ctrl-G, dans la plupart des versions).

Pas de fantaisie, à moins que la fantaisie ne soit votre métier… et encore !

Pour les créatifs de la publicité, les graphistes, etc., montrer votre talent sur votre CV est admis, et même bienvenu. Il n'en est pas de même des autres métiers. Un consensus s'est établi, petit à petit, sur ce qui est lisible. Le CV de Sarah en présente la charte :

- Deux polices de caractères : une antique pour les titres (Arial, Helvetica, Futura…), une elzévir (le Times est la plus connue), pour le texte. Deux tailles, modestes et proches : 14 et 12 points, par exemple.
- Le blanc (l'espace avant et après les paragraphes) ne sert pas qu'à aérer la page, il permet de souligner le passage d'une partie à l'autre.

Méfiez-vous de tout ce qui surcharge, le plus souvent inutilement, la feuille de papier : filets, mots soulignés, cadres, grisés…

Sont à bannir :

- les polices de caractères fantaisistes ;
- les caractères ombrés ou trop grands ;
- le papier d'une autre couleur que le blanc…

La lettre d'accompagnement est un message personnel et, si possible, personnalisé.

En parcourant la lettre de motivation, le recruteur doit sentir une véritable personnalité en face de lui. C'est pour cela qu'elle est unique, personnelle, et si possible personnalisée.

Elle n'a qu'une raison d'être : vous faire décrocher un entretien. Elle est donc conçue comme un message. Elle est unique, car elle est différente selon les candidatures. Personnelle, elle ne fera pas figure d'un écrit standard, donc anonyme, donc inutile !

Elle le sera tout autant si elle est une candidature spontanée – celle de Sarah Dos Santos, par exemple.

Enfin, elle est courte : le recruteur se décourage devant sept paragraphes bien tassés !

Pour toutes ces raisons, elle est longue… à écrire ! (D'où notre conseil de ne pas modifier votre CV à chaque envoi !)

Ce qu'exprime la lettre :

Pour décrocher l'entretien, chaque mot compte :

• Le début dit pourquoi vous posez votre candidature (± un paragraphe), en faisant référence, si possible, à un besoin de la société ou à une personne qui vous recommande.

• Le milieu dit pourquoi votre CV devrait intéresser le recruteur. Il attire son attention sur un ou deux faits saillants de votre CV (± deux paragraphes).

• La fin exprime votre souhait de le rencontrer très vite et inclut la formule de politesse. Pour celle-ci restez-en aux normes, nous vous les indiquons (un paragraphe).

La forme de votre lettre :

• En France, les candidatures retenues passent souvent chez un graphologue. Donc, lettre manuscrite. Comprenez : écriture très lisible et sans fautes d'orthographe ; présentation impeccable.

Attention ! Si vous êtes gaucher(ère), mentionnez-le à la fin de votre lettre, car l'analyse est différente pour les droitiers et les gauchers.

• Pour les Anglo-Saxons, sauf stipulation expresse, la lettre est tapée. Sa présentation est celle d'une lettre d'affaires.

Une suggestion : une fois votre lettre rédigée en français, si vous êtes au point en anglais, et votre collaborateur anglo-saxon pas trop éloigné de vous, rédigez-la et tapez-la en anglais, et joignez-la à la lettre manuscrite en français. N'est-ce pas la meilleure façon de montrer que vous êtes à l'aise en anglais ?

Formules, en français :

• L'appel : Monsieur, Madame, si vous n'avez pas rencontré votre interlocuteur ;
Cher Monsieur, Chère Madame, dans le cas contraire.

Jamais : Cher Monsieur X, Chère Madame Y.

C'est un anglicisme. En français, il est inexcusable, car il remplace l'usage de la politesse par les tics du marketing direct.

Vérifiez particulièrement l'orthographe du nom de votre interlocuteur.

• La formule de politesse :

D'un homme à un homme :
Veuillez agréer, Monsieur, l'expression de mes sentiments très distingués.

D'un homme à une femme :
Veuillez agréer, Madame, l'expression de ma considération très distinguée.

D'une femme à un homme :
Veuillez agréer, Monsieur, mes salutations très distinguées.

D'une femme à une femme :
Veuillez agréer, Madame, mes salutations très distinguées. (On n'exprime pas de salutations, car saluer est un acte.)

Formules, en anglais :

• L'appel :

[GB] : Dear Mr X, Dear Mrs Y, Dear Ms Z.

[US] : Dear Mr X, Dear Mrs Y, Dear Ms Z, si vous n'avez jamais rencontré votre interlocuteur, sinon : Dear John, Dear Susan.

• La formule de politesse : Yours sincerely [GB], Sincerely [US].

Un exemple : la lettre de motivation envoyée par Sarah Dos Santos au directeur des ressources humaines d'une grande banque de Bruxelles.

Voici le CV de Sarah Dos Santos.

En français et en anglais / américain.

On notera la suppression délibérée de la date de naissance et du statut marital sur le CV américain. Et, évidemment, l'absence de photo.

En effet, le CV américain ne mentionne jamais l'âge du candidat, son sexe ou sa nationalité.

En matière de photos, mieux vaut vous abstenir lorsque l'entreprise est manifestement anglo-saxonne – sauf stipulation contraire de sa part. Quant aux entreprises francophones, chacune a sa politique. Toutefois, si vous en envoyez une, faites-la choisir par votre entourage, et restez dans le format « Photomaton ».

Sarah Dos Santos

1, rue de Richelieu
75001 - Paris
Tél./fax : (33) 1.42.71.05.74

Née le 18 février 1971
Nationalité française et portugaise
Célibataire

3 langues de travail.
Diplômée en psychologie et en ressources humaines.

Ressources humaines
dans un établissement financier international

Cursus

1996 • **Diplôme** de l'Institut d'études politiques de Paris (« Sciences-Po »), section Communication et Ressources humaines.

1994 • **Maîtrise** (*licenciatura*) de psychologie, à l'université de Lisbonne (bac + 4).
Mémoire : Structuration, en tandem avec un informaticien, d'une base de données socio-comportementale regroupant les CV des étudiants de la faculté. L'utilisation a été ouverte aux entreprises de la région.

1988 • **Baccalauréat B** (économie) : lycée français de Lisbonne.

Stages

1995 • **Caixa Bank Paris** : étude sur l'harmonisation des techniques de gestion du personnel entre la maison mère et sa filiale française, au cours d'un stage de trois mois dans le cadre de l'IEP Paris. Cette étude, qui comparait les techniques de gestion au Portugal et en France, et proposait des modifications de procédures, a recu l'aval du DRH France.

1994 • **Caixa Bank Lisbonne** : stage de formation de six mois, dans le cadre de l'université de Lisbonne. Initiation à la technique bancaire, aux procédures de gestion et de motivation du personnel, aux évaluations et au recrutement.

Langues

Trilingue anglais - français - portugais.

Informatique

- Maîtrise des principaux SGBD (Access), tableurs (Excel), traitements de texte (Word).
- Utilisation régulière d'Internet.

Centres d'intérêt et informations complémentaires

- Entre 1981 et 1991, nombreux séjours aux USA et en Grande-Bretagne.
- Diplômée (1996) de la Société française de Graphologie.
- Chant : jazz et lyrique. De 1976 à 1994, choriste à Lisbonne.
- Équitation, ski.

Sarah Dos Santos

1, rue de Richelieu
75001 - Paris
Tél./fax : (33) 1.42.71.05.74

Nationality : French/Portuguese
Trilingual
Psychology and Human Resources diploma

Human Resources
in an international financial institution

Education

1996 • **Graduate** of the Paris Institut d'études politiques, Human Resources Communications major.

1994 • **M.A.** *(licenciatura)* in psychology, Lisbon University.
Thesis : In collaboration with a computer engineer, structured a socio-behavioral database based on the faculty students' CVs. Now used by local companies.

1988 • **Baccalauréat,** Economics major, Lycée français, Lisbon.

Training periods

1995 • **Caixa Bank Paris** : Study of personnel management harmonization techniques between the parent company and its French subsidiary during a three-month internship for the Paris IEP. This study, which compared French and Portuguese management techniques and suggested procedural changes, was supported by the HR Manager, France.

1994 • **Caixa Bank Lisbonne** : six-month training period for the Lisbon University: banking techniques, management and personnel motivation procedures, evaluations and recruiting.

Langues

Trilingual English/French/Portuguese.

Computer skills

• Major DBMS (Access), spreadsheets (Excel), word processors (Word).

• Regular Internet user.

Major interests and other

• Numerous trips to the United States and the UK between 1981 and 1991.

• Société française de Graphologie diploma (Handwriting analysis, 1996).

• Singing : jazz and lyrical. Member of a Lisbon choir from 1976 to 1994.

• Riding, skiing.

Sarah Dos Santos
1, rue de Richelieu
75001 - Paris
Tél./fax : (33) 1.42.71.05.74

Monsieur le Directeur,

Mes études au Portugal et en France (Institut d'études politiques de Paris, filière Ressources humaines) et mes stages ont éveillé en moi le goût de la fonction « Ressources humaines » et m'ont incitée à vous écrire.

J'ai eu la chance de passer neuf mois, en deux stages, à la Caixa Bank et d'y comparer ses techniques de gestion du personnel et ses procédures de recrutement et d'évaluation avec celles d'autres établissements financiers.

La politique très volontariste que mène Windfalls and Acquisitions, dont fait état l'article des *Échos* du 17 mars 1997, me laisse espérer que je pourrai apporter mes compétences toutes neuves au département Ressources humaines que vous dirigez.

En vous remerciant de l'attention que vous porterez à ma candidature et dans l'attente de vous rencontrer prochainement, je vous prie d'agréer, Monsieur le Directeur, mes salutations très distinguées.

Sarah Dos Santos

Sarah Dos Santos
1, rue de Richelieu
7500 1 - Paris
Tél./fax : (33) 1.42.71.05.74

Dear Sir,

I have studied in both Portugal and France (Paris, Institut d'études politiques, with a major in Human resources). My training periods were also in a Human resources department in these two countries.

I had the opportunity to do two internships, nine months in all, at the Caixa Bank in Lisbon and Paris. There, I was able to compare their personnel management techniques as well as their recruiting and assessment procedures with those of other banks.

Based on my knowledge of Windfalls and Acquisitions clear-cut policy, as stated in the article in *Les Échos* dated March 17, 1997, I believe that with my specific skills, I could be a real asset to your Human resources department.

I eagerly await the opportunity to meet with you and show you that I could make an immediate contribution to your company.

Thank you for your consideration.

Yours sincerely,

Sarah Dos Santos

Vous remarquerez les légères différences entre la lettre en français et celle en anglais, qui montrent que cette candidate maîtrise les deux langues jusque dans leurs nuances.

5 Vous avez appris à téléphoner en anglais

Téléphoner dans une langue qu'on ne maîtrise pas complètement est un exercice extraordinairement difficile. C'est bien simple, on a tout contre soi.

Le plus souvent, on ne connaît pas son interlocuteur, et donc son accent. En général, celui-ci est pressé et n'aime ni répéter, ni expliquer… De plus, on ignore tout du lieu et de l'ambiance où atterrit le coup de fil.

Enfin, si le correspondant a été joint par satellite, on doit se battre avec les « trous » dans les liaisons !..

C'est pourquoi il vaut mieux ne pas chercher ses mots et comprendre le sens des termes les plus courants.

Encore quelques dizaines de phrases à apprendre par cœur… Mais, peut-on faire autrement ?

Telephoning in a language you are not completely at home in, is a very difficult undertaking. It's obvious why – everything is against you.

Most of the time you don't know the person you are speaking to, nor his accent. This person is usually in a hurry and doesn't want to repeat or explain things. What's more, you know nothing about the surroundings and the general atmosphere in the place you are calling.

Finally if you are linked to the other person by satellite you will have to struggle with breaks in the connection.

For these reasons it is preferable to be fluent and to be able to understand the meaning of the most common expressions used.

More phrases to learn by heart! But do you dare not to?

1 Pour téléphoner, il vaut mieux savoir dire… — Don't panic on the phone…

Allo ?	Hello ?
Bonjour, je peux vous aider ?	Good morning, what can I do for you ?
Pourrais-je avoir le poste 200 ?	Could I have extension 200 ?
Pourriez-vous me passer le service des ventes, s'il vous plaît ?	Could I have the sales department, please ?
J'aimerais parler au responsable des ventes.	I'd like to speak to the person in charge of sales.
Pouvez-vous me passer le secrétariat de M. Clark ?	Can you put me through to Mr. Clark's office ?
Pourrais-je parler à Mme Spears ?	Could I speak to Mrs Spears ?
C'est de la part de qui ?	Who's calling, please ?
Puis-je vous demander votre nom ?	May I ask who's calling ?
Puis-je vous demander de quoi il s'agit ?	May I ask what your call's about ?
Savez-vous dans quel service il travaille ?	Do you know in which department he works ?
C'est Mlle Dubois.	This is Miss Dubois.
Pourriez-vous épeler ce nom ?	Could you please spell this name ?
Vous parlez trop vite.	You're speaking too fast.
Pourriez-vous parler plus lentement ?	Could you speak more slowly ?
Pourriez-vous répéter ?	Could you please repeat ?
Son numéro est le cinq cent quarante-sept, soixante-quinze, cinquante-trois.	His number is five four seven, seven double five three.
Il attend mon / coup de fil / appel.	He's expecting my call.

Serait-il possible de prendre rendez-vous avec M. Tourneur ?	Would it be possible to make an appointment with Mr. Tourneur ?
Un instant, je consulte son agenda.	One moment, I'll look in his diary / appointment book.
Un instant, je prends un stylo.	One moment, I'll get a pen.
Je vous le passe.	I'll put you through.
Merci de votre gentillesse.	Thanks for your help.
Un instant, s'il vous plaît.	One moment, please.

2 En cas d'absence... / If a person is away...

Ne quittez pas !	Hold on, please !
Le poste est occupé.	The line is engaged / busy.
Vous n'avez pas le bon poste.	You've got the wrong extension.
Il est en réunion.	He's in a meeting.
Il est parti déjeuner.	He's at lunch.
Elle est absente pour la journée.	She's out for the day.
Excusez-moi de vous faire attendre.	Sorry to keep you waiting.
Il est en communication.	He's on another line.
Il n'y a personne de ce nom ici.	There's no one by that name here.
Il a eu un empêchement imprévu.	He had some unexpected business.
Elle vient de quitter le bureau.	She's just left the office.
Il est en déplacement.	He's away on business.
Il est en vacances.	He's on holiday / vacation.
Elle ne va pas tarder.	She won't be long.
Puis-je prendre un message ?	Can I take a message ?
Voulez-vous laisser un message ?	Do you want to leave a message ?
Puis-je laisser un message ?	May I leave a message ?
Connaissez-vous son numéro personnel ?	Do you know his / personal / home / number ?
Je vais le chercher dans l'annuaire.	I'll look it up in the phone book.
Quand sera-t-il de retour ?	When do you expect him back ?
Il ne sera pas de retour avant 16 heures.	He won't be back until 4 o'clock.
Pourriez-vous lui dire que j'ai appelé ?	Could you tell him/her I called ?
Pourriez-vous lui demander de me rappeler?	Could you ask him/her to call me back ?
Où peut-il vous joindre ?	Where can he contact you ?
Quand / Où puis-je le joindre ?	When / Where can I reach him ?
À quelle heure vaut-il mieux l'appeler ?	When is the best time to call ?
Jusqu'à quelle heure puis-je le rappeler ?	Until what time can I call him back ?
Pourriez-vous le rappeler ?	Would you mind calling back ?

3 Il y a un problème... / There is a problem...

Il y a un problème...	There is a problem...
Il aura une heure de retard.	He'll be an hour late.
Elle doit annuler son rendez-vous.	She must cancel her appointment.
Il ne pourra pas être au rendez-vous.	He won't be able to keep his appointment.
Nous avons été coupés.	We were cut off ([US] disconnected).
J'ai fait un faux numéro.	I've got the wrong number.
Je ne vous entends pas très bien.	I can't hear you very well.
Pourriez-vous parler plus fort ?	Could you please speak louder ?
Raccrochez s'il vous plaît et je vous rappelle tout de suite.	Please hang up and I'll call you back immediately.
Excusez-moi de vous avoir dérangé.	Sorry to bother you.
Le numéro que vous demandez n'est plus attribué.	The number you have reached is not in service.
Veuillez consulter l'annuaire.	Please check the directory for the correct number.
Appel local / interurbain.	Local / long distance call.
Indicatif de la ville / du pays.	Area / country code.
Je voudrais appeler en PCV.	I'd like to make a reverse-charge call ([US] to call collect).
La ligne est en dérangement.	The line is out of order.

4 Pour vérifier / confirmer / l'heure du rendez-vous, etc. / To check / confirm / the time of the appointment, etc.

Pour vérifier / confirmer / l'heure du rendez-vous, etc.	To check / confirm / the time of the appointment, etc.
Ici le bureau de M. Sisley.	Mr. Sisley's office, may I help you ?
Vous patientez ?	Do you want to hold on ?
J'appelle de la part de Tom Gullikson.	I got your name from Mr. Tom Gullikson.
C'est M. Whitechapel qui m'a donné votre nom et qui m'a conseillé(e) de vous appeler.	I was given your name by Mr. Whitechapel, who suggested I call you.
Je vous appelle au sujet de l'annonce parue dans le Figaro *du 12 janvier.*	I'm calling about the ad published in *Le Figaro* on January 12.
Je voudrais adresser un courrier au directeur du personnel. Pourriez-vous me donner son nom ?	I would like to write to the Staff Manager. Could you please give me his name ?
Puis-je en savoir plus sur le poste ?	Could I have more details on the post ?

Puis-je en savoir plus sur le profil requis?	Could I have more details on the profile required ?
Le poste est-il toujours à pourvoir ?	Is the position still open ?
Puis-je vous faxer mon CV ?	May I fax you my resumé ?
Je vous appelle pour savoir si vous avez bien reçu mon CV.	I'm calling to make sure you got my resumé.
Quel est votre numéro de fax ?	What is your fax number ?
Dois-je vous envoyer une lettre de motivation ? Manuscrite ou dactylographiée ?	Should I send you a letter of application ? Handwritten or typed ?
M. Bronson peut-il me recevoir ? / donner un rendez-vous ?	Would it be possible to make an appointment with Mr. Bronson ?
M. Bronson est disponible lundi matin ou vendredi après 15 heures. L'une de ces deux dates vous conviendrait-elle ?	Mr. Bronson has some free time on Monday morning or on Friday afternoon after 3:00. Would either of those times be convenient for you ?
Quels documents dois-je apporter ?	What documents should I bring with me ?
Est-ce que 10 heures vous conviendrait ?	Is 10 a.m. convenient for you ?
Est-ce que vous connaissez le chemin ?	Are you familiar with our location ?

5 Laisser un message sur le répondeur ... / Leaving a message on the answering machine...

Vous êtes en communication avec le répondeur de Nelly Blake. Vous pouvez laisser un message après le bip.	You have reached Nelly Blake's extension. Please leave a message after the beep.
Si vous voulez entendre votre message, appuyez sur la touche étoile.	If you want to hear your message, press "star".
Pour parler à une opératrice, faites le zéro.	If you want to speak to an operator, press zero.
Je vous rappelle à mon retour. Merci.	I will call you as soon as I get back. Thank you.
Ici Laurence Perret. Vous m'avez reçue le 12 janvier pour le poste d'assistant au directeur de la production de Mistral et Cie.	This is Laurence Perret. We met on January 12, and discussed the Mistral & Co. Assistant Production Manager job.
Je vous rappelais pour avoir des nouvelles de ma candidature.	I was calling back to find out if you had any news about my application.
Je vous remercie de me rappeler au 01 46 44 12 17. J'y suis jusqu'à 19 heures.	Could you please call me back. My number is 01 46 44 12 17 and I'll be here until seven.

6 Quel jour avez-vous dit ? — What day did you say ?

Avant-hier	The day before yesterday
Le lendemain	The day after
Le jour suivant	The day after
Après-demain	The day after tomorrow
Hier matin	Yesterday morning
Cet après-midi	This afternoon
Le soir	In the evening
Ce soir	This evening
Ce soir-là	That evening
Ce soir, cette nuit [celle qui vient]	Tonight
Demain soir	Tomorrow evening
Vendredi soir	Friday night
La semaine dernière	Last week
La semaine prochaine	Next week
Il y a deux jours	Two days ago
Dans trois semaines	In three weeks
Jeudi	On Thursday
Tous les jours	Every day / each and every day
Toute la journée	All day
Toutes les heures à l'heure juste	Every hour on the hour
Une / deux fois par semaine	Once / twice a week
Trois fois par semaine / mois	Three times a week / month
Une quinzaine	A fortnight (GB) / two weeks (US)
Il y a juste une semaine	A week ago today
Tous les deux jours	Every other day / every two days
Deux fois par jour	Twice a day
Toutes les semaines	Every week
Une semaine sur deux	Every other week
Tous les quinze jours	Every two weeks
D'un jour à l'autre	From one day to the next
Dans huit jours	In a week's time
Dans une semaine / jour pour jour / exactement	In a week to the day / a week from today

Lundi en huit	Monday week / a week from today
Aujourd'hui en huit	A week [from] today
Le week-end prochain	Next weekend
Dans quinze jours	In a fortnight / in two weeks
La veille au soir	The previous evening
Le lendemain soir	On the evening of the next day
Tous les dimanches	Every Sunday
Toute la soirée	All evening
La nuit / de nuit	At night
La nuit dernière / cette nuit [passée]	Last night
Dans la nuit de lundi	Monday night
Dans la nuit de lundi à mardi	During the night of Monday to Tuesday
Nuit et jour	Night and day
Il y a un an jour pour jour	One year ago to the day

6 Vous pouvez remplir vite un dossier anglais de candidature

Vous commencez la recherche d'un emploi alors que vous êtes encore à l'université (par exemple au troisième trimestre de l'année universitaire) ?

En réponse à votre CV, vous allez probablement recevoir un formulaire/dossier de candidature à remplir. En effet, beaucoup d'entreprises internationales « reformatent » les candidatures pour leur donner le même aspect extérieur et les comparer plus facilement;, d'autant plus qu'elles proviennent souvent de pays différents.

Nous reproduisons ci-dessous les questions d'un Standard Application Form (SAF) *en l'accompagnant d'indications qui vous permettront de ne pas « passer à côté » de cet exercice un peu particulier.*

Si on vous l'envoie à domicile, vous ne serez pas minuté(e) pour remplir le questionnaire. En revanche, si vous devez le faire dans l'entreprise, on ne vous accordera guère plus de vingt minutes.

D'où la nécessité de vous être entraîné(e) à y répondre, de façon positive et volontaire.

To be completed in English : en langue et orthographe anglaises.

Block letters signifie : écrire en capitales.

First name(s) : a remplacé l'ancien *christian name(s) :* prénom(s).

Surname : nom de famille.

Term address (*address* prend 2 d) : endroit où le courrier va vous parvenir pendant ce dernier trimestre universitaire. Prévoyez une adresse de secours, pour le cas où votre logement ne serait plus assuré après une certaine date.

Education *(secondary/further education) :* les études jusqu'au bac. Inscrivez les noms des établissements scolaires que vous avez fréquentés.

Subject/courses studied and level (eg. O, A, S, ONC, TEC.) : ce sont les matières étudiées pour le bac. *Maths, Physics, Chemistry, History, Geography, French, Latin, English...* Mentionnez vos matières fortes en les soulignant ; si vous avez obtenu une mention au bac : AB = *fair,* B = *good,* TB = *very good.*

Vous pouvez aussi, quelle que soit la mention, indiquer simplement *"with honours".*

Attention : on vous demandera un justificatif.

First degree, university, college : il s'agit de vos premières années d'études supérieures, jusqu'à la licence.

Class expected : résultats probables, car vous êtes en cours d'examens.

Class obtained : diplôme obtenu.

Title of degree course : matière étudiée.

Main subjects with examination results to date : ce sont les éléments essentiels des cours, y compris les matières complémentaires (ex. statistiques, informatique). Précisez les résultats/crédits/unités de valeur, etc., déjà acquis.

Postgraduate qualifications, university/college : il s'agit des études après la licence.

Si vous avez fait ces études, tout ce qui précède *(first degree)* peut être un peu plus succinct.

Name of supervisor : c'est le directeur d'études, le directeur de thèse, le tuteur, et, en général, toute personne qui suit votre travail.

Title and subject of course or thesis : le titre de la thèse, le sujet de la thèse, le sujet du mémoire, le titre de la maîtrise.

Detail any scholarships, awards or prizes won at school and university/ college.

Faire la différence entre *grant,* qui est une aide financière, et *scholarship,* qui est un « prix », une distinction comportant la remise d'une somme d'argent, d'une bourse...

Describe any aspect of your course of particular interest to you (eg. long essays, seminars) and mention any projects.

Attention : *seminar* = séance de travaux pratiques.

Long essay = dissertation.

Project = c'est déjà une réalisation, une étude sur un sujet, un mémoire.

Any other qualifications, eg. knowledge of foreign languages (indicate proficiency) driving, computer literacy.

Attention : *I am computer literate* = je suis habitué(e) à travailler avec un micro-ordinateur.

Lap top = ordinateur portable.

Rappel : *proficiency :* niveau de compétence.

Clean driving licence : un permis à points non écorné.

Give details of your main extra curricular activities and interests. What do you contribute and what do you get out of them? Indicate the level to which each activity has been pursued.

- *Extra curricular activities :* activités « annexes ». Pour le dossier, elles ne le sont absolument pas. Soyez précis(e), et plus élevé sera le niveau que vous aurez atteint, plus vous aurez à le justifier par tous les moyens.
- *What do you contribute?..* = quelle part prenez-vous à l'activité en question ?
  Qu'en retirez-vous ?

Work experience : what benefits have you gained from your work experience including vacation work? Which did you enjoy most and why?

Attention : *benefit* = avantage.

Répondez en mettant en valeur ce qui peut vous servir dans le poste auquel vous êtes candidat. Pour le style, toujours concis, voir exemples, chapitre 14.

Career choice : which career(s) are you considering? Give reasons.

La règle du jeu est de répondre à toutes les questions sans laisser de blancs. C'est le minimum. La véritable règle du jeu est de mettre en avant les traits de votre personnalité qui vont vous faire choisir pour le poste.

Are there any particular questions you would like to raise at interview?

En général, on se sert de cette rubrique pour rappeler ce qu'on / souhaite / pense / apporter à l'entreprise qui embauche. Avec modestie, mais détermination. Et en peu de mots. Voir aussi chapitre 14.

Do you have any restrictions on geographical mobility and / or a strong preference for a particular location?

If you feel there is anything which has not been covered adequately elsewhere on your application, please elaborate below (eg, health problems, colour blindness, significant difficulties overcome).

To overcome = surmonter.

Pour ces deux dernières questions, la règle du jeu est celle-ci : si vous faites part d'un problème, énoncez aussitôt la solution, de sorte que ce problème résolu ressemble à une victoire – de la volonté ou de l'intelligence, plutôt qu'à une préoccupation mal maîtrisée, voire à une obsession personnelle.

Have you applied to this organisation before? Give details including dates.

Have you any family connection or other contact with this organisation? If so give details.

Ici, la règle du jeu est de ne pas citer quelqu'un sans qu'il ait accepté que vous le fassiez. Donc, il faut le lui demander auparavant.
Quant à vous, êtes-vous sûr(e) de la bonne réputation, au sein de l'entreprise, de la personne de qui vous allez vous réclamer? Renseignez-vous : on n'est jamais trop prudent!

Dates not available for interview :

Attention à la faute d'inattention. Ici, c'est *not available.*

Dates available for employment.

Question banale : encore faut-il qu'elle ne vous prenne pas de court!

References, one of whom should be academic. Give name, address and occupation.

Academic = au sens large, un membre du corps enseignant.

A reference est une lettre fermée émanant en général d'un professeur, directeur d'établissement ou d'un employeur qui vous connaît. On vous a connu(e), et on parlera de vous en s'impliquant. N'oubliez pas de faire figurer les numéros de téléphone.

À quelle heure Monsieur prendra-t-il son thé ?

Vous le savez, les Anglo-Saxons s'appellent vite par leur prénom, et vous serez invité(e) à le faire.

Toutefois, puisque vous êtes dans une situation d'entretien, ne prenez pas l'initiative (en général, vous n'attendez pas longtemps)...

(à suivre)

Watch out !

Notez la différence :

How do you do ? = *Bonjour ! Bonjour monsieur ! Bonjour madame !*

How are you ? = *Ça va ?*

7 Vous savez vous présenter et présenter les autres

Les Anglo-Saxons sont cérémonieux. Plus que nous. Ils font en sorte d'articuler leur nom et de présenter leurs collègues. Ils retiendront le vôtre.

Ils seraient choqués que vous ne vous conformiez pas à ce rituel social.

Voici, mot à mot, celui des présentations lors d'un entretien. Si ces phrases ne vous viennent pas mécaniquement à l'esprit, un seul remède : apprenez-les par cœur !

Patrick Charpentier *(à l'hôtesse)* **:** – Bonjour, je suis Patrick Charpentier. J'ai rendez-vous avec Mme Wilson à 10 heures.

Hôtesse : – Asseyez-vous, je vais la prévenir.

Quelques instants plus tard.

Hôtesse : – Mme Wilson est au téléphone. Je la rappelle dans quelques instants. Voulez-vous une tasse de café ?

Patrick Charpentier : – C'est très aimable à vous. Non merci.

Hôtesse : – Vous pouvez monter. C'est au septième étage. Elle vous accueille à la sortie de l'ascenseur.

Patrick Charpentier : – Madame Wilson ?

Mary Wilson : – C'est moi-même. Je pense que vous êtes monsieur Charpentier. *(Elle lui tend la main en souriant.)*

Patrick Charpentier : – Patrick Charpentier. *(Il lui serre la main en disant :)* Bonjour madame.

7 You know how to introduce yourself and others

Anglo-Saxons are rather formal. More than we are. They say their own name clearly and introduce their colleagues. They won't forget yours.

They would be offended if you did not conform to this social practice.

Here, word for word, is the pattern of introductions during an interview. If these phrases don't come to mind automatically, there is only one solution : learn them by heart !

Patrick Charpentier *(to the receptionist)* **:** Good morning ! My name is Patrick Charpentier and I have an appointment with Mrs Wilson at 10 o'clock.

Receptionist : I'll tell her you're here. Please, sit down [a moment].

A few moments later.

Receptionist : She is on the phone. I'll try again in a minute. Would you like a [cup of] coffee while you're waiting ?

Patrick Charpentier : That's kind of you, but no, thank you.

Receptionist : You can go up now. It's on the seventh floor. Mrs Wilson will meet you as you leave the lift.

Patrick Charpentier : Mrs Wilson ?

Mary Wilson : Yes, I'm Mary Wilson *(shaking hands with a smile)*. And you must be Mr. Charpentier.

Patrick Charpentier : Yes. I'm Patrick Charpentier. How do you do ?

TRICKS OF THE TRADE

When would the gentleman like his tea ?

As you know Anglo-Saxons are quick to call each other by their first names and you will be invited to do the same.

However as you are in an interview situation don't take the initiative (usually you won't have to wait long)...

(to be continued)

AUTANT VOUS LE DIRE !

À quelle heure Monsieur prendra-t-il son thé ? (suite)

Auparavant, que vous soyez un homme ou une femme, s'il s'appelle Christopher Underwood, vous l'aurez appelé "Mr. Underwood".

Et jamais "Sir", *ce qui signifierait, soit que vous vous croyez dans l'armée sous ses ordres, soit que vous vous imaginez à son service personnel !*

So it goes!

Si vous avez pris l'habitude de « faire la bise » le matin à vos collègues de bureau, apprenez vite à contenir vos élans! Cette façon d'être n'est pas en usage dans les pays anglo-saxons et dans l'Europe du Nord...

Quant aux États-Unis ! N'oubliez pas que, tant que le "politically correct" *sera de rigueur, votre façon si française de commencer la journée vous vaudra – si vous êtes un homme – d'être traduit devant un tribunal !*

Mary Wilson : – Voulez-vous me suivre ? / Je vous précède.

On arrive devant la porte du bureau. Mme Wilson s'efface. Patrick Charpentier, debout, attend qu'elle lui fasse signe de s'asseoir.

Mme Wilson s'assied. Patrick Charpentier s'assoit une fois qu'elle s'est assise. ·

Mary Wilson : – Vous avez trouvé notre entreprise sans trop de difficulté ?

Patrick Charpentier : – Très facilement. Le plan que vous m'avez fait envoyer était très clair et je vous en remercie.

Un homme jeune passe la tête dans le bureau. Il s'aperçoit que Mary Wilson n'y est pas seule.

L'homme : – Oh ! Excusez-moi, je vous croyais seule... et je voulais vous poser une question. *(Il fait mine de partir.)*

Mary Wilson : – Non, non; restez, Tom. Monsieur Charpentier, est-ce que je peux vous présenter Tom Jenkins, notre comptable.

(Se tournant vers Tom.) Je vous présente Patrick Charpentier, qui souhaite devenir notre prochain directeur des ventes.

Tom et Patrick *(pratiquement ensemble)* **:** – Bonjour !

Tom *(à Mary Wilson)* **:** – Vous m'appelez quand votre entretien sera terminé !

Mary Wilson : – Entendu.

L'entretien commence.

Mary Wilson : I'll show you the way.

At the office door, Mrs Wilson stands aside to let Patrick in first. He waits in front of the desk for Mary Wilson to tell him to sit down.
She sits down. Patrick sits down too.

Mary Wilson : Did you have any trouble finding us ?

Patrick Charpentier : Not at all. The map you kindly sent me was very clear, and I was grateful to have it.

A young man puts his head round the door and realizes that Mary Wilson is not alone.

Man : Oh ! sorry. I thought you were alone, and I wanted to ask you something. *(He starts to leave.)*

Mary Wilson : No, Tom, don't go ! Mr. Charpentier, may I introduce Tom Jenkins, our accountant.

(Turning to Tom.) This is Patrick Charpentier, who is interested in the position of sales manager.

Tom and Patrick *(almost at the same time)* **:** How do you do ? Pleased to meet you !

Tom *(to Mary Wilson)* **:** Will you let me know when you've finished ?

Mary Wilson : Of course.

The interview begins.

TRICKS OF THE TRADE

When would the gentleman like his tea ? (continued)

Up to that point, whether you are a man or a woman, if he is called Christopher Underwood, you will have called him Mr. Underwood.

Don't say "Sir" which would suggest either that you believe yourself to be under his command in the army, or that you are a personal servant of his !

Kiss it goodbye !

If you have got into the habit of greeting your office colleagues in the morning with a traditional kiss, you must quickly learn to control your enthusiasm !

This is not the custom in Anglo-Saxon countries nor in Northern Europe…

As for the United States ! Don't forget that as long it is essential to be "politically correct", your French way of starting the day would see you, if you are a man, brought to court for sexual harassment.

8 Vous connaissez les critères de recrutement des Britanniques et des Américains

Une autre conception de la formation des jeunes

Les systèmes éducatifs anglais et américains sont à mille lieues du nôtre dans leur approche de la vie d'étudiant et de la vie professionnelle.

Il est difficilement concevable qu'un jeune Français ayant obtenu un diplôme de langues ou d'histoire soit engagé, puis fasse carrière dans une banque d'affaires ou une entreprise industrielle. Quel recruteur oserait pousser la candidature d'un étudiant qui n'aurait pas fait les études appropriées ?

Chez les Anglo-Saxons, tout est fait pour que l'étudiant se spécialise le plus TARD possible. La détection des talents d'un candidat et leur confirmation n'est pas présupposée : elle se fera sur le terrain.

De ce fait, à l'embauche, on juge un candidat à son diplôme et au niveau qu'il implique, mais *peu importe la spécialité*. Le potentiel du jeune postulant compte tout autant, c'est-à-dire ses aptitudes, son caractère, sa personnalité... La sélection se fera plus tard, car le jeune diplômé a tout à apprendre du terrain et à prouver sur le terrain... D'où le nombre de diplômes dits de *"Liberal Arts"* en Grande-Bretagne et aux États-Unis. On y obtient un *BA* ou un *BSc (voir chapitres 10 et 11),* avec une matière forte dite *the major*. Mais on s'intéresse à tout et on touche à tout !

Aussi n'est-il pas rare de trouver dans l'industrie, les télécommunications ou l'informatique des cadres supérieurs qui ont un diplôme de lettres, de géographie, de biologie...

Aux États-Unis et en Grande-Bretagne, les études sont vues comme un bagage, mais non comme la voie conduisant à un métier.

8 You know the British and American recruitment criteria

A different educational concept

French and American educational systems differ greatly from the French one, in their approach of both student and professional life.

A young Frenchman with a language or history diploma is hardly expected to be hired by and work for an investment bank or an industrial company. What recruiter would support a candidate lacking the adequate educational background?

In Anglo-Saxon countries, a student is expected to specialize as LATE as possible. A candidate's presumed and confirmed skills are not presupposed : they will be validated on the job.

Therefore, when hiring a candidate, one judges his/her diploma and the level it implies, no matter what the specialization is. The young applicant's potential is just as important, i.e. basic skills, character, personality… Selection will come later, since the youngster has everything to learn about the job and on the job.… This is why there are so many "Liberal Arts" diplomas in the UK and the United States. People have a BA or a BS (see chapters 10 and 11), with a focus, or major. But everything is studied and practiced!

So it is not unusual to find telecommunications or IT managers who have a literature, geography, biology diploma…

In the United States and the UK, education is considered an asset, but not the pathway to a career.

Se former dans les pays anglo-saxons. Où, quand, comment ?

Les entreprises anglo-américaines investissent dans les *"graduate training programm(me)s"* au cours desquels des jeunes de tous niveaux provenant de tous les horizons sont formés dans les sociétés qui les ont embauchés.

Une fois passé le barrage des tests et des entretiens d'embauche, viennent les cours et les travaux en petits groupes (*seminars*) pendant lesquels on apprend la technique du métier. Ce sont des périodes de travail intensif et peu payé.

Ce système incite souvent les jeunes Anglo-Saxons à travailler deux ou trois ans dans une entreprise, puis à reprendre leurs études dans une filière choisie en connaissance de cause ; et avec d'autant plus de soin que les *études coûtent cher*. Ce sont parfois leurs employeurs qui financent une partie de leurs études.

Est-il nécessaire de souligner que, reprises après deux ou trois ans de travail sur le tas, elles seront menées de façon intensive !

Un exemple : aux États-Unis, un étudiant obtient un *BA* en marketing. Il se porte candidat à un poste dans une banque d'affaires. Il est engagé, formé, et y passe trois ans comme *"analyst"* (attaché de direction). À l'issue de ces trois ans, il peut décider de préparer les tests d'admission d'un MBA ou d'une Law school…

On demande au candidat de s'intégrer au groupe et de le faire progresser.

C'est depuis le secondaire que l'institution scolaire, en France, met l'accent sur les résultats scolaires de l'élève, au détriment parfois de l'activité collective, qu'elle soit sportive ou artistique (sports d'équipe, participation à une chorale, à une troupe de théâtre, à des organisations de toutes sortes).

Au contraire, aux yeux des Anglo-Saxons, les activités collectives sont considérées comme essentielles.

Il est donc normal que le système français modèle des candidats sachant effectuer – souvent bien – des tâches individuelles. Mais ces derniers sont moins à l'aise dans un groupe, où les qualités de l'équipe l'emportent, tout simplement parce que le travail en équipe est souvent nouveau pour eux.

Dans le système français, c'est très tôt qu'on cherche à détecter les bons élèves qui suivent les meilleures filières pour devenir des ingénieurs sortant d'une Grande École, dans une tradition qui remonte à Napoléon et s'est perpétuée depuis le début du XIXe siècle.

Getting an Anglo-Saxon education. Where, when, how?

Anglo-American companies invest in "graduate training program(me)s", during which young people of all levels and horizons are trained in the companies that hired them.

Once the tests and interviews have been successfully passed, they follow courses and work in small groups (seminars) where they learn the required techniques. It's hard work for little pay.

Such a system often leads young Anglo-Saxons to work for 2-3 years in a company, before pursuing studies in a field they have good reasons to choose; the choice is all the more careful as studies are expensive. Employers often offer financial assistance.

Needless to say that after two or three years in the working world, studying is all the more intense!

An example : in the United States, a student gets a B.A. in marketing. He applies for a job in an investment bank. He is hired, trained, and spends three years there as an analyst. After these three years, he may decide to go on to an M.B.A. or a law school...

The candidate is expected to fit into the group and make progress.

After sixth grade, the French start focusing on the pupil's grades, regardless of any extra-curricular activity, may it be sports or art (team sports, singing in a choir, belonging to a theater company, or any other kind of organization).

On the contrary, the English consider these activities essential.

So it is quite normal that the French system turns out candidates who are able to accomplish - often well - specific tasks. But they are less at ease within a group, where team qualities prevail, just because teamwork is often new to them.

In the French system, brilliant students are singled out at an early age, and go to the best schools to become *"Grande École"* engineers, following a tradition that goes back to Napoleon and has been carried on since the early 19th century.

En France, où l'intelligence et la technique sont mises au pinacle, ces diplômes prestigieux d'ingénieurs sont honorés au même titre qu'une médaille olympique : nul n'ignore que vous avez obtenu ce diplôme, en général à 21/22 ans, après une dizaine d'années d'un travail intense. Ce sont tous les ingénieurs qui s'en trouvent valorisés.

Certains recruteurs britanniques qui n'ignorent rien du système français, y voient plutôt le dernier bastion européen du corporatisme. En effet, dans l'Administration et les entreprises nationalisées, de nombreux postes sont réservés aux Grandes Écoles qui y font entrer leurs diplômés. En définitive, la formation suivie décide du parcours professionnel.

Ce n'est pas le cas en Grande-Bretagne où l'on trouve davantage d'autodidactes. Moins impressionnés que les Français par les diplômes, les Anglais ne les sacralisent pas. Une petite partie s'en défie même, laissant entendre que ces « élites » ne seront pas nécessairement de bons managers car ils se montrent souvent plus techniques qu'humains et ont tendance à écraser les autres.

Ce qu'un recruteur américain ou britannique attend de vous au cours de l'entretien :

Ce qui compte pour votre interviewer, c'est de se faire en une heure une idée de vous. Quelle personne êtes-vous ? Que savez-vous faire ?

Il ne recrute pas un diplôme. Il privilégie un caractère autonome, motivé et dynamique. Il va donc se focaliser sur vos qualités humaines :

- on attend d'un commercial que son CV soit un argumentaire de vente et qu'il fasse preuve pendant l'entretien de qualités de commercial : qu'il sache se vendre, écouter, négocier ;
- de même, on attend du CV d'un comptable une grande rigueur, de la cohérence, une présentation très soignée.

Pendant l'entretien, ce sont les faits, les chiffres, le concret qui intéressent votre recruteur. Il entrera vite dans le vif du sujet, contrairement à nous qui commençons par une phrase accueillante, un échange de propos souvent sympathiques, pour rompre la glace.

Mais c'est plutôt... déroutants que les francophones jugeront, la plupart du temps, leurs recruteurs de langue anglaise car ils ne laissent rien paraître de leurs pensées et de leurs sentiments. Pour eux, c'est une question de professionnalisme.

In France, where intelligence and technical skills are highly valued, these prestigious engineering diplomas are as prized as an Olympic medal : everybody knows you got your diploma, generally at age 21/22, after some ten years of hard work. This makes all engineers very sought after.

Some British recruiters who are familiar with the French system rather consider it to be the last stronghold of corporatism. Indeed, in the government and nationalized companies, many posts are reserved for the *"Grande École"* graduates. In the end, education guides the professional future.

Such is not the case in the UK, where there are more self-taught people. Less impressed by diplomas than the French, the English don't regard them as sacred. Some people even distrust them, implying that "elites" don't necessarily make good managers, being often more technical than human and having a tendency to crush people.

What a British or American recruiter expects from you during the interview :

Above all, your recruiter wants to get a good idea of who you are, in just one hour. What kind of person are you? What are your skills?

He is not recruiting a diploma. He will favor independent, motivated and dynamic characters. So he'll focus on your human qualities :

• one expects a sales rep's CV to look like sales blurb and he is supposed to show sales skills during the interview : he must be able to sell himself, listen, negotiate;

• in the same way, an accountant's CV is expected to be rigorous, consistent, very neatly presented.

During the interview, your recruiter wants to hear facts, figures, concrete arguments. He will go straight to the heart of the matter, unlike the French who start off with a welcoming sentence, some pleasant small talk to break the ice.

So the French will usually find British recruiters somewhat... icy, as they are less friendly and never show their thoughts or feelings. For them, it is a matter of professionalism.

Sachez-le et ne vous laissez pas décontenancer en croyant que vous faites mauvaise impression.

L'entretien galope, vous le ressentez ainsi parce que vous ne vous exprimez pas dans votre langue maternelle. Mais vous êtes aussi mitraillé(e) de questions : *Time is money*. Le jugement du recruteur se fait rapidement, et il coupera court si cela ne marche pas. Il faut donc au plus vite retenir son attention, l'accrocher.

On parle vite motivation, salaire, disponibilité. Il faudra s'investir beaucoup et ne pas compter son temps ! Dans certains secteurs, comme la finance, la vie privée est réduite à la portion congrue, que la société soit américaine ou britannique !

Il est fréquent d'obtenir une réponse, ou une indication, dès la fin de l'entretien. Sinon, demandez vous-même ce qu'il en est.

Les commentaires des Britanniques sont le plus souvent maquillés en formules de politesse, codes de bonnes manières qui paraissent parfois… maniérés et hypocrites aux francophones. Il faut comprendre, par exemple, que *"I'm not sure"* n'est pas l'expression d'un doute mais une réponse absolument négative !

À l'inverse, les francophones dont le vocabulaire anglais est limité n'ont pas été habitués à s'exprimer avec les phrases du code. Ils choquent leur interlocuteur autant par leur manière de s'exprimer, trop directe, que par la médiocrité de leur prononciation.

Heureusement, l'Anglais a le sens de l'humour et le ton du détachement. Sa conversation rebondit, il a du recul vis-à-vis de lui-même et ne se prend pas au sérieux. À vous d'entrer dans le jeu !

Ici, c'est le terrain qui fait l'élite.

Détecté très tôt, orienté très vite, souvent vers les Grandes Écoles d'ingénieurs ou commerciales, le bon élève francophone apprend pendant ses études secondaires puis supérieures à réfléchir, à rédiger. L'étudiant anglais ou américain est sans doute plus scolaire, les examens qu'il passe prennent souvent la forme de QCM ou de questions-réponses très courtes. C'est pourquoi l'étudiant de langue française, mis très tôt sous pression, a l'impression que, de l'autre côté de la mer ou de l'océan, on se la coule douce pendant les trois ou quatre années d'université.

You must be aware of this and not be put off, believing you made a bad impression.

The interview races along, at least you think it does because you are speaking a foreign language. But you are also bombarded with questions : time is money. The recruiter' s evaluation is quick and he will also cut short if he thinks it won't work out. You must therefore immediately get his full attention, get him interested in you.

One soon gets to motivation, salary, availability. You will have to invest yourself totally and not spare your time! In some sectors, such as finance, family life becomes minimal, whether the company is American or British!

You will often get an answer or an indication at the end of the interview. If not, you can ask.

In the UK, comments are most often wrapped in polite words, good manners which may sometimes seem... overdone and hypocritical to the French. You must for instance realize that *"I'm not sure"* does not imply hesitation, but means absolutely no!

Also, French-speaking people, whose English vocabulary is limited, are not used to using the "coded language". They shock the interviewer both by their straightforwardness and their poor pronunciation.

Luckily, British people have a good sense of humor and are very detached. Their conversation bounces around, they see things in perspective and they don't take themselves seriously. Follow their lead!

Here, the elite is molded on the job.

Detected very early, the good French-speaking student is quickly geared most of the time towards major engineering or business schools, and in his last years of high school, then in college, he learns to think and write. The English or American student, in an often more schoolish way, learns to take exams with multiple choice questions or short answers to a question. Therefore, the French-speaking student, who has been under pressure since an early age, feels that they take it easy in college on the other side of the Channel or the ocean.

En fait, si le système français est qualifié d'élitiste, on peut en dire autant du système anglo-saxon, même si ce dernier se donne plus de temps pour choisir ses élites et ne fait confiance qu'au terrain pour les trouver.

En résumé, l'élitisme en France l'est par le diplôme, l'élitisme chez les Anglo-Saxons existe uniquement par la réussite au sein des entreprises. En voici un exemple qui illustre bien dans quel esprit on engage quelqu'un en France et aux États-Unis.

Un bon exemple de ce qui précède

Brigitte Sauvage, française, a travaillé tôt.

Avec un DESS de gestion à Dauphine, elle entre dans une entreprise française. Elle y passe deux ans, puis change pour une seconde.

Elle est entrée dans la première entreprise grâce à son « bon » diplôme. Dans la seconde, comme dans la première, elle donne également satisfaction, mais s'aperçoit, au bout de quelques années, qu'elle en retire peu. Elle ne se sent ni considérée, ni rémunérée, ni promue à la hauteur de ses performances. Son handicap ? Elle est « trop jeune ». Elle peut – elle doit ? – encore attendre. Rien ne presse.

Brigitte Sauvage tente alors sa chance dans une banque américaine (elle parle bien anglais), et part pour Londres et New York avant de revenir travailler à Paris.

Quelle ambiance y trouve-t-elle ?

Dans cette entreprise, la concurrence est partout et elle est intense. Toute l'activité est orientée vers le résultat à obtenir. Il faut produire.

« J'ai produit », dit-elle. « J'ai gagné, j'ai été récompensée, c'est-à-dire que j'ai été promue et très bien payée. Mon âge ? Personne ne s'en préoccupe.

Dans le système américain, la place vaut trop cher pour y laisser quelqu'un de "juste moyen". Si on ne fait pas l'affaire, on doit laisser son siège à quelqu'un d'autre que l'entreprise va jouer gagnant. »

En France, on reste « junior » trop longtemps. Il faut « attendre son heure ». En revanche, si on est sérieux et consciencieux, on peut trouver sa place dans l'entreprise et y rester longtemps.

In fact, if the French educational system is considered elitist, the same is true for the Anglo-Saxon system, although the elite is chosen later and is tested on the job.

French elitism favors diplomas, Anglo-Saxon elitism favors only success within the business environment. And here is an example that perfectly illustrates the French and American recruiting spirit.

A good illustration of the above

Brigitte Sauvage, French, started working very young.

With her business management degree from Dauphine University in Paris, she gets hired by a French company, where she spends two years before going on to a second company.

She was hired by the French company because of her "good" diploma. She is well-liked in the second company, as she was in the first, but after a few years she realizes she is getting nowhere. She feels she gets neither the consideration, the salary nor the promotions that should reward her performance. Her problem? She is "too young". She can - must? - still wait. There is no hurry.

Brigitte Sauvage then tries her luck in an American company (she speaks good English) and goes off to London and New York, before coming back to Paris.

What is the atmosphere like there?

In that firm, competition is intense and ever present. All activities are focused on the targeted results. One has to be productive.

"I was productive", she says. "I won, and was rewarded, which means promoted and very well paid. My age ? Nobody cares.

In the American system, a job is worth too much to give it to someone just 'average'. If you aren't good enough, you'll be replaced by someone the company thinks is a winner."

In France, one remains a "junior" for too long. One must wait "until it's time". On the other hand, if one is serious and conscientious, one can make one's nest and spend many years in the same company.

9 N'hésitez pas à mettre en relief vos compétences qui sortent de l'ordinaire

Pourquoi attache-t-on tant d'importance à la personnalité du candidat ?

Depuis peu, les entreprises recherchent ces « suppléments d'âme » que procurent les activités, différentes des études, figurant dans le CV. Parce que, *plus une entreprise est importante, moins on y rencontre de problèmes techniques :* il s'y trouve toujours un ou plusieurs spécialistes pour fournir l'avis autorisé qu'on attend.

Les problèmes qu'on affronte sont presque toujours d'ordre humain ; et ceux-ci se révèlent d'année en année plus complexes et ne cessent de prendre de l'ampleur.

Par problème humain, nous entendons un conflit social, une grève, la décision à prendre de licencier, la nécessité d'annoncer ce licenciement…

Ou encore toutes les facettes des négociations qui peuvent se produire dans un climat d'affrontement, lorsque les actionnaires décident de supprimer une activité, ou de la déménager…

Pensons aussi à ces marchés essentiels à l'entreprise que les concurrents se disputent âprement. Si l'un d'eux fait défaut, on doit au plus vite débaucher le personnel… Nous nous référons enfin aux décisions à prendre en cas d'accident, de prise d'otages, etc.

Les crises spectaculaires *font partie désormais de la vie des entreprises parce que les affaires ont changé d'échelle.*

Les conflits existaient tout autant autrefois mais, pour la plupart, leur amplitude restait modeste. On pouvait plus facilement s'expliquer, se défendre, s'organiser dans une dimension locale.

Que faire aujourd'hui lorsque des donneurs d'ordre hollandais décident que leurs composants ne proviendront plus d'une usine du Loir-et-Cher, mais de Taïwan ? Que faire, si ce n'est licencier cinq cents personnes ?

9 Don't hesitate to underline unusual skills

Why is the candidate's personality considered so important?

Lately, companies have been paying more and more attention to extra-curricular activities stated on a resumé. Indeed, *the bigger the firm, the fewer the technical problems :* there is always a specialist around to deliver expert advice.

One mainly runs into human problems, which are becoming increasingly complex and overbearing.

By human problem, we mean social conflicts, strikes, downsizing and announcing it.

And also the various facets of negotiation that take place in a hostile atmosphere, when the shareholders decide to stop an activity or relocate…

As well as those business-critical markets which are so keenly fought over. When one of them disappears, the staff must be quickly laid off… And finally, the decisions to be taken in case of accident, hostage-taking, etc.

Spectacular incidents *are now part of the everyday life of a company because the scale of business has changed.*

Conflicts have always existed, but they didn't use to reach such proportions. It was easier to explain, defend and organize oneself in a local environment.

But what is to be done today when Dutch principals decide their components will be made in Taiwan and no longer in a plant in Loir-et-Cher? What else can one do but lay off five hundred people?

Dans ces nouvelles conditions de travail qui font du patron un général au combat autant qu'un chef d'entreprise, celui-ci apprécie de ne pas être entouré de béni-oui-oui.

Il recherche désormais des collaborateurs qui, dans un coup de sirocco, apporteront leur expérience, des « battants » sachant réagir dans la tourmente – par exemple lorsqu'un gros client fait faillite !

Aussi, d'un candidat pouvant montrer qu'il a déjà roulé sa bosse présume-t-on qu'il aura du répondant en cas de coup dur. *C'est un bon candidat.*

Il y a quelques années encore, on considérait avec suspicion les « activités extérieures » un peu voyantes. Mieux valait cacher ses soirées passées à jouer dans un orchestre de jazz ou encore son goût pour la varappe. N'était-ce pas la preuve du dilettantisme ? (« Il ne consacre pas tout son temps à l'entreprise », pensait-on.)

Aujourd'hui, on est persuadé qu'un cadre à l'épine dorsale solide et à l'expérience large saura mieux se sortir d'une situation imprévue.

C'est pourquoi il est bon aujourd'hui de mettre en avant ces aventures parallèles que beaucoup de directions des ressources humaines apprécient à leur valeur. Ne garantissent-elles pas déjà que l'homme ou la femme promu(e) saura apprécier et faire travailler des gens provenant d'horizons bien distincts ?

Quels points forts mettre en avant ?

C'est le moment de mettre en avant vos points forts. Chacun d'eux vous extirpe de la troupe des candidats et apprend au recruteur que vous représentez vraiment *good value for money.*

Commençons par l'autre langue vivante que vous pratiquez, qui, donc, n'est ni le français, ni l'anglais.

• Vous parlez – plutôt bien – espagnol.

Ce n'est pas parce que vous devrez vous faire comprendre et comprendre en anglais aussi bien qu'en français dans votre travail qu'il faut négliger de rappeler que vous êtes à l'aise/très à l'aise/parfaitement à l'aise/en espagnol, ou en italien, allemand, hongrois, arabe, etc.

Si vous devez séjourner aux USA, la connaissance de l'espagnol est un avantage pour les Américains (voir certaines annonces des journaux américains). En effet, environ 30 millions d'hispanophones – parlant fort peu anglais – posent, aux États-Unis, de nombreux problèmes d'assimilation et de communication.

These new working conditions turn a boss into a war general as well as a manager, and he appreciates not being surrounded by yes-men.

He is now looking for colleagues who, in high winds, will contribute their experience, "winners" who are prepared to weather the storm - for instance when a major customer goes bankrupt!

Therefore, if a candidate can show he has already been places, one can presume he will react if the going gets rough. *This is a good candidate.*

A few years ago, one still frowned upon slightly gaudy extra-curricular activities. It was safer not to talk about your evenings playing for a jazz band or your inclination for mountain-climbing. Didn't that indicate amateurishness? ("He does not devote all his time to work", one thought.)

Today, people are convinced that a strong-backed executive with versatile experience will be better at handling an unexpected situation.

This is why it is today a good idea to underline those parallel adventures which many HR managers truly appreciate. Do they not guarantee that the man or woman promoted will know how to understand people from other horizons and make them work?

What strengths should you stress?

It is time to stress your strengths. Each one makes you stand out from the mass of candidates and shows the recruiter you are really *good value for money.*

Let's begin with the other foreign language you speak, apart from English and your native tongue.

- **You speak fairly good Spanish.**

You may have to understand and be understood in English as well as in French, but that's no reason not to underline the fact that you speak fair/good/excellent Spanish, Italian, German, Hungarian, Arabic, etc.

If you are planning to work in the United States, knowledge of Spanish is a plus for Americans (see some of the ads in US papers). Indeed, some 30 million Spanish-speaking people - who speak very little English - create integration and communication problems in the United States.

Par ailleurs, les États-Unis sont très implantés en Amérique Centrale et en Amérique du Sud. Votre atout ici ? La connaissance de l'espagnol ou du portugais/brésilien.

Vous exprimez, en fait, que vous êtes pratiquement trilingue (bien sûr, ne bluffez pas !). Ce que le recruteur note sur sa fiche. Mais, quand il écrit que vous parlez : *anglais/français/espagnol*, son cerveau enregistre :

« Sera à l'aise en Europe, en Amérique du Nord, en Amérique du Sud et en Afrique », et si vous mettez bout à bout les pays où ces trois langues se parlent communément, cela en fait... beaucoup. De même, s'il écrit : *anglais/français/allemand,* c'est évidemment vers l'Europe Centrale et l'Europe de l'Est que son esprit s'envolera.

Même si l'Europe de l'Est ne fait pas partie aujourd'hui des priorités de la société qui vous recherche, celle-ci déploie une stratégie. Si vous remplissez déjà les critères du poste, ce supplément agit comme la question subsidiaire départageant des concurrents à un concours.

• « Je connais leur culture, je connais leur marché. »

Bien sûr, vous n'allez pas en rester là.

Car cette langue supplémentaire que vous avez apprise dans votre famille ou au lycée, vous l'avez peut-être pratiquée dans l'un des pays où elle se parle.

Vous en connaissez donc le climat, les habitants, les coutumes, les villes, les sports, les films, la presse, les moyens de transport, les rythmes, le style et le niveau de vie... et mille autres choses. Bref, vous connaissez leur culture et peut-être même leur mode de travail.

Pensez au nombre d'*années* d'apprentissage qu'un adulte – l'un de vos concurrent ? – devrait consacrer pour se mettre à votre niveau. Le recruteur, lui, y a déjà pensé.

Parce que la vérité des affaires internationales est celle-ci :

Dès qu'on sort de chez soi, on se heurte aux différences culturelles : c'est clair, « les autres » ne sont vraiment pas comme nous ! Pour se comprendre, autant savoir d'où proviennent ces différences si préjudiciables à la bonne compréhension, à l'entente, à l'harmonie et aux affaires !

Also, Americans do a lot of business with Latin America. So speaking Spanish or Portuguese/Brazilian is an asset.

You are in fact stating that you are practically trilingual (no pretending, of course!), which the recruiter will put down in your file. But when he writes that you speak : *English/French/Spanish,* his mind is registering :

"Will be at ease in Europe, North America, South America and Africa" and if you add up the countries in which those languages are commonly spoken, you get a fairly large figure! In the same way, if he writes down : *English/French/German,* he will obviously be thinking of Central and Eastern Europe.

Even if Eastern Europe is not at this point one of the recruiting company's priorities, it fits a strategy. If you are already well-suited for the post, this little extra acts like the decisive tie-breaker in a competition.

- **"I know their culture, I know their market."**

You are obviously not going to leave it at that.

Because you may have practiced this extra language you learnt with your family or in school, in one of the countries where it is spoken.

You are familiar with the climate, the people, the customs, the cities, the sports, the movies, the newspapers, the means of transportation, the rhythms, the lifestyle and standard of living... and more. In one word, you know their culture and maybe even their work practices.

Think of the *years* it would take another adult - one of your competitors? - to reach your level. The recruiter has already thought of it!

Because the reality of international business is the following :

As soon as you leave home, you have to face cultural differences : clearly "the others" are not like us! To understand each other, we might as well know the origin of those differences that plague proper understanding, agreements, harmony and business!

À mesure que l'entreprise s'ouvre aux marchés étrangers, elle se doit d'être à l'aise dans les cultures étrangères (chez elle, d'ailleurs, l'entreprise est souvent double : nationale et régionale).

Dans le contexte international, pour éclairer la stratégie qu'une entreprise doit adopter, il est indispensable d'avoir compris la mentalité des peuples avec lesquels on est en relation.

Or, les connaissances qui permettent l'appréciation du terrain, *l'entreprise les demande mais ne les fournit pas.* À vous de les apporter dans vos bagages. Votre recruteur ne l'ignore pas et il est avide de tout ce qui peut conforter votre image de bon(ne) candidat(e).

Vous parlez une langue rare?

Qu'est-ce qu'une langue rare? Simplifions : c'est une langue qui n'est pas couramment enseignée dans nos pays.

Si vous parlez et écrivez arabe, chinois, coréen, hongrois, japonais, néerlandais, suédois, etc. en plus de l'anglais et du français, certaines entreprises ne mettront pas longtemps à vous engager.

Nous vous suggérons de placer cette caractéristique qui vaut parfois de l'or, dans votre profil ou projet professionnel, et pas seulement à la fin du CV!

Qu'on nous comprenne bien. Les obstacles les plus difficiles à franchir demeureront longtemps encore les barrières linguistiques. Bien sûr, pour mener à bien une négociation, on fera appel à des interprètes, mais ce n'est pas l'interprète qui va suivre les relations de la société Northwind de Séoul avec la société Hurricane de Marseille 365 jours par an ! Non. Ce sera un Coréen parlant français ou un francophone parlant coréen.

Aussi, vous présenterez votre langue rare non pas comme un élément isolé de tout contexte lié à l'entreprise, mais comme un supplément à vos compétences (en gestion, en commerce extérieur, en marketing...). C'est alors qu'elle deviendra un « sésame ».

N'y voyez pas l'expression d'un optimisme débridé : la vie des affaires est trop coûteuse pour la laisser aux mains des amateurs, et les relations commerciales franco-coréennes sont une affaire de professionnels.

Professionnels de quoi ? De la langue. Car il est beaucoup plus rapide d'apprendre les fondements du commerce que le coréen. Et si vous voulez savoir pourquoi Northwind n'a pas respecté les délais, l'excuse officielle vous sera fournie en anglais par le patron de Northwind, et la véritable raison, en coréen, par le contremaître responsable de la commande : il n'y avait pas de pièces de rechange pour réparer la machine-outil !

As a company opens up to foreign markets, it must become familiar with foreign cultures (and in its home country, a company is often double-sided : local and national).

Within an international context, in order to decide the strategy to follow, a company must understand the mentality of the people it is doing business with.

Yet the knowledge allowing you to appreciate the environment is required but not provided by the firm. You must bring it with you. Your recruiter is aware of this and looking for everything that can confirm your image as the right candidate.

You speak a rare language?

What is a rare language? In simple words : a language not currently taught in our countries.

If you speak and write Arabic, Chinese, Korean, Hungarian, Japanese, Dutch, Swedish, etc. as well as French and English, some companies will be eager to hire you.

We suggest you include this characteristic, which can be worth pure gold, in your professional profile or project, and not only at the end of your resumé!

Let us be clear. The greatest difficulty to overcome will still be for a long time the language barrier. Of course, interpreters will help achieve a negotiation, but the interpreter is not the one who will follow day in and day out the relationship between the Northwind Company in Seoul and the Hurricane Company in Marseilles! Certainly not. It will be a French-speaking Korean or a French person who speaks Korean.

Therefore your rare language must be presented not as an isolated element unrelated to the company, but as an additional skill (to be added to your management, export, marketing... skills). That's when it becomes a door-opener.

Don't think we're being over-optimistic : business life is too expensive to entrust to amateurs, and Franco-Korean business relationships must be managed by professionals.

What kind of professionals? Language professionals. For it is a lot easier to learn the basics of marketing than Korean. And if you want to know why Northwind didn't meet the deadline, the official excuse will be given in English by Northwind's manager, and the true reason in Korean by the supervisor in charge of the order : there were no spare parts to fix the machine tool!

Vous pratiquez – ou vous avez pratiqué – une activité peu commune

Ouvrons-nous un peu plus à l'air du large. Cette façon de mettre en scène vos compétences linguistiques, vous pouvez l'étendre à toute activité dont l'apprentissage nécessiterait des milliers d'heures de formation :

– vous connaissez les fonds marins du Pacifique situés entre... et...,

– vous avez joué Hermione dans *Andromaque,*

– vous étiez trois quart centre de l'équipe réserve du PUC,

– vous avez terminé le Paris-Dakar,

– vous avez une très bonne connaissance d'Internet,

– vous êtes un(e) alpiniste confirmé(e)...

Arrêtons là une liste qui n'a pas de limite. Mais quelle aubaine pour un recruteur ! La somme de ténacité, de curiosité, d'abnégation, d'altruisme, d'intelligence... et d'entraînement dont chacune de ces personnes a fait preuve pour mener à bien son activité !

Traduisez ces activités en termes alléchants pour l'entreprise qui vous recrute

Il faut aider le recruteur à vous comprendre et à retenir votre candidature, car il n'a qu'un moment à vous consacrer.

Si vous avez joué Hermione avec la Troupe des Vents d'Ouest, c'est que vous faisiez du théâtre depuis longtemps. Vous avez donc l'habitude de parler en public à des salles de 300 personnes, ou davantage.

S'adresser à un auditoire de façon professionnelle n'est pas donné à tout le monde. Cela vous confère une assurance, une autonomie, une confiance en vous qui sera d'autant plus appréciée que vous aurez décrit cette activité avec les mots qui permettront au recruteur d'en faire un « plus professionnel » (selon la terminologie en cours!) ; pas les mots du théâtre mais leur transcription en termes familiers aux entreprises.

Autre exemple : vous avez été professeur. Cela prouve votre aptitude à vous adresser à un auditoire – plus restreint – à faire passer vos idées, à convaincre. Le recruteur l'a déjà noté.

Quant à vos week-ends passés depuis trois ans branché(e) sur Internet, vous allez les faire fructifier en proposant d'expliquer le système à tous ceux qui... s'y intéressent dans l'entreprise. Et vous voilà sur le dessus de la pile !

You have - or have had - an uncommon activity?

Let's expand. You can extend the staging of your linguistic aptitudes to any activity that would take thousands of hours to learn. A few examples :

- You are familiar with the Pacific sea beds located between... and...,
- You played the part of Hermione in "Andromaque",
- You played centre in the PUC reserve team,
- You completed the Paris-Dakar rallye.
- You are Internet-savvy,
- You are a confirmed mountain climber.

The list is limitless. But what a godsend for a recruiter! The amount of tenacity, curiosity, abnegation, altruism, intelligence... and training each of these people has shown to succeed in his/her activity!

Make these activities sound enticing for the company hiring you

You must help the recruiter understand you and short-list you, for he has little time to devote to you.

If you played the part of Hermione with the Vents d'Ouest company, it means you have been acting for a long time. You are therefore used to facing an audience of 300 people or more.

Addressing an audience in a professional manner is not something everybody can do. It gives you self-confidence and autonomy, and this will be all the more appreciated if you have described your activity in words that make it a "professional plus" (as they say today!). Don't use theater terms, translate them into everyday words the company is familiar with.

Another example : you did some teaching. It proves your ability to address an audience - although smaller - to communicate your ideas, to convince. The recruiter has already written that down.

As for the weekends you have spent connected to the Internet over the past three years, you can take advantage of them by offering to explain the network to all those interested in the company. And that puts your file on top of the pile!

Ceux qui vont gagner le gros lot

Enfin, il y a des CV qui font apparaître une double compétence. Or, aujourd'hui, la connaissance par la même personne de deux disciplines qui s'étudient indépendamment l'une de l'autre est très recherchée.

C'est, en effet, la suppression des barrières entre les disciplines (le « décloisonnement ») qui engendre l'interdisciplinarité.

Dans toutes les entreprises, les laboratoires et dans bien des administrations, le travail d'équipe est interdisciplinaire : les médecins ont besoin des ingénieurs, les architectes aussi.

Si l'on est soi-même l'un et l'autre, quelle référence, quelle facilité pour communiquer avec les représentants des disciplines intéressées !

Oui, les physiciens et les chimistes ont besoin des biologistes ; les gestionnaires, des juristes et réciproquement.

Toute double formation aidant à jeter un pont entre des disciplines dont l'avenir est de s'associer, est appréciée, recherchée, largement rémunérée.

À titre indicatif, voici quelques exemples de doubles compétences qui valent de l'or. À vous de compléter la liste. Elle est sans limite.

– Juriste et polyglotte ;
– ingénieur et polyglotte ;
– gestionnaire et polyglotte ;
– gestionnaire et commercial ;
– ingénieur et littéraire ;
– gestionnaire et juriste ;
– juriste et fiscaliste ;
– informaticien et biologiste [1] ;
– architecte et ingénieur ;
– ingénieur et urbaniste ;
– médecin et juriste ;
– agronome et juriste.

Dire cela, c'est rappeler une fois encore que ce ne seront pas forcément les critères relatifs aux caractéristiques techniques d'un poste qui feront la différence, mais les composantes culturelles des candidats, *car ils auront à façonner l'entreprise* dans laquelle ils entreront.

Dans quelle mesure s'adapteront-ils à des situations « non françaises » ? Comment s'intégreront-ils à des équipes déjà formées et soudées ? Comment constitueront-ils leurs propres équipes ? Comprendront-ils des collaborateurs si différents d'eux, les laisseront-ils s'exprimer ?

1. On peut décliner informaticien avec presque toutes les professions…

Those who are going to hit the jackpot

Finally, there are resumés that show a double skill. Today, knowledge by the same person of two complementary disciplines taught separately becomes a very sought-after "double skill".

Indeed, suppressing barriers between disciplines ("decompartmentalization") breeds interdisciplinarity.

In every company, in labs and in many administrations, team work is interdisciplinary : doctors need engineers, and so do architects.

If one happens to be both, what a reference, how easy it is going to be to communicate with the representatives of the interested parties!

Yes, physicists and chemists need biologists; managers need lawyers and vice versa.

Any double training that can bridge two disciplines meant to merge in the future is appreciated, sought-after, highly-paid.

As an indication, here are a few examples of double skills that are worth pure gold. You can add more, the list is not exhaustive.

- law and languages
- engineering and languages
- managerial skills and languages
- managerial and marketing skills
- engineering and literary skills
- managerial and legal skills
- legal and fiscal skills
- computer skills and biology
- architectural and engineering skills
- engineering and town-planning skills
- medical and legal skills
- agronomic and legal skills.

This means once more that it is not only the criteria concerning the technical requirements of a job that will make the difference, but the *candidates'* cultural components, *because they will have to mold the company they join.* How will they react in front of foreign situations?

How will they fit in already made-up and close teams? How will they make up their own team? Will they understand colleagues who are vastly different, will they let them have their say?

Voilà les questions que les personnes qui vous recruteront se poseront à votre sujet. Voilà ce que votre personnalité devra laisser entrevoir. Une personnalité assez forte pour faire évoluer à son tour l'entreprise qui vous embauchera.

Aux yeux de votre recruteur, vous devez répondre d'abord à la définition du poste et vous couler dedans sans difficulté. Mais, bien davantage, vous devez être quelqu'un d'autre que la définition du poste.

Vous apporterez ainsi une vie, un poids, une présence à cette fonction ; pour tout dire une personnalité : la vôtre.

Those are the questions the recruiter will be asking himself about you. This is what your personality must lead him to expect. A personality strong enough to take the company further.

Your personality must first of all fit the job description, slip right into it, in the eyes of the recruiter. But above all, you must be more than the job description.

You thus bring life, weight, presence to the post; in one word, personality : yours.

10 Comment « traduire » vos études en anglais américain :
le système des études aux États-Unis

Lorsque vous vous présentez à un recruteur étranger, et notamment à un Britannique ou un Américain, il est essentiel que vous puissiez lui donner l'équivalence de vos diplômes en anglais britannique ou américain. En effet, les systèmes français ou francophone, anglais et américain sont tous différents les uns des autres.

Or, si vous ne parvenez pas à « traduire », plus ou moins, le niveau que vous avez atteint dans vos études, votre interlocuteur sera, la plupart du temps, incapable de l'apprécier.

Pour « traduire », il faut connaître chacun des deux autres systèmes.

Dans les quelques pages qui suivent, nous allons tenter de vous y aider, en vous indiquant les grandes lignes du système américain et du système britannique.

Bis repetita

Aux États-Unis, le terme University *est une appellation générique qui décrit un établissement où l'on peut mener les études suivantes :*

*4 années d'*undergraduate (BA/BS), *le système* graduate (MS, MBA)…
… *et* postgraduate (ph. D, doctorats).

Les études aux États-Unis

Classe en France	Âge	Classe aux États-Unis
Enseignement primaire :		
11e – CP	6	*1st grade*
10e – CE1	7	*2nd grade*
9e – CE2	8	*3rd grade*
8e – CM1	9	*4th grade*
7e – CM2	10	*5th grade*

Classe en France		Âge	Classe aux États-Unis		
Enseignement secondaire :					
collège	6e	11	*6th grade*	*Junior highschool*	
collège	5e	12	*7th grade*	*Junior highschool*	
collège	4e	13	*8th grade*	*Junior highschool*	
collège	3e	14	*9th grade*	*Freshman*	*Highschool*
lycée	2e	15	*10th grade*	*Sophomore*	*Highschool*
lycée	1re	16	*11th grade*	*Junior*	*Highschool*
lycée	terminale	17	*12th grade*	*Senior*	*Highschool*

• Au terme de l'année du *12th grade (Senior year),* on obtient le ***high school diploma,*** ou diplôme de fin d'études secondaires = le baccalauréat.

On dit :

I'm a junior in... high school = Je suis en première au lycée...
I'm a senior in... high school = Je suis en terminale au lycée...

• L'élève titulaire du *high school diploma* va ensuite au *College* pour y faire ses ***undergraduate studies*** (quatre ans).

College se traduit donc ici par « université » ou « fac ».

Au *College,* l'étudiant sera, une fois encore :
- *freshman,* en 1re année ;
- *sophomore,* en 2e année ;
- *junior,* en 3e année ;
- *senior,* en 4e année.

Il dira par exemple :

I'm a sophomore at Connecticut College.

• Au bout de quatre ans, vers 22 ans, il est devenu :

Bachelor of Arts, équivalant à licencié(e) ès lettres ;
Bachelor of Science, équivalant à licencié(e) ès sciences.

Les francophones considèrent que les ***BA*** *(Bachelor of Arts)* et ***BS*** *(Bachelor of Science)* sont d'un niveau légèrement inférieur à celui de la maîtrise, bien que les deux types d'études se fassent en quatre ans.

On peut néanmoins remarquer qu'un *BA/BS* garantit que son titulaire parle couramment anglais, alors que cela est rarement vrai du titulaire d'une maîtrise !

Aussi, que vous ayez une licence ou une maîtrise, traduisez votre diplôme licence/maîtrise par *BA* ou *BS.*

Quant à la maîtrise, elle n'a pas le niveau du ***Master's*** qui est *post-graduate.*

Vous direz, par exemple :

I have a Bachelor of Science from Connecticut College,

ce qui est équivalent à *(which is equivalent to)* :

Je suis licencié(e) en sciences de [l'université de] Lyon II.

En général, *University* est un terme générique qui s'applique à un établissement regroupant :
– les quatre années d'***undergraduate studies;***
– les années de ***graduate studies*** qui conduisent en un ou deux ans aux :
  - *Master of Science (MS),* ou *Master of Arts (MA) ;*
  - *Master's in Business Administration (MBA) ;*

TRICKS OF THE TRADE

Un concours de... beauté ?

Les concours d'entrée aux Grandes Écoles, voilà bien une institution qui n'existe ni aux États-Unis, ni en Grande-Bretagne.

Les tests d'admission aux universités sont sélectifs et ils sont un élément déterminant de l'intégration à l'université, mais bien d'autres paramètres interviennent...

On pourra traduire concours par : (very) selective admission test.

AUTANT VOUS LE DIRE !

On considère que le niveau du *master's* est équivalent à celui du DESS (diplôme d'études supérieures spécialisées), soit bac + 5/bac + 6.

Attention ! *"Master's"* est à la fois un terme générique et un terme spécifique. On dit :
(gén.) *I have a Master of Science/Master of Arts/from Columbia University;*
(spéc.) *I have a Master's in Journalism from Duke University.*

– ainsi que les ***postgraduate studies*** qui conduisent aux *Ph. D.* (doctorats, thèses).

Tout le monde connaît, par exemple, *Harvard University.*

Vous avez redoublé ?

Redoubler : to do a year over, to redo a year.

Le redoublement n'est pas une notion anglo-saxonne.

En France, le système le permet, par exemple en première année de médecine.

Mieux vaut expliquer que l'on a étalé les unités de valeur ("credits") *sur plusieurs semestres, afin de travailler en entreprise ou d'avoir un petit job d'appoint.*

Comment entre-t-on à l'université ?

Pendant les deux dernières années de *high school,* chaque étudiant envisageant de poursuivre ses études supérieures passe un test, le *SAT (standardized aptitude test).*

C'est un test national sous forme de QCM, qui comporte deux épreuves :

– une épreuve d'anglais écrit, dite *"verbal"* (*sic*) ;
– une épreuve de maths, dite *"math".*

L'étudiant ira dans telle *university* ou tel *college,* selon les scores obtenus. On n'entre pas à l'université uniquement grâce à son score au *SAT*; l'aptitude au sport et les activités extra-scolaires sont aussi très appréciées.

La préparation et la rédaction du dossier *("college application")* sont essentielles. L'étudiant *"applicant"* sera interviewé par un membre du jury d'admission. Ces *"college interviews"* sont un élément important du dossier.

• Pour entrer dans une *Law school,* il faut d'abord être *Bachelor of Arts* ou *Bachelor of Science.*
Ensuite, on passe un test appelé le *Law Standardized Admission Test (LSAT).*
Les scores réalisés et la qualité du dossier ouvrent l'accès à telle ou telle université.

• Pour faire un *MBA,* le test s'appelle le *Graduate Management Admission Test (GMAT).* Là encore, score et dossier déterminent le niveau de l'université d'accueil.

Un étudiant non américain peut tout à fait poser sa candidature à une université américaine. Après avoir justifié de ses diplômes, il lui faudra passer le *TOEFL* (voir chapitre 13), *Test of English as a Foreign Language,* qui est un test de niveau en anglais – et pas un concours.

C'est néanmoins le score obtenu au *TOEFL* qui déterminera le type d'université auquel l'étudiant étranger aura accès (voir tableau).

Voici la politique d'admission à l'université que pratique, en général, l'organisation du TOEFL.

Score	
449 points et moins	Admission à l'université guère probable ; possibilité d'admission dans un *"Junior college"* (études en deux ans).
450/499 points	Examen individuel du dossier en vue d'une éventuelle admission, malgré la faiblesse du niveau de langue.
500/549 points	Si vous êtes entre bac et bac + 4, vous avez toutes les chances, avec ce score, d'être admis dans une université américaine au niveau *undergraduate* correspondant à vos années d'études en France, Belgique, Suisse, etc. C'est l'université d'accueil qui vous fournira les précisions que vous attendez.
550/599 points	Admission assurée aux études *undergraduate,* à votre niveau dans votre pays d'origine. Admission probable aux études *graduate* en vue d'un *Master* ou d'un *MBA.*
600 points et plus	Admission assurée au niveau *graduate.*

Universities et *colleges*

Ces établissements sont environ 3 000 aux États-Unis.

Le système public

1. Les universités moins cotées

Les *Junior colleges*

Ils sont destinés à ceux dont les scores au *SAT* ont été très moyens, ou encore à ceux qui ne veulent passer que deux ou trois ans au *College.*

Les passerelles entre les *Junior colleges* et les *Colleges* existent.

TRICKS OF THE TRADE

Il y a promotion et promotion !

Graduated in the class of '89 = *Je suis (diplômé) de la promotion 89.*

Et : I was promoted to Assistant Director = *On m'a promu Directeur adjoint.*

Hi, major !

Le 3e cycle = graduate studies.

Remplir un dossier de candidature = to fill out an application (form).

La promotion 89 = the class of '89.

Un concours = a selective admission test.

Un major = a/number one/top graduate/in his class.

Watch out ! :
a major = *un commandant (US Air Force) ;*
= *un chef d'escadron (cavalerie) ;*
= *un chef de bataillon (infanterie).*

Les *Community colleges*

Dans ces établissements, on peut achever un diplôme ou suivre une formation professionnelle.

Ils reçoivent donc les adultes qui ont un métier, ou ceux qui prennent des cours à temps partiel.

2. Les universités plus cotées

Les *State Universities*

Exemples :
- *State University of New York at Buffalo ;*
- *University of North Carolina at Wilmington.*

Le système public est beaucoup moins cher que le privé, et les universités du système public sont souvent excellentes.

Les frais de scolarité sont en général dans la fourchette $3 500-$7 000/an. Un prix raisonnable pour les étudiants qui habitent l'État, et un peu plus élevé pour ceux qui viennent d'un autre État *("living out of state")* et doivent trouver à se loger.

Il y a plusieurs universités au sein du même État, toutes de réputations inégales.

Le système privé

Le système privé permet lui aussi d'accéder à des *Junior colleges.*

Les universités privées sont nombreuses. Certaines sont extrêmement connues. Bien que largement financées par leurs anciens élèves *(alumni),* elles ont en commun de demander des frais de scolarité *(tuition costs)* très élevés : de $15 000 à $30 000/an.

Les plus anciennes se sont établies dans le nord-est du pays. Elles sont les plus connues – à défaut d'être toujours les meilleures ! – et sont au nombre de 8, regroupées dans l' *"Ivy league" (Ivy league schools).*

Exemples :
- *Columbia University à N.Y., N.Y. ;*
- *Yale University à Newhaven, Connecticut ;*
- *University of Pennsylvania, "Penn", Philadelphie, Pa.*

On se gardera d'omettre le *Massachusetts Institute of Technology* ou la *Columbia School of Engineering,* dont le niveau vaut largement celui des cinq ou six Grandes Écoles d'ingénieurs françaises.

Encore quelques mots sur les *"Law schools"* (et les *MBA*)

La *Law school* dure trois ans. On ne peut la commencer que si l'on est déjà en possession d'un autre diplôme : en général un *BA* ou un *BS.*

On devient *"lawyer"* une fois les trois années écoulées, et réussi le *"Bar examination"* de l'État dans lequel on est étudiant.

Un autre diplôme américain constitue un complément de formation, même s'il ne confère pas le titre de *lawyer :* c'est le *JD, "Juris Doctor".* Son niveau se situe entre la maîtrise et le DESS. Tous les *lawyers* ne le possèdent pas.

Certains étudiants étrangers, déjà avocats dans leur pays d'origine, achèvent leur formation juridique par un *JD.* Toutefois, tant qu'ils n'ont pas passé le *"Bar exam",* ils ne sont pas *lawyers* et ne peuvent exercer aux États-Unis.

11 Comment « traduire » vos études en anglais britannique : le système des études en Grande-Bretagne *

L'instruction obligatoire, dite *"compulsory education"*

En Grande-Bretagne, de 5 à 16 ans, l'instruction est obligatoire.

Elle s'appelle *"compulsory education".*

Elle est sanctionnée, vers 16 ans, par le *General Certificate of Secondary Education,* dit *GCSE.*

Le *GCSE* est d'un niveau un peu supérieur à celui du brevet des collèges français qu'on passe à la fin de la troisième.

N.B. Jusqu'en 1988, au lieu du *GCSE,* on passait des examens appelés *"ordinary levels",* expression raccourcie en *O levels.*

Further Education (16-18 ans)

• Après le *GCSE,* l'élève, selon son niveau, va chercher à obtenir les *A levels,* équivalant au bac, donnant droit au diplôme les authentifiant : le *General Certificate of Education Advanced Levels.*

En général, l'élève choisit 2, 3, voire 4 matières, selon sa capacité.

* Il s'agit ici du système public. Le système privé est abordé p. 96.

TRICKS OF THE TRADE

Centrale, Ponts, Arts et métiers ?

Une Grande École d'ingénieurs = a top tier engineering school.

Un DESS ?

A Master's degree.

A graduate degree.

Obtenir les *"A levels"* est une des conditions d'accès aux études supérieures, dites *Higher Education.*

• Enfin, on peut s'orienter vers des études professionnelles correspondant à celles conduisant aux bacs techniques et aux examens professionnels. Elles sont sanctionnées par les *General National Vocational Qualifications.*

Les *GNVQ's* peuvent encore se comparer aux brevets d'études professionnelles ou aux brevets d'aptitude professionnelle des établissements et lycées techniques (*Business, Engineering,* etc.).

Higher Education

En possession des *A levels,* le futur étudiant vise l'une des catégories d'universités qu'offre le système britannique : les *Universities,* les *New Universities,* les *Colleges of Higher Education.*

À cet effet, il prépare son dossier de candidature. Le dossier s'appelle le *Universities and Colleges Admission Service* ou *UCAS.* Il se prépare à l'automne qui précède l'année d'entrée à l'université.

En Grande-Bretagne, comme aux États-Unis, des éléments extrascolaires (sportifs, culturels, etc.) sont pris en compte dans le dossier.

L'admission dans les universités les plus cotées dépend de la qualité du dossier fourni.

1. Les universités les plus cotées

Ce sont souvent les plus anciennes. Elles sont une vingtaine dans l'ensemble du Royaume-Uni (*University of Durham, of Bristol, University of London*... sans oublier *Oxford, Cambridge* et *Edinburgh*).

Elles récoltent encore aujourd'hui le fruit de leur gloire passée et d'un certain snobisme. Car, de nos jours, c'est plutôt pour la qualité et la diversité de l'enseignement de certaines disciplines que pour sa réputation d'ordre général qu'une université est appréciée.

Par exemple, les enseignements les plus réputés en musique sont délivrés dans de simples *Colleges of Higher Education* (voir plus loin), comme le *Royal College of Music.*

Ainsi, tout classement des universités est-il quelque peu illusoire.

Law school ?

*Aux États-Unis, quel que soit votre diplôme d'*Undergraduate, *les portes de la* Law school *vous sont ouvertes, si vous avez réussi le test d'admission.*

Vous y rencontrerez donc des avocats qui vous parleront de leurs études d'ingénieur ou de géographie... Celles qu'ils avaient entreprises avant de changer de voie !

Aux États-Unis, on le peut. C'est la particularité du système.

Elles permettent d'obtenir les diplômes suivants, classés par ordre d'importance : *certificates, diplomas, first degrees, postgraduate degrees.*

2. Les *New Universities*

La plupart d'entre elles s'appelaient avant 1992 des "*Polytechnics*".
Ex. : *University of the West of England, Bristol.*

Ces établissements sont les équivalents des écoles de commerce ou des écoles d'ingénieurs de catégorie moyenne.

3. Les *Colleges of Higher Education*

Dans ces établissements, l'étudiant peut se spécialiser très tôt. Ils sont proches des IUT français.

Les deux cycles universitaires : *Undergraduate Level*

- **Le cycle court :**

  On obtient en deux ans le *Higher National Diploma (HND)* après des études effectuées dans un *College of Higher Education* ou une Nouvelle Université (statut de 1992).

  La formation technique ou professionnelle *(vocational training)* peut se faire à l'intérieur de ce *HND,* en deux ans.

- **Le cycle long :**

  Après trois ou quatre ans d'études, on obtient un *Degree in History, French, Maths,* etc., c'est-à-dire l'équivalent d'une licence ou d'une maîtrise en histoire, français, mathématiques…

  Donc, tout comme aux USA, à 22 ans environ, on est devenu *Bachelor of Arts* ou *Bachelor of Science.*

  Notez que les *BA* et *BS* britanniques et américains sont très proches; et nous vous conseillons d'indiquer clairement à votre interlocuteur que votre licence ou votre maîtrise en lettres ou en sciences est l'équivalent de ces *BA* ou *BS,* pour les raisons indiquées dans le chapitre « Le système des études aux États-Unis », page 90.

TRICKS OF THE TRADE

Changing your track ?

In the United States, whatever your first degree may be, you are elegible for Law school provided you pass the entrance examination.

So you will meet lawyers who will tell you about their engineering or geographical studies which they did before changing tracks.

In the USA, it is possible to do this. The system allows it.

L'équivalent du troisième cycle français : *Postgraduate studies*

Comme aux États-Unis, on obtient :
- les *Master's Degrees,* un an après le *BA* ou le *BS* ;
- le *MBA* en un ou deux ans.

On peut aussi, en deux années de plus, devenir un *Master of Philosophy (M. Phil).* Néanmoins, ce diplôme n'est pas sanctionné, comme les autres, par un examen ou un contrôle continu. Il s'obtient en faisant de la recherche.

Un an après avoir obtenu le *Master of Philosophy,* on peut obtenir un *Ph. D.* (abréviation pour *Doctor of Philosophy*). Ce terme est un bon équivalent des termes « thèse » et « doctorat » qu'on passe dans les universités de langue française.

Ivy ?

Voici les huit universités qui font partie de l'Ivy league (ivy = *lierre).*

Brown,
Columbia,
Cornell,
Dartmouth,
Harvard,
University of Pennsylvania,
Princeton,
Yale.

D'où : IVY = *bon chic, bon genre.*

Le système d'études privé

En Grande-Bretagne, le « privé » touche 20 % des élèves scolarisés entre 5 et 18 ans.

C'est un système parallèle destiné à la classe sociale qui peut en acquitter le montant – très élevé.

• Entre 5 et 12/13 ans :

L'enseignement s'effectue dans des *Preparatory schools,* dites *"Prep schools"* qui préparent aux examens qu'on passe à 12/13 ans pour entrer dans une des 500 écoles privées qui jalonnent l'Angleterre, l'Écosse, le Pays de Galles, etc.

Parmi celles-ci, citons *Eton, Harrow, Winchester, Rugby,* etc.

Ces écoles privées s'appellent des *"Public schools" (sic).*

• De 12/13 ans à 18 ans, l'enseignement dans les *Public schools* :

Contrairement à ce que leur nom semble indiquer, elles sont privées et payantes.

À 18 ans, les élèves des *"Public schools"* rejoignent les *Universities* ou les *Colleges of Higher Education.*

12 Comment « traduire » vos études : quelques exemples commentés

Business school et *Law school* ont ceci en commun : pour y entrer, il faut déjà être titulaire d'un diplôme d'études supérieures, par exemple un *BA* en marketing / *BS* en mathématiques, c'est-à-dire être à bac + 4.

Donc, si vous dites à un Américain que vous avez 22 ans et que vous êtes sorti(e) de *(you graduated from)* la meilleure école de commerce *(business school)* de votre pays, il ne comprendra pas ou, pis, croira que vous essayez de le bluffer. En effet, à cet âge aux États-Unis, on commence à peine la première année de la *business school* ; ou, si vous préférez, c'est l'âge où l'on vient d'obtenir son *undergraduate degree* et où l'on commence les *graduate studies...* à moins qu'on les repousse de deux ou trois ans pour travailler d'abord dans une entreprise et économiser le prix des études !

Que dire alors à cet Américain ?

Tout d'abord, il est maintenant admis par tous les recruteurs que la « traduction » de « Grande École de commerce » peut être *"business school"*.

Si votre interlocuteur se montre perplexe, à vous de lui expliquer que dans votre pays on démarre très tôt ce type d'études, par un concours *(selective admission test)* qu'on réussit, en général, au bout de deux ans de travail intense, et que, une fois qu'on a intégré, les études et les stages en entreprise durent trois ans – et parfois davantage si l'un des stages *(training period* [GB] / *internship* [US]*)* a pris une année complète.

Enfin, ne vous étonnez pas que votre interlocuteur vous demande si vous avez l'intention de reprendre vos études au bout de deux/trois ans... Car, dans son esprit, le job auquel vous postulez ne constitue qu'une étape dans votre évolution...

Dans ce chapitre, vous allez trouver quelques exemples de ce qu'on peut dire. Entraînez-vous à combiner les membres de ces phrases pour présenter au mieux vos activités et vos études.

Enfin, lorsque vous aurez mis en perspective : 1 - vos aspirations, 2 - vos études en langue française, 3 - votre désir d'obtenir le poste proposé et 4 - celui de reprendre, plus tard, vos études avec un objectif particulier, vous sentirez à quel point votre logique et la clarté avec laquelle vous vous êtes exprimé(e) soulagent votre interlocuteur et facilitent votre entrée dans l'entreprise.

Et peut-être commencerez-vous à être convaincu(e) des bienfaits de l'entraînement !

TRICKS OF THE TRADE

Master's ?

Si vous avez obtenu un Master of Arts, *vous direz :* "I have an M.A." *et on vous demandera votre spécialité.*
Un Master of Science ? *Vous direz* "I have an M.S.C." *(qui s'écrit :* M.Sc.*)*

Attention ! On dit : "I have a Master's in Business Administration", *le cas possessif ('s) signifiant* degree [GB]/ diploma [US].
En d'autres termes : « J'ai le diplôme. »

Pourquoi in B.A. et non of ?

Les expressions Bachelor of, Master of *sont très anciennes. Littéralement, elles signifient « Je suis maître dans les arts, etc. »*
Beaucoup plus récent, le MBA *fait appel à un anglais plus contemporain –* I have a Master's in Business Administration *– qui sous-entend que ces disciplines modernes ne proviennent pas uniquement des arts ou de la science...*

AUTANT VOUS LE DIRE !

Un Deug ?

Il n'y a évidemment pas de traduction, mais l'explication en anglais est très claire pour un Américain ou un Britannique.

What, what ?

Une licence de lettres ?
= a B.A. in littérature.

Un Deug d'économie ?
= a two year economics degree

1. C'est au lycée que je me suis dit pour la première fois que j'allais préparer les Grandes Écoles de commerce.

2. En première année de fac, on m'a proposé de faire partie d'un groupe de réflexion sur les débouchés professionnels des BTS.

3. Vers la fin de mon année de terminale, j'ai commencé à passer des entretiens pour intégrer une école d'ingénieurs aux États-Unis.

4. Passer son bac en Angleterre n'a rien à voir avec la préparation à l'entrée aux universités américaines. Pourtant, ces deux démarches se déroulent au même moment dans le cursus.

5. À l'ESSEC, j'ai monté une liste pour l'élection au Bureau des Élèves.

6. Dans mes entretiens pour intégrer le DEA de Sciences-Po, mes activités extra-scolaires ont beaucoup compté. Le comité d'admission leur a accordé une grande importance.

7. Ce n'est qu'après avoir obtenu un DEUG / en / d' / économie que j'ai fait mon premier stage. Un stage ouvrier, sur l'une des chaînes de montage de Ford à Detroit, aux États-Unis.

8. L'année sabbatique que j'ai prise entre ma maîtrise et mon DESS avait un objectif précis : préparer les tests pour les études de droit aux États-Unis.

9. L'X / Polytechnique / L'École polytechnique / et une Grande École de commerce française n'ont rien à voir avec leurs équivalents anglais ou américains.

1. While still in / high school [US] / sixth form college [US] / I told myself for the first time that I would later get into one of the top tier business schools.

2. During my freshman year of college [US] / first year at University [GB] / I was asked to participate in a study group on future employment opportunities for / Higher National Diploma [GB] / junior college [US] / graduates.

3. / Towards the end of my senior year in high school [US] /Just before taking my A levels [GB] / I started the interview process to apply to US engineering / colleges / schools.

4. Taking your A levels in / Britain / England / is totally different from the college application process which starts with the SAT's in the US. However, they take place during the same time span in both countries.

5. As an undergraduate business school student at ESSEC, one of the French top tier business schools, I led a group for the student council elections.

6. My extra curricular activities were key in the Admission committee's decision to accept my Master's degree application to Sciences-Po.

7. I only did my first / internship [US] / training period [GB] / after obtaining a two-year economics degree. I was a worker on one of the assembly lines at the Ford plant in Detroit.

8. The purpose of my year off between my BA and my Master's degree was to prepare for the LSAT and the admission to US Law schools.

9. The leading French engineering school and the top French business schools are hardly comparable to their UK or US equivalents.

TRICKS OF THE TRADE

First, second or third ?

The first tier = *le peloton de tête – les plus prestigieuses.*

2nd tier = *de moindre niveau. Ce n'est pas péjoratif.*

3rd tier = *peu connues, un peu péjoratif.*

À l'Essec ?

Plutôt que chercher à traduire mot à mot – mission impossible ! – mieux vaut essayer d'exprimer de façon concise (ici en 16 mots) la signification du diplôme.

10. Pourquoi vous êtes-vous orienté(e) vers le droit et la profession d'avocat après un parcours plutôt matheux ?

11. Ma première augmentation ? Elle est intervenue six mois après mon arrivée dans la société et après avoir obtenu / terminé avec succès / le 3e cycle que je menais / le / en cours du / soir à la fac.

12. En passant mon / DUT / Diplôme universitaire de technologie : 1er cycle spécialisé / à Nice, je pensais déjà à ma spécialisation en génie mécanique à Manchester, où il existe une des meilleures écoles.

13. C'est mon sixième entretien depuis que j'ai obtenu mon diplôme de l'ENSI de Toulouse, en juin dernier.

14. Dans cette entreprise, les recrutements [pour les postes de ...] ne se font pas en dessous de bac + 5...

15. Une école de commerce, même peu cotée, vous permet de postuler, après le diplôme, à une entrée parallèle à Oxford ou au MIT pour une année de spécialisation.

16. En prépa scientifique déjà, je voulais travailler plus tard pour un cabinet de conseil.

17. Je n'ai qu'une licence et, en face de moi, mes interlocuteurs étaient un X, un HEC et le titulaire d'un DESS en finance. Autant vous dire que l'entretien a été difficile !

18. Aux yeux d'un employeur potentiel, une école d'ingénieur de province peut être un atout formidable, sans pour autant mettre en doute le prestige de l'École des mines ou de [l'École] Centrale.

Did you say a year off ?

A gap year [GB] = *une année sabbatique entre la fin des études secondaires et le début des études supérieures... plus souvent une année de voyage, pour voir le monde...*

On dit aussi : to take a year off.

À 40 ans, you'll take a sabbatical, *un congé sabbatique; peu importe sa durée.*

10. Why did you choose to / read [GB] / study [US] / law and become a lawyer after a mathematics degree ?

11. My first pay raise ? It occurred six months after I joined the / company / firm /, and was linked to my obtaining the Master's degree I attended during evening classes at the University.

12. While studying for a 2-3 (two to three)-year specialized engineering degree, I was already thinking about specializing in mechanical engineering at Manchester Polytechnic, one of the best schools delivering this diploma.

13. This is my sixth interview since graduating from engineering school in Toulouse, last June.

14. To be recruited to this company, applicants (analyst or associate level jobs) must be at least of graduate degree level.

15. Even with a second - or third - tier business school / diploma [US] /degree [GB] / you are eligible to apply / to Oxford for a Master's degree / to MIT for graduate school.

16. As I was preparing for entrance exams to engineering schools, I already dreamt of working / for a consulting firm / in consulting.

17. My sole diploma is a BA and the jury was composed of a top engineering school graduate, a top business school graduate and the holder of a Master's degree in finance. I can tell you it was a tough interview !

18. A / second tier / provincial / engineering school may be highly regarded by a potential employer, even though there is no doubt as to the prestige of the top five engineering diplomas.

To read ?

To read [GB] = to study [US]. *Les Britanniques emploient souvent ce terme pour traduire l'action de « faire »... du droit, des maths, médecine, etc.*

To read *est une réminiscence de l'époque où les études étaient réservées à une élite qui affectait parfois une attitude désinvolte à leur égard, puisque les études étaient autant un passe-temps qu'un bagage pour l'avenir.*

An awfully direct Director !

analyst = *attaché de direction*
associate = *(jeune) fondé de pouvoir*
V.P. = *vice-président*
associate director = *sous-directeur*
senior V.P. = *directeur adjoint*
M.D. = Managing Director = *directeur [général]*

Toutes ces traductions sont approximatives puisque les entreprises anglo-saxonnes sont moins hiérarchisées que les nôtres et que personne n'est l'équivalent de quelqu'un !

N.B. Director *et* direction *se prononcent en principe avec un i court. De même que* directly *et* directory.

Direct *et* Directness *(la franchise) se prononcent avec un i diphtongué.*

Il suffit de le savoir !

(à suivre)

19. Pendant l'entretien d'évaluation, le doyen de l'université m'a conseillé de postuler à un poste d'assistant à la fac.

20. Avec une maîtrise de langues et un diplôme d'une école de commerce anglaise, je suis confiant(e) / dans / quant à / mon avenir professionnel.

21. Après ma médecine, j'ai pensé qu'un diplôme en gestion ou une formation complémentaire serait un plus pour travailler dans un laboratoire pharmaceutique.

22. Un étudiant en droit américain, un étudiant français en fac ou un élève d'Oxford ou de Cambridge ont tous la même ambition : trouver un travail conforme à leurs aspirations professionnelles.

23. J'ai un BTS en / ingénierie / tourisme.

19. During our review session, the Dean advised me to apply for an Assistant Professor position.

20. With a BA in languages and a degree from a UK business school, I am confident about my professional future.

21. After medical school, I thought a degree in management or a further professional training would be a plus when applying to a pharmaceutical company.

22. Students in a US Law school, or French university or at Oxford or Cambridge all share the same ambition : finding a job in relation with their professional goals.

23. I have a two-year specialized diploma in / engineering / tourism.

TRICKS OF THE TRADE

C'est grave, Docteur ?

Cela, c'est la prononciation que préconise le dictionnaire. Mais, dans la vie, vous entendrez les deux, tout comme, en français, si la prononciation correcte de « mœurs » est « mœur », on entend couramment « mœursse » !

Donc ne vous tourmentez pas – ce n'est pas grave !

13 Passer ces tests, consulter ces organismes va vous aider

Nous passons en revue ici, de façon forcément succincte, les possibilités qu'offre la région parisienne. Ce livre ne peut recenser le nombre et la variété des offres en Belgique, au Canada, en France, en Suisse et dans le monde entier !

Que ces pages vous incitent à mener votre propre enquête là où vous habitez, et à découvrir ces relais ! Ils vous pousseront à améliorer votre niveau écrit et oral. Voici donc quelques pistes.

Council *(Council on International Educational Exchange[1])*

Council est une association universitaire internationale d'inspiration américaine qui compte 700 collaborateurs dans le monde, et des bureaux à New York, Paris, Tokyo, Kyoto, Sydney, Pékin, Madrid, Rome, Londres, Berlin et Bonn.

326 universités sont membres de cette association.

Son but? Permettre à des jeunes diplômés « étrangers » d'étudier à l'université, d'obtenir un job d'été ou d'effectuer un stage en entreprise dans le monde entier (et pas seulement dans les pays anglophones).

Trois possibilités pour la langue anglaise :

1. Faire ses études aux États-Unis

Vous pouvez profiter de quelques semaines de l'été ou de plusieurs semestres pour suivre des cours dans l'une des très nombreuses universités associées à cette organisation. Vous habiterez sur le campus, vous vous initierez, en anglais, à de nouvelles disciplines ou approfondirez des domaines déjà connus.

Un très grand éventail de cours vous est offert. Toutefois, en dehors de la contrainte financière, vous serez soumis à celle de votre niveau de langue.

1. Pour l'Europe : 1, place de l'Odéon, 75006 Paris. Tél. (33) 1 44 41 74 74 - Fax (33) 1 43 26 97 45.

En effet, une fois obtenue votre pré-inscription, vous devrez justifier, lors d'un entretien avec un conseiller, que vous possédez le niveau d'anglais correspondant à vos desiderata. Par exemple, pour suivre des cours pendant l'année universitaire, votre score TOEFL doit être supérieur à 550 points!

2. Les programmes *Work and Travel*

Ils sont souvent l'occasion de travailler à titre temporaire quelques mois aux États-Unis, au Canada ou en Australie tout en étant rémunéré et logé. Council s'occupe des recherches en liaison avec vous : ce sont des jobs qui ne nécessitent pas un apprentissage long (caissier(e), vendeur(se), serveur(euse), surveillant(e)...) dans les parcs nationaux, parcs d'attractions, hôtels, restaurants, sur les plages, etc.

C'est une excellente façon de dégourdir son anglais et de découvrir la règle du jeu et les usages en matière de travail chez les autres.

Les *summer jobs* s'effectuent du 1er juin au 19 octobre. « Work and Travel » vous procure le job et le visa de travail.

Dans votre budget, vous devrez prévoir : le prix du voyage; la cotisation à l'association; le prix du visa de travail (rien à voir avec le visa de tourisme); l'indispensable contrat d'assistance; diverses avances, votre nourriture...

Les *summer jobs* sont payés. Pour les rémunérations, voir Council.

3. Le programme « stages » - *Internship USA*

Il vous donne l'occasion d'effectuer un stage professionnel dans une entreprise américaine.

Council vous guide lors de la recherche du stage, émet un certificat (IAP-66) et vous obtient votre visa temporaire de travail.

Vous l'avez compris, il est assez facile de décrocher un « job d'été » dans la mesure où les employeurs qui doivent faire face à l'afflux des touristes pendant la haute saison sont demandeurs.

En revanche, un stage en entreprise aux USA, Canada, Australie d'un an – maximum – est difficile à obtenir. Cependant, Council envoie à l'étranger de 1 000 à 1 300 stagiaires par an, grâce à son bureau de New York.

- Il faut d'abord obtenir une lettre de l'employeur indiquant des dates précises.

- Le salaire est aléatoire : il varie de *rien,* ou d'un simple défraiement, à une rémunération convenable permettant de se loger et de se déplacer.

Si la formule a tant de succès, c'est qu'elle permet, non seulement de découvrir un pays et de se perfectionner en anglais, mais aussi de prendre la mesure d'un métier.

De plus, la mention de cette première ou deuxième expérience sur un CV est du meilleur effet et votre employeur européen ou américain y sera très sensible.

On peut faire des stages inférieurs à douze mois, mais la part des frais fixes est importante (frais d'inscription, voyage aller et retour, visa de travail...) et les progrès en anglais jamais instantanés. Vous avez donc intérêt à faire des stages d'un an. En outre, ils figureront sur votre CV comme une expérience professionnelle.

Pour profiter de cette expérience professionnelle aux USA et du concours actif de Council, il faut remplir trois conditions :

– avoir un bon niveau d'anglais ;
– avoir accompli au minimum deux années d'études dans son domaine d'activité ;
– débourser environ 4 000 francs pour un stage de 1 à 2 mois et environ le double pour un stage de 12 mois.

Ces sommes comprennent les frais de recherche de stage et toutes les formalités citées plus haut.

Attention ! Il n'est pas possible d'enchaîner un *summer job* et un stage en entreprise si cela n'a pas été prévu d'avance, et le prévoir n'est pas toujours facile !

Do you speak TOEFL English ?

Dès que vous émettez l'idée de passer quelques mois ou quelques années dans une université américaine, vous vous heurtez à l'omniprésence d'une institution appelée TOEFL (prononcez TOFÈLE).

C'est un examen sous la forme d'un test qui mesure votre niveau d'anglais. Ce test est réservé aux personnes dont la langue maternelle n'est pas l'anglais.

Vous l'avez déjà rencontré au chapitre 11, puisqu'il constitue l'un des éléments de votre dossier d'entrée dans une université américaine.

Le TOEFL – *test of English as a foreign language* – dure 1 heure 55 minutes. Il est divisé en trois parties :

- *Listening comprehension* - 35 min.
- *Structure and written expression* - 25 min.
- *Reading comprehension* - 55 min.

Une fois corrigé, il vous est attribué un score – valable 2 ans – sur une échelle de notes allant de 200 à 677 points.

Le TOEFL est le sésame pour entrer dans une université nord-américaine. Un bon score, et la route se dégage ! Un mauvais... vous ne pourrez intégrer l'université au niveau d'études qui est le vôtre dans votre pays d'origine.

C'est là une des raisons du succès du test TOEFL. Le bon score est un point de passage obligé. Aussi les manuels et les organismes qui y préparent sont nombreux et se font-ils une concurrence sévère.

Le TOEFL fait aussi figure de monopole parce que les États-Unis doivent assimiler avant tout leurs étrangers de l'intérieur – les immigrés : l'examen sert aussi à étalonner leur savoir.

Toutefois le TOEFL est peu connu des recruteurs francophones. Quant aux anglophones, ils ne font confiance qu'aux entretiens d'embauche pour mesurer votre aptitude à travailler avec eux.

Néanmoins, un score bon et récent au TOEFL est à inscrire à côté des mentions caractérisant votre anglais. Si vous êtes bilingue, c'est évidemment inutile.

C'est peut-être parce qu'il est une institution universitaire *(academic)* que le TOEFL est mal connu des entreprises. Ces dernières semblent privilégier - on ne peut généraliser – les examens des chambres de commerce ou même ceux de Cambridge – examens d'un niveau autrement plus élevé.

C'est pourquoi, la société qui l'a créé et si bien promu a lancé en 1990 le TOEIC (prononcer TO-IQUE) – *test of English for international communication* – qui est destiné, s'il s'implante avec la même réussite que son aîné, à couvrir le champ de l'entreprise.

Le TOEIC est divisé en deux parties :

- *Listening Comprehension* - Compréhension orale - 100 questions - 45 min.
- *Reading* - Compréhension écrite (grammaire comprise) - 100 questions - 75 min.

Le spectre des notes du TOEIC est plus étendu. Il va de 10 à 990 points (mais 620 est considéré comme excellent). Bien entendu, il va servir à étalonner et à recruter de façon plus efficace des personnes qui doivent employer l'anglais sur leur lieu de travail. L'Asie lui fait déjà un très bon accueil.

Voici le champ d'application du TOEIC :

Corporate Development – Dining out – Entertainment – Finance and Budgeting – General Business – Health – Housing/Corporate Property – Manufacturing – Offices – Personnel – Purchasing – Technical Areas – Travel.

TOEFL et TOEIC se préparent au *Kaplan Center*[1] et à l'*American University of Paris*[2]. Le GMAT *(Graduate Management Admission Test)* à l'*American University.* Si vous voulez étudier à l'étranger, consultez la Commission franco-américaine d'échanges universitaires[3].

---

1. 5, rue de Pondichéry - 75015 Paris. Tél. 01 45 66 55 33 - Fax 01 45 66 99 80.
2. 16, passage Landrieu - 75007 Paris. Tél. 01 40 62 07 20 - Fax 01 47 05 34 32.
3. 9, rue Chardin - 75016 Paris. Tél. 01 ~~45 20 46 54~~ - Fax 01 42 88 04 79.

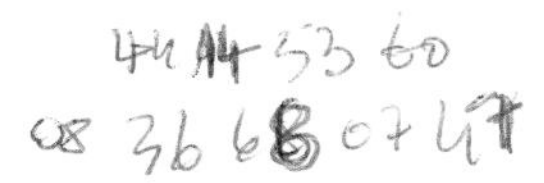

L'Institut britannique de Paris [1]

Si vous habitez Paris, vous pouvez faire appel à l'Institut britannique pour passer les examens et les tests qui donneront du punch à votre anglais… et à votre CV.

Situé à un jet de pierre des Invalides et logé dans un immeuble spacieux et accueillant, l'Institut britannique est rattaché à l'université de Londres.

Le département d'anglais s'adresse aux étrangers dont la langue maternelle n'est pas l'anglais. Dans les mêmes locaux, les étudiants britanniques suivent un enseignement de français. Et la cafétéria est commune! C'est l'occasion pour les étudiants de cultures et de langues différentes de lier connaissance et de s'entraider.

La gamme des cours proposés est si complète qu'on peut s'y perdre. Aussi cet organisme met-il à votre disposition, une fois par semaine, un « diagnostic » sous la forme d'un test. Au terme de celui-ci, vous serez étalonné(e) sur une échelle de niveau. On vous commentera vos résultats tout en vous proposant des examens correspondant à votre niveau, à votre orientation, au temps et au budget que vous pouvez consacrer aux cours.

L'effectif des classes n'excède pas 19 personnes. Les formules s'adaptent à tous les emplois du temps et le British Council contigu permet de se tenir au courant des manifestations culturelles et de s'initier aux universités britanniques : anciennes ou nouvelles, elles se sont remises en cause et ont beaucoup changé depuis quelques années!

En outre, vous y bénéficiez d'un service audiovisuel, d'une salle d'ordinateurs et d'une grande bibliothèque!

Que faire si vous n'habitez pas Paris?

L'Institut n'a de bureaux qu'à Paris. Toutefois, il propose un service de cours à distance que l'on peut suivre de n'importe quel pays…

Quels examens préparer?

• L'Institut britannique met l'accent sur le *British Institute Certificate in Business English,* dit le BICBE (prononcer : BICBI).

Ce cours est scindé en deux parties : la première correspond au niveau du diplôme de la chambre de commerce franco-britannique; la seconde met l'accent sur l'oral. Si vous passez cet examen avec succès, notez-le sur votre CV.

1. 11, rue de Constantine - 75340 Paris Cedex 07. Tél. 01 45 55 71 19 - Fax 01 45 50 31 55.

• Le *Test of Professional English* (TPE) s'adresse aux élèves ingénieurs des Grandes Écoles. Les épreuves se déroulent dans les Grandes Écoles et, une fois par an, à l'Institut. Même remarque pour le CV.

À côté de ces examens qui facilitent votre arrivée dans l'entreprise, en figurent d'autres qui s'adressent aux futurs professeurs d'anglais, traducteurs, et toute la gamme des examens de l'université de Cambridge, d'un niveau littéraire élevé.

Enfin, tout comme les universités américaines attendent de connaître votre score au TOEFL pour vous orienter, les universités britanniques exigent des non-anglophones un niveau d'anglais en rapport avec les études qu'ils entreprennent. Le test conçu pour en juger s'appelle :

• *The International English Language Testing Service* (IELTS). Il comporte quatre épreuves (compréhension écrite, rédaction, compréhension et expression orales) et est organisé à l'Institut selon la demande et, en moyenne, une fois par mois.

On remarquera que les Britanniques n'ont pas voulu laisser aux seuls organismes américains la lucrative préparation au TOEFL et qu'ils font campagne pour vous inciter à les préparer... chez eux! Honni soit qui mal y pense!

• Avant de quitter le registre des tests et des examens, notez que *Le Nouveau Quartier Latin*[1] édite une brochure très claire sur la préparation aux examens anglais et américains. Elle indique le niveau requis pour passer un examen, les livres et les cassettes à votre disposition, leurs prix, etc.

Le Moniteur du Commerce International[2]

Cette revue spécialisée dans les questions liées à l'exportation fait la part belle aux monographies sur les pays.

Vous voulez connaître les dernières tendances et les chiffres récents sur les marchés qui bougent? Le MOCI a sûrement un numéro sur le sujet. Nous vous recommandons le numéro spécial du 31 oct/6 nov. 1996 - n° 1257 - « L'Amérique gagne, gagnez l'Amérique ».

Les relations des Américains avec le reste du monde y sont traitées avec un regard original mais jamais caricatural. En outre, fidèle à l'objectif qu'elle s'est donné, cette publication cherche à rendre service presque à chaque paragraphe.

Une trentaine de collaborateurs – journalistes, professionnels, universitaires – ont participé à ce numéro passionnant. Voir : La librairie du Commerce International[3].

---

1. 78, boulevard Saint-Michel - 75006 Paris. Tél. (33) 1 43 26 42 70 - Fax (33) 1 40 51 74 09.
2. 24, boulevard de l'Hôpital - 75005 Paris. Tél. 01 40 73 30 00 - Fax 01 43 36 47 98.
3. 10, avenue d'Iéna - BP 428-16 -75769 Paris Cedex 16. Tél. 01 40 73 34 60 - Fax 01 40 73 78 98.

L'Office des Migrations Internationales[1]

Cet office, créé après la guerre, s'est donné une double mission :

- mettre en œuvre la politique des pouvoirs publics français en matière d'entrée et de travail des étrangers en France ;
- favoriser l'emploi à l'étranger des Français.

Si vous songez à vous expatrier, rien ne vaut une escale à l'OMI et à la *Maison des Français de l'étranger*[2].

À l'OMI, le service de l'expatriation déblaiera le terrain pour vous. Vous y trouverez des fiches indiquant la situation de l'emploi, les établissements scolaires de langue française ou bilingues, dans le pays qui vous intéresse, ainsi que des guides relatifs à l'embauche de l'étranger que vous serez et un statut du salarié expatrié.

Le point de vue de ce service est délibérément concret : il met à votre disposition les informations qu'il a collectées et qui peuvent vous aider à prendre la décision de partir. Cet empirisme ne vous assure pas forcément d'obtenir le même renseignement pays par pays. Mais, à l'impossible nul n'est tenu.

La Chambre de Commerce et d'Industrie Franco-Britannique

Au cœur du Marais, *The Institute of Applied Languages*[3] est le centre de formation de la Chambre de Commerce et d'Industrie Franco-Britannique[4]. Il propose un grand choix de langues : le français, l'anglais, l'allemand, l'espagnol, l'italien et le russe pour les particuliers et les entreprises.

Outre le TOEFL, IAL prépare au *Diploma in Business English,* au *Certificate in English for Business Communication,* au *Diploma in English for Travel and Tourism,* au *Diploma in Advanced Management English,* aux examens de Cambridge, au bac et aux Grandes Écoles.

Une bonne nouvelle : ces examens se préparent dans un très grand nombre de villes françaises.

Pour en savoir plus sur les relations commerciales entre les entreprises françaises et britanniques, et sur les questions juridiques, les jobs d'été, les stages professionnels, ou pour consulter le Kompass et les pages jaunes, appelez la Chambre de Commerce et d'Industrie Franco-Britannique.

---

1. 44, rue Bargue - 75732 Paris Cedex 15. Tél. 01 53 69 53 16 - Fax 01 53 69 52 90.
2. 30 et 34 rue La Pérouse - 75775 Paris Cedex 16. Tél. 01 43 17 76 42 - Fax 01 43 17 75 60.
3. 41, rue de Turenne - 75003 Paris. Tél. 01 44 59 25 10 - Fax 01 44 59 25 15.
4. 31, rue Boissy d'Anglas - 75008 Paris. Tél. 01 53 30 81 30.

14 Vous vous êtes entraîné(e) à répondre à toutes ces questions

Les 82 pages qui suivent sont le nerf de la guerre

Le vocabulaire et toutes les tournures employées dans ces pages vont vous être utiles. Ne faites pas l'impasse sur une question sous prétexte que vous n'êtes pas un débutant, ou un PDG.

Au contraire, servez-vous de cette trame pour bâtir vos propres réponses, et faites-les avaliser par un Anglo-Saxon (chap. 2). Vous avez besoin d'en savoir beaucoup pour répondre comme vous le souhaitez et vous montrer détendu(e). Si vous l'êtes, votre interlocuteur le sera aussi.

Combien de temps dure l'entraînement ?

Tout dépend de votre niveau de départ, de votre emploi du temps et de votre exigence vis-à-vis de vous-même.

Le minimum : 20 minutes par jour, pour que vos progrès vous incitent à en faire plus… et à progresser davantage !

De façon générale : quand votre niveau de départ est élevé et votre anglais simplement rouillé, votre progression en trois semaines est forte, plus lente ensuite.

Si votre niveau est bas, votre progression sera lente pendant trois semaines et beaucoup plus rapide ensuite, dès que vous commencerez à exprimer en anglais ce que vous vouliez dire. Elle vous rappellera vos leçons d'auto-école et vos progrès, à l'époque, en marches d'escalier !

Ne perdez jamais de vue que le recruteur ne connaît de vous que ces deux feuilles de papier que sont votre CV et la lettre de motivation. Aidez-le à se faire une idée claire de vous… dans le poste !

Après quelques semaines d'entraînement, vous serez surpris(e) de l'aplomb que vous aurez acquis en anglais, mais aussi en français. Ne commettez pas, pour autant, l'erreur stupide de vous rendre à un rendez-vous sans avoir au préalable :

- révisé votre CV ;
- révisé votre anglais ;
- préparé les questions spécifiques à poser sur le job et l'entreprise qui le propose !

Vous l'avez compris, l'entraînement dure toute la vie.

Bonne chance !

I

Formation et expérience professionnelle

I

Education and professional experience

AUTANT VOUS LE DIRE !

Poisson ou Balance ?

Répondre en vingt secondes, c'est aller à l'essentiel. L'essentiel pour le poste, bien entendu.

Donc, décrivez-vous dans le poste ; ce que font ces trois personnes.

Pas de muleta !

« J'aurai appris le métier. »

C'est une litote. Le recruteur, homme ou femme, qui n'est pas un perdreau de l'année, a bien compris que, après cette expérience, vous pourriez vous vendre ailleurs.

Il n'est pas nécessaire d'insister et ce/cette/candidat(e) a très bien fait de s'arrêter là.

1 — 2e/3e poste

Qui êtes-vous ? – en 20 secondes.

– Je suis un acheteur dans le domaine (professionnel) de … . J'ai appris et je perfectionne constamment les techniques de négociation, car je traite avec tous les fournisseurs de la profession, je surveille mes concurrents et je m'informe auprès de nos clients.

Ou : – Je connais bien la Grande-Bretagne, la Suède et la Belgique. J'ai séjourné plusieurs années dans chacun de ces trois pays. Je parle donc quatre langues.

Je voudrais mettre ma connaissance de ces pays et de ces langues au service de votre département export.

Ou : – Je viens de passer trois ans au service marketing de la compagnie d'assurances Zéphyr.

Dans le domaine du marketing des assurances, je suis la femme/l'homme des nouveaux produits. J'ai lancé plusieurs produits d'assurances (dont…) et, avec notre équipe, j'en ai conçu beaucoup d'autres.

C'est un métier qui me passionne, et dans lequel j'ai beaucoup d'idées.

2 — 1er poste

Quels sont les objectifs que vous poursuivez en posant votre candidature à ce poste ?

– Je poursuis un double objectif :

• Entrer dans une très bonne équipe comme la vôtre, me montrer à la hauteur, et travailler pour faire progresser le département et contribuer à son succès.

• En même temps, apprendre le métier que je veux exercer dans une entreprise leader dans son secteur, donc exigeante, me permettra de me rendre compte de ce que je vaux !

Si je réussis chez vous qui avez la réputation d'être de grands professionnels, je pourrai dire que j'aurai appris le métier !

1 2nd/3rd job

Describe yourself - in 20 seconds.

"I am responsible for purchasing. I try to constantly improve the negotiating techniques I have learnt, since I do business with all the professional suppliers. I keep an eye on the competition and exchange information with my clients."

Or : "I know the UK, Sweden and Belgium well. I spent several years in those three countries, and speak the language.

I believe my knowledge of these countries and of their languages would be an asset for your export department."

Or : "I have just spent three years with Zéphyr Insurance, in their marketing department.

In the field of insurance marketing, I specialize in new products. I launched several insurance products (namely...) and studied many others with my team.

I am fascinated by the business and am very creative."

2 1st job

What is your objective in applying for this job?

"My objective is twofold :

- to work with a very good team such as yours, do a good job, contribute to the department's growth and success;
- and, at the same time, to learn about the business I'm interested in, in a leading (*name sector*) company that will naturally be demanding and make me realize what I'm worth!

If I can succeed with true professionals such as you, I will have learnt the business!"

Ready, steady, go !

If you have to reply in 20 seconds you must go straight to the most important point.

The most important for the job of course !

So describe yourself within the job ; that's what these three candidates do.

Born yesterday ?

"I will have learnt the business."

This is an understatement. The interviewer (whether a man or a woman) who wasn't born yesterday, has perfectly well understood that with the experience you have gained you could sell yourself elsewhere.

It is not necessary to dwell on it and this candidate was wise to stop there.

3 — 2e/3e poste

Pourquoi êtes-vous candidat à ce poste ?

– Ce poste, j'ai l'impression qu'il est fait pour moi ! *(sourire)*

Je fais ce travail depuis trois ans, chez Aquilon, 2e groupe français/belge/suisse... en tant qu'assistant(e) du /directeur marketing/responsable du secteur...

Cette personne m'a bien formé(e) et m'a délégué un certain nombre de ses responsabilités.

Mais elle ne me laissera pas sa place ! *(sourire)*

Aujourd'hui, je veux exercer cette fonction à part entière dans votre entreprise. J'en ai maintenant la compétence, parce que je mesure les enjeux et les contraintes du poste (*développez un peu : quels enjeux, quelles contraintes...).* Je peux vous dire que je m'y investirai totalement.

Avec beaucoup de mal !

Ne passez pas trop vite sur les difficultés pratiques que vous avez rencontrées ; car les avoir surmontées est très apprécié d'un recruteur anglo-saxon. Il y voit la garantie que vous ne vous coucherez pas au premier obstacle.

Ne passez pas trop vite... mais ne vous plaignez pas !

4 — 1er poste

Quelle a été votre plus belle réussite pendant vos études ?

– Je dois dire que cela m'a donné beaucoup de mal de décrocher un stage rémunéré à Buenos Aires.

Lorsque j'ai reçu l'accord de la société Alizé, j'étais heureux(euse) et plutôt fier(ère) de moi !

Pour cela, j'ai contacté toutes les entreprises francophones implantées là-bas. J'ai envoyé 195 lettres et passé 12 entretiens au cours de l'année. Cela m'a demandé beaucoup de recherches et d'organisation.

En définitive, Alizé m'a pris(e) en stage pendant huit semaines *(précisez le service)*, et ensuite j'ai fait un voyage de trois semaines dans les Andes.

Ce stage a été très enrichissant, et je suis revenu(e) avec un bon niveau d'espagnol.

3 2nd/3rd job

Why are you applying for this job?

"I feel it is just right for me! *(with a smile)*

I have been doing this type of work for three years at Aquilon, the second largest French/Belgian/Swiss group... as assistant to the /marketing manager/regional manager...

She has given me good training and quite a few responsibilities.

But she's not about to let me take her place! *(smile)*

Today, I have an opportunity to be completely in charge in your company. I am now skilled enough to do the job, because I know its risks and constraints (*elaborate a little : what risks, what constraints...*). I can assure you I will put everything into it."

4 1st job

What was your greatest success during your studies?

"I must say I had a very hard time getting a payed internship in Buenos Aires.

When Alizé finally agreed, I was both happy and rather proud!

I had to contact all the French-speaking companies over there. I sent 195 letters and went to 12 interviews that year. It took a lot of research and organizing.

I did an 8-month internship at Alizé *(specify in which department)*, then I traveled around the Andes for three weeks.

It was a very instructive internship and I came back speaking fluent Spanish."

TRICKS OF THE TRADE

With great difficulty !

If you have encountered practical difficulties, don't pass over them too quickly because the fact that you have managed to overcome them is a plus factor for an Anglo-Saxon interviewer. He realizes that you are guaranteed not to fall at the first fence.

So don't pass over them too quickly... but don't moan about them either !

Mon beau diplôme !

Évitez de répondre que votre plus belle réussite a été d'obtenir votre diplôme... car cela vous ramène au statut d'étudiant que vous êtes en train de quitter, au lieu de vous pousser vers le poste à pourvoir.

Essayez de montrer que votre réussite a été le fruit de votre initiative et de votre persévérance.

Si vous pouvez le prouver, vous gagnez le gros lot !

5 — 1er poste

Avez-vous trouvé que cette recherche était en elle-même formatrice ?

– Oui, parce que, quand je repense à cette période, j'ai l'impression d'avoir touché du doigt des choses auxquelles je n'étais pas préparé(e)...

Par exemple, à quel point il faut prendre sur soi pour ne pas se décourager. On peut dire qu'on apprend sur le tas la persévérance !

Plus concrètement, on apprend à relancer les gens par téléphone, en essayant de passer le barrage des secrétaires. Il faut insister, sans se montrer importun. C'est un exercice difficile.

Comme je veux commencer ma carrière /à l'export/à l'étranger/, j'ai dû montrer que mon projet était sérieux...

Et je crois qu'ils ont été convaincus !

6 — 1er poste

Quelles langues étrangères parlez-vous ?

– Je parle allemand et anglais. Au lycée, l'allemand était ma première langue, et j'ai passé deux fois six semaines en Allemagne pendant ma scolarité – sept ans donc.

Je comprends bien l'allemand. Je le parle en faisant quelques fautes, mais sans trop de difficulté.

Par ailleurs, je viens de passer un an au Canada, à Toronto, dans l'Ontario. Je travaillais au département Langues étrangères de l'université .... .

Tout au long de l'année universitaire 95-96, j'ai pris part à l'organisation du département : les liaisons avec les professeurs, la mise à disposition des salles, les activités que les étudiants pouvaient pratiquer à l'université, les déplacements.

Sans oublier le règlement des honoraires aux enseignants, le remboursement des notes de frais, etc.

J'ai donc une expérience de travail en anglais d'un an.

À la fin je me débrouillais bien, et j'ai ici une lettre du responsable du département qui vous le confirmera. La voici.

5 — 1st job

Did you find the research instructive in itself?

"Yes, when I think back, I realize I ran into things I wasn't prepared for…

For instance, you have to brace yourself not to get discouraged. You certainly learn persistence on the job!

More concretely, you learn to call people back, to bypass secretarial red tape. You've got to be insistent but not annoying. Quite a challenge!

Since I wanted to start working in /export/abroad/, I had to prove my project was worthwhile…

And I think I convinced them!"

6 — 1st job

What foreign languages do you speak?

"German and English. I took intensive German at high school and spent six weeks in Germany on two different occasions during those seven years.

I have a good understanding of German. I make mistakes, but I'm pretty fluent.

Also, I have just spent a year in Canada, in Toronto, Ontario, working for the… University's Foreign Language Department.

During the 95-96 academic year, I did some organizational work for the department : teacher contacts, classroom schedules, student campus activities, travel.

I also organized paying the teachers' fees, expenses, etc.

So I spent a whole year working in English.

In the end, I was doing quite well, I have a letter here from the department manager confirming this."

TRICKS OF THE TRADE

My good qualifications !

Try not to say that your greatest success was when you obtained your qualifications. This simply reduces you to the student status which you are in the process of leaving, instead of propelling you towards the position you are seeking.

Try to show that your achievement was the result of your own initiative and perseverance.

If you can prove that you'll hit the jackpot !

Mieux vaut l'avoir compris !

Lorsque l'annonce à laquelle vous répondez comporte l'une de ces mentions, vous risquez fort de passer une partie de vos entretiens en anglais :
– Maîtrise de l'anglais indispensable.
– Vos qualités opérationnelles… tant en français qu'en anglais…
– … êtes parfaitement bilingue anglais / français.
– Strong communication abilities are required…
– Une parfaite pratique de l'anglais…
– La langue de travail est l'anglais.

7 1er poste

Après cette entrée en matière où vous êtes resté(e) volontairement dans les généralités, la question suivante sera probablement :

Qu'attendait-on de vous, exactement ?

– Que les choses soient faites à fond et dans le détail !

Par exemple, grâce à l'informatisation du service, nous avons pu calculer très vite les prestations fournies par les professeurs et améliorer de près de 15 jours nos délais de règlement… ce qui a été très apprécié par les intéressés…

Je devais aussi m'assurer que les salles de cours ou amphithéâtres avaient bien été réservés et, en cas de changement, joindre l'enseignant et me mettre d'accord avec lui pour une autre date. Puis prévenir les élèves des changements…

J'ai passé beaucoup de temps à confirmer aux intéressés les lieux et les horaires.

Les Canadiens sont très stricts sur l'organisation : rien n'est laissé au hasard.

(C'est le moment d'insister sur votre propre sens de l'organisation.)

– Cela m'allait très bien parce que je suis moi-même par nature, très organisé(e).

Je fonctionne avec des listes de choses à faire, les urgences en tête, classées par échéance.

Je m'entends donc très bien avec les gens qui travaillent ainsi.

8 2e poste

Quel est votre style de travail ?

Création publicitaire

– Lorsqu'on me donne une campagne à faire, je commence par rassembler tout ce que je peux trouver sur le sujet et je me constitue un dossier complet. Ensuite, je l'annote. Il devient alors ma base de travail.

Comptabilité

– Je suis très concentré(e). J'aime qu'il n'y ait pas trop de bruit autour de moi. Quand je dois rappeler plusieurs personnes, j'essaie de le faire d'une traite pour ne plus être dérangé(e) par la suite.

7 1st job

After the first few minutes, voluntarily confined to generalities, the next question will probably be :

What exactly did they expect of you?

"To go down into detail!

For instance, we computerized the teachers' fees, which shortened payment delays by almost /a fortnight [GB]/two weeks [US]... that was greatly appreciated by those involved...

I also had to check that the classrooms had been duly reserved, and if there had been a change, contact the teacher and agree on a new date. Then inform the students of the changes...

I spent a lot of time confirming places and times.

Canadians are very strict about organization : nothing is left to chance."

(This is when you want to stress your organizational skills.)

"It suited me fine, as I am by nature an organized person.

I work with lists of things to be done, emergencies first, and jobs sorted out by date.

So I get along well with people who work that way."

8 2nd job

How do you like to work?

Advertising design

"When I design a campaign, I first make a file of everything I can find on the subject. I then add comments and this becomes the basis of my work."

Accounting

"I need a lot of concentration. I don't like too much noise around me. When I have several people to call back, I do it all at once to avoid being bothered later."

TRICKS OF THE TRADE

Need a back up !

A drawback = *un inconvénient, un désavantage.*

A setback = *un contretemps, un revers, un échec.*

Have you had any setbacks in your professional life ? = *Avez-vous subi des échecs dans votre vie professionnelle ?*

Reine ou marguerite ?

Ne dénigrez pas les entreprises où vous avez trouvé un job d'été ou fait un stage. Même si on s'est moqué de vous.

« J'ai vendu des pizzas. C'était payé 2 500 F par mois pour un mi-temps. D'abord, ça m'a aidé à financer mes études. Ensuite, pour moi qui ai souvent la tête dans les abstractions (études d'ingénieur), ça m'a obligé à faire des choses terre à terre, à vérifier la caisse, à sourire, etc. Je me suis rendu compte de ce qu'étaient le travail, les horaires, la clientèle... et j'ai été très heureux de l'avoir fait. »

Cette pizza-là, commentée avec le sourire, vous rapporte un maximum.

9 — 1er poste

Qu'avez-vous appris pendant vos stages ?

– J'ai eu la chance d'obtenir des stages très différents les uns des autres, et j'ai appris un maximum de choses, tout en restant dans mon domaine d'activité.

Ou : – J'ai volontairement choisi des stages / très différents les uns des autres, et appris /pour apprendre / un maximum de choses, tout en restant dans mon domaine d'activité.

Lors de mon stage dans une ferme, j'ai compris que rien n'était plus laissé au hasard. La science a fait irruption dans l'alimentation du bétail et son mode de nutrition.

Par exemple, chaque jour l'analyse du lait de la traite, animal par animal, déterminait les composants de l'alimentation du lendemain.

J'ai découvert qu'on influençait directement des processus dits « naturels » : la reproduction, la gestation...

L'élevage s'apparente de plus en plus à un processus industriel. C'est impressionnant, et plutôt angoissant...

10 — 1er poste

Bon, et votre deuxième stage ?

– Chez Mistral, j'ai appris à me battre pour être reconnu(e). Pour obtenir qu'on me confie du travail, et pour qu'on m'en donne un autre quand le travail était fini...

J'allais voir les gens du service. Au début, ils disaient qu'ils n'avaient rien pour moi, ni à me montrer, ni à me faire faire... mais une heure plus tard, après avoir discuté avec eux, ils me disaient : « Prenez ce dossier, ça va vous intéresser. »

À partir d'un dossier, je pouvais entrer dans leur vie professionnelle, et m'intégrer au service.

9 1st job

What did you learn during your /internships [US]/training periods [GB] ?

"I was lucky enough to have different jobs, and learnt a lot of things while still remaining in my field."

Or : "I purposely chose very different jobs, to learn as much as possible while remaining in my field.

When I was on the farm, I realized nothing was left to chance. Science has taken over cattle food and nutrition.

For instance, the daily analysis of each animal's milk determines the next day's food components.

I discovered that so-called 'natural' processes can be influenced : reproduction, gestation…

Breeding has become increasingly industrialized. It's impressive and also somewhat scary…"

10 1st job

And what about your second internship ?

"At Mistral, I learnt to fight for recognition. To be given work, and more when that was finished…

I'd tour around the department. At first, people said they had nothing to show me or to give me to work on… but an hour later, after I'd talked to them, they would say "here's an interesting file for you".

With a file, I could get into their professional life and make my way into the department."

TRICKS OF THE TRADE

With onions or without ?

Do not run down the firms in which you have done a summer job or had work experience. Even if they didn't take you seriously.

"I sold pizzas. I was paid 2 500 F a month part-time. Firstly, it helped me pay for my studies. Secondly it took me away from the abstract ideas of my engineering studies and forced me to be more down-to-earth, to do the till, to smile, etc. I came to understand the meaning of work, schedules and customers, and I was delighted to have gained that experience."

That particular pizza, described with a smile, will serve you well.

Ça vous étonne ?

Certains candidats ignorent leur propre CV.

Ils se trompent dans les dates, oublient le nom des services où ils ont travaillé et même celui des produits qu'ils ont créés.

De quoi décourager les meilleures intentions d'un recruteur. Le remède ?

Apprenez votre CV par cœur !

11 2e/3e poste

Dans votre dernier poste (un poste de financier), quelles difficultés avez-vous rencontrées ?

– Il y avait très peu de liquidités dans cette société. Il fallait constamment jongler avec les rentrées, les dépenses, les échéances... Nous étions tributaires du bon vouloir des banques... c'était épuisant, et en même temps instructif...

À mon arrivée, il y avait une mauvaise ambiance dans le personnel. La société avait changé plusieurs fois de direction.

Le personnel ne se sentait pas soutenu, il avait l'impression d'être dévalorisé.

Beaucoup de gens étaient partis.

Quand les choses sont allées mieux, on a recruté des gens jeunes, plus motivés.

Cela a engendré une dynamique de travail et le climat a vite changé.

12 2e/3e poste

En tant que financier, quelles solutions avez-vous apportées pour rétablir votre trésorerie ?

– Avec un de nos banquiers, j'ai renégocié les conditions d'un prêt et baissé de deux points un taux d'intérêt.

Avec une autre banque, j'ai rééchelonné une dette et étalé le remboursement sur 12 mensualités supplémentaires.

J'ai aussi renégocié nos conditions de paiement avec nos principaux fournisseurs.

J'ai dû changer la plupart d'entre eux, après les avoir mis en concurrence.

Enfin, nous avons « fait le ménage » parmi nos clients pour traquer les mauvais payeurs.

Toutes ces mesures ont donné une meilleure figure à notre échéancier.

Il fallait aller vite. Nous avons quand même procédé avec méthode, et, autant que possible, avec diplomatie.

11 2nd/3rd job

In your last financial job, what problems did you run into?

"The company had very little cash. One was always juggling with money coming in, going out, dates of payment… We had to rely heavily on the bank… it was exhausting, yet instructive…

When I arrived, the atmosphere among employees was far from good. There had been several management changes.

The employees didn't feel supported, appreciated.

There had been a lot of departures.

When things improved, we hired young, dynamic people.

Enthusiasm returned and the atmosphere changed rapidly."

12 2nd/3rd job

As a financier, how did you solve your cash problems?

"I re-negotiated a loan with one of our bankers, and got him to lower our interest rate by two points.

With another bank, I managed to reschedule a debt and spread the repayment over an extra 12 months.

I also re-negotiated our terms of payment with our major suppliers.

I had to change most of them after putting them in competition.

And we also cleaned up our client file and got rid of bad debtors.

All of this improved our financial situation.

We had to move fast. But we still tried to work methodically and, as far as possible, diplomatically."

TRICKS OF THE TRADE

Surprised ?

Some candidates don't really know their own CV. They give wrong dates, forget the name of the departments they worked for, and even the name of products they created or launched.

Enough to put off even the most well intentioned interviewer.

The solution ? Learn your CV by heart.

13 — 1er poste

Pendant vos études, avez-vous eu des activités extra-scolaires ?

– Oui. Avec deux ami(e)s, nous avons monté un bureau de relations publiques à / l'université / l'école.

Nous voulions inviter diverses personnalités à venir nous parler de leur métier.

Pour ma part, j'étais chargé(e) de prendre contact avec eux et de les convaincre de venir.

Bien entendu, nous cherchions à inviter des « vedettes » pour remplir l'amphi.

Plus les gens sont connus, plus la soirée est difficile à organiser !

Certains ne se déplacent que si on leur « garantit » un auditoire de 100 personnes…

Quant aux étudiants, ils sont eux-mêmes très sollicités et imprévisibles.

C'est très difficile de faire des prévisions de remplissage… Et puis ils peuvent rester un quart d'heure et s'en aller parce que l'invité(e) ne les accroche pas !

Je prenais aussi en charge les campagnes d'affichage à l'intérieur du campus. Elles étaient notre seul moyen officiel de faire venir les étudiants.

Combien de personnes avez-vous contactées ?

– Quatorze en deux ans.

(Prévoyez des questions sur la personnalité des invités.)

Ça tombe bien !

Vous avez choisi votre camp :

Vous n'êtes pas demandeur (d'emploi) et victime.

Vous êtes apporteur (de vos compétences) et vainqueur.

Ça tombe bien : les entreprises aiment les vainqueurs.

14 — 1er poste — 2e/3e poste

Quel anglais parlez-vous ?

– J'ai toujours entendu parler anglais autour de moi. J'ai vécu quatre ans aux États-Unis et deux ans en Arabie Saoudite où, en dehors de l'arabe, la langue véhiculaire est l'anglais.

Je parle anglais et français indifféremment et je passe de l'une à l'autre langue sans aucune difficulté.

J'ai d'ailleurs fait fonction d'interprète – bénévole – très souvent.

13 1st job

Did you have extra-curricular activities during your studies?

"Yes. With two friends we set up a public relations office at /university/school.

Our project was to invite various personalities to come and talk to us about their business.

I was in charge of contacting them and persuading them to come.

We were naturally trying to get 'celebrities' to fill the lecture hall.

The more prominent the speaker, the more difficult it is to organize the event!

Some of them will only come if we can "guarantee" an audience of 100 people...

As for the students, they have so many things to do, they are unpredictable.

It is very hard to figure out how many will come... Also they may leave after fifteen minutes because the guest doesn't catch their interest!

I also took care of the campus poster campaigns, which were our only way of attracting the students."

How many people did you contact?

"Fourteen in two years."

(Expect questions on the guests' personalities.)

14 1st job 2nd/3rd job

How good is your English?

"I have always heard English spoken around me. I spent four years in the States and two in Saudi Arabia where, except for Arabic, English is the spoken language.

I speak French and English equally well, and switch easily from one to the other.

Actually I have often been used as a volunteer interpreter."

TRICKS OF THE TRADE

That's lucky!

You have chosen which side you're on:

You are not asking for something (a job) and thus a loser.

You are offering something (your skills) and so a winner.

That's lucky: companies like winners.

Une bonne réponse ?

C'est celle qui déclenche chez le recruteur l'une de ces réflexions :

- *Ce que me dit ce candidat est bon pour le poste.*
- *Ces précisions sont convaincantes.*
- *Ce candidat donne envie de travailler avec lui.*

15 1er poste

Citez-moi une expérience où vous avez fait preuve d'initiative.

– En seconde année, nous avons décidé à quelques-uns de faire un trombinoscope.

Au début, nous voulions faire figurer sous la photo de chaque élève son nom et ses coordonnées et appeler la brochure « Où boire un pot? ».

Puis quelqu'un a suggéré d'écrire quelques lignes pour rappeler les faits et gestes de l'élève durant les trois années à l'école.

J'ai pris la responsabilité de rassembler ces petits textes.

Comme nous étions 200 étudiants, j'ai demandé de l'aide un peu partout, puisque chacun de nous connaissait une trentaine de personnes.

Nous avons obtenu des commentaires sur les cent plus connus.

Mais personne ne voulait se charger des cent élèves les moins connus.

J'ai écrit presque tout(e) seul(e) les commentaires sur ces élèves-là!

J'ai cru que je n'y arriverais jamais! Mais nous avons réussi à faire sortir ce « trombino »/en temps et en heure!/à l'heure!

Qu'en avez-vous retiré?

– Je connais maintenant toute ma promotion!

Moi qui étais plutôt timide, j'ai dû aller interviewer une centaine d'étudiants. C'est une bonne thérapeutique!

Et quand l'annuaire est sorti, j'étais plutôt /fier/fière/ de moi!

15 1st job

Tell me about an experience where you showed initiative.

"During our last year of college, some of us decided to publish a year-book.

At first, we wanted to put the name and address of each member of the class under his/her picture and call the book 'Where to have a drink ?'.

Then someone suggested adding a few lines about the student's three years of college.

I volunteered to assemble the comments.

As there were 200 of us, I asked for help here and there, as each of us knew about 30 people.

We ended up with comments on the 100 most popular students.

But nobody wanted to comment on the other hundred.

I wrote those comments pretty much alone!

I thought I would never manage! But we finally published the year-book in time!"

What did it do for you?

"Now I know my entire class!

I was rather shy, but I had to set out and interview about one hundred students, a pretty good therapy!

And when the yearbook came out, I was quite proud of myself!"

TRICKS OF THE TRADE

A good answer ?

A good answer is one which makes the interviewer say to himself :

"What this candidate is telling me is right for the job.
The points he/she makes are convincing.
This candidate makes one want to work with him/her."

16 1er poste

De tous vos stages, lequel avez-vous préféré ?

– C'est difficile de les comparer, parce que ni les secteurs d'activité ni mes responsabilités n'étaient les mêmes.

Dans un premier stage, en Allemagne *(quel secteur ? quel métier ?)*, on m'avait confié un réseau de détaillants à visiter.

Le défi était d'être reçu(e) – si possible bien reçu(e) –, de proposer des articles nouveaux, puis de faire le réassort des articles du catalogue.

Comme les détaillants étaient souvent réticents – ils ne me connaissaient pas, je les dérangeais, etc. –, je prenais comme une victoire personnelle la commande qu'ils me passaient. C'était très stimulant !

Dans mon second stage, en France, la part personnelle était moins importante.

Je travaillais pour plusieurs personnes, alors qu'en Allemagne une seule me pilotait.

Je me suis efforcé(e) de comprendre comment marchait le service, de bien observer qui faisait quoi. J'ai été frappé(e) de constater que le temps passé à l'exécution d'une tâche variait considérablement d'une personne à l'autre.

Du tac au tac ?

Si vous réfléchissez avant de répondre, cela donne à votre interlocuteur l'impression que sa question est intelligente et que vous êtes vous-même sensé(e) et réfléchi(e).

Si vous avez une réponse toute prête à la question posée, attendez un peu avant de répondre. Puisque vous êtes quelqu'un de réfléchi.

17

De tous les postes que vous avez occupés, quel est celui que vous avez préféré ?

– J'ai commencé dans une petite entreprise familiale de 30 personnes, dans laquelle nous nous connaissions tous. Cela m'a permis de comprendre la marche d'une entreprise de A à Z.

C'est là que j'ai appris les bases de mon métier, et j'en garde un bon souvenir.

Mais c'est dans mon deuxième poste, chez Maelstrom, que je me suis réellement épanoui(e). Mes responsabilités étaient étendues à … . On attendait de moi que je développe la partie …, ce que j'ai fait, puisque en trois ans, notre chiffre d'affaires est passé de 40 millions à 90 millions.

C'était très valorisant pour moi, et c'est pour cela que j'ai aimé cette période et cette société.

16 1st job

Of all your internships, which one did you like best?

"It's hard to compare them, because neither the fields of activity nor my responsibilities were the same.

During a first internship (*which field, which job ?*), in Germany, I was given a set of retailers to visit.

The challenge was to get an appointment - preferably to be offered one - show the new products, then order fresh stock.

Since the retailers were often reluctant - they didn't know me, I was taking up their time, etc. - I considered their order as a personal victory. It was very stimulating!

During my second training period, in France, there was less personal investment.

I worked for several people, whereas in Germany I reported only to one person.

I tried to understand how the department worked, to watch who did what. I was amazed to see that the amount of time spent on a job differed from one person to the next."

17 2nd/3rd job

Of all your jobs, which one did you like best?

"I started in a small family-owned firm, there were 30 of us and we all knew each other. It allowed me to understand how a company works from A to Z.

That's were I learnt the basics of the trade, and I enjoyed it.

But my second job at Maelstrom was the one I really found exciting. I was in charge of … . I was to develop the … aspect, which I succeeded in doing, since our turnover went from 40 to 90 million francs in three years.

It boosted my self-confidence and that's why I have good memories of the job and the company…"

Too ready ?

If you ponder a bit before answering, your interviewer will have the feeling that his question is profound and that you yourself are thoughtful and rational.

If you have a ready answer to the question asked, wait a bit before replying. After all, you are somebody who thinks.

Déjà !

L'allure du candidat est déterminante. Pendant les quelques secondes que durent les présentations, son embauche ne se joue peut-être pas ; son élimination, si.

Pour un homme, un aspect négligé, l'absence de cravate, des chaussures non cirées, un regard fuyant, des ongles sales, trop longs… Pour une femme, une tenue voyante, agressive, un maquillage et un parfum violents… Ils ne se sont pas assis qu'ils sont déjà éliminés.

C'est ainsi. Le chef a tranché : il ne peut présenter ce candidat à son propre patron, *il ne tient pas davantage à faire rencontrer les clients ou les fournisseurs de la société à ce candidat qui a si peu le « genre de la maison » !*

18 2e/3e poste

Parlez-moi de votre expérience professionnelle !

– Ma vie professionnelle a vraiment commencé en 1986, quand, après plusieurs expériences différentes dont un service national à la brigade des sapeurs-pompiers de Rouen, j'ai compris que j'étais fait pour le commercial.

J'ai commencé dans la formation professionnelle.

La réglementation était très favorable à ce secteur et j'étais certain qu'il allait se développer encore davantage. En particulier dans le domaine de la micro-informatique.

À l'époque, je n'avais aucune expérience de la micro.

En 1988, je suis entré dans la société Bourrasque, pour vendre de la formation à des PME.

En fait, j'ai plutôt accroché de très grosses entreprises, comme Orage et Cyclone.

Ces premiers succès avec de gros clients m'ont encouragé… et le métier a commencé à me passionner !

En 1990, un distributeur d'informatique m'a demandé de monter un département de formation.

C'est là que j'ai appris à organiser, à coordonner une équipe.

En fait, j'ai appris à gérer un centre de profit sur le terrain, puisque nous vendions toute la journée.

J'y suis resté quatre ans. L'équipe comptait 28 personnes et le département faisait près de 25 millions de chiffre d'affaires par an.

L'expérience a été très formatrice.

J'y ai acquis la maturité et l'expérience qui pourraient être utiles à votre entreprise.

18 $2^{nd}/3^{rd}$ job

Tell me about your professional experience!

"My professional life really started in 1986 when, after various experiences, including my national service in the Rouen fire brigade, I realized that marketing was my field.

I went into professional training.

Legislation was very favorable in this sector and I was sure it was still growing. Especially in the field of micro-computing.

I had no computer experience at the time.

In 1988, I got a job with Bourrasque, selling training to SMBs.

Actually, I attracted larger firms, such as Orage and Cyclone.

My initial success with big clients encouraged me… and I got fascinated by the job!

In 1990, a software distributor asked me to set up a training department.

That's where I learnt how to organize, coordinate a team.

I in fact learnt how to manage a profit center with a field management aspect, since we spent our time selling.

I stayed there for four years. There were 28 people in the team and the department's turnover was about 25 million francs a year.

It was a very instructive experience.

I acquired expertise I think might be useful for your company."

Unfit!

The candidate's appearance is a decisive factor. During the first introductory seconds, his hiring is not determined; his elimination can be. For a man, a messy attire, no tie, scruffy shoes, an evasive look, dirty, long nails… for a woman : aggressively flashy clothes, too much make-up, a strong perfume… will eliminate them before they even sit down. So it goes. The manager has decreed : he cannot introduce this candidate to his own boss; nor does he want the company's suppliers or clients to meet this "unfit" candidate!

Effective or efficient ?

Si vous parlez d'une personne ou d'une machine, employez "efficient".

Si vous décrivez une attitude, un remède ou une mesure, dites "effective".

Elle est très efficace = She is very efficient.

Ce remède est très efficace contre la grippe = This remedy is very effective for the flu.

19 — 1er poste

Comment avez-vous trouvé vos stages ?

– Avec beaucoup de mal ! *(sourire)*

Quand j'avais le nom d'une personne travaillant dans la société, je l'appelais pour obtenir celui d'un ou de plusieurs responsables et celui du directeur des ressources humaines.

Mais, la plupart du temps, je ne connaissais personne dans les entreprises où j'avais envie de travailler !

Je téléphonais alors directement à la direction des ressources humaines pour connaître la politique de la société en matière de stages.

J'essayais aussi auprès du (ou de la) secrétaire du comité d'entreprise.

Mais certains ne sont pas favorables aux stagiaires et ne nous aident pas.

Quand je sentais qu'il y avait une possibilité, je me déplaçais.

J'ai effectué mon dernier stage dans une filiale de la seconde entreprise.

J'ai été recommandé(e) par le directeur de la division, qui savait par mes supérieurs que j'avais fait du bon travail.

20 — 2e/3e poste

Que vous ont apporté vos années chez Foehn ?

– Je suis devenu(e) un(e) spécialiste, comme tous ceux qui ont fait ce travail, car il apprend à mieux cerner les besoins du client.

On peut presque dire qu'ils nous forment !

Cette société m'a apporté une expérience de la vente sous tous ses aspects, y compris l'aspect juridique, et une bonne connaissance du marketing et de la gestion…

… sans oublier le management, car je dirigeais une équipe de 50 personnes.

Pour moi, les trois ans passés chez Foehn ont été une expérience extrêmement variée et enrichissante.

19 1st job

How did you find your internships?

"It was tough! *(with a smile)*

When I had the name of someone who worked for the company, I would call him/her to get the name of several executives and the head of Human Resources.

But most of the time I knew nobody in the firms I wanted to work for!

So I'd call Human Resources directly to find out about the company's internship policy.

I'd also try the works council secretary.

But some of them are not keen on interns and not very helpful.

When I felt there might be a possibility, I'd go and see them.

My last internship was in an affiliate of the second company I had worked for.

I was recommended by the division manager who had been told I'd done well."

20 2nd/3rd job

What did your years with Foehn do for you?

"I became very good at the job, like all those who have done that type of work, because you learn to define the client's needs more precisely.

It's really a form of training!

That company taught me every aspect of sales, including the legal one, and gave me good marketing and management knowledge...

... I also learnt about leadership, since I managed a team of 50 people.

For me, the three years spent at Foehn were a very /versatile/varied/ and fulfilling experience."

Ça vaut mieux pour le moral !

When you study advertisements only answer those where you are able to satisfy the four or five criteria which they specify (age, qualifications, experience).

If not, although you may be included in the initial recruitment, you will never go any further.

Don't undermine your confidence nor waste your time !

21 2e/3e poste

Parlez-moi de votre expérience professionnelle. *(bis)*

– Bien. À l'École supérieure de commerce de ..., j'ai suivi la filière marketing : j'étais attirée par la distribution et la grande consommation.

Je suis entrée comme assistante chef de produit chez Mousson, dans la division ... .

J'ai eu la chance de m'occuper de produits grand public qui plaisaient beaucoup *(leurs noms).* En plus, ils étaient soutenus par des marques de grand renom *(leurs noms).*

J'ai découvert là les filières de la grande distribution, mais surtout, j'ai eu tout de suite à gérer un produit du début jusqu'à la fin : j'ai appris comment il est fabriqué, stocké, distribué, vendu, soutenu par la publicité, promu sur le lieu de vente.

On ne pouvait pas faire plus concret !

Et puis il y avait les aspects stratégiques, par exemple les « grandes manœuvres » pour se faire référencer dans les grandes surfaces...

Deux ans plus tard, j'avais fait le tour de la question.

Ce premier poste m'avait donné envie de m'occuper de marques internationales. C'est ce qui m'a poussée à poser ma candidature chez Tornade.

À l'époque, la société Tornade investissait beaucoup dans les produits « son », dits « audio », ou portables, comme les baladeurs.

Encore des produits « grand public ». Mais, comme ils étaient conçus au Japon, assemblés dans deux autres pays asiatiques et distribués en France dans trois réseaux distincts, l'ambiance était très différente !

Elle était un peu moins familiale et un peu plus électrique que chez Mousson... et le marché en croissance géométrique !

Je crois que vous y êtes restée quatre ans...

– Oui, je suis partie après la guerre du Golfe. Le marché était bien retombé et le futur incertain. *(etc.)*

Trois contre un ?

Il est fréquent que les Britanniques fassent passer les entretiens par les membres de l'équipe que vous êtes appelé(e) à rejoindre. Dans ce cas, voici la règle du jeu :

L'équipe comptant 4 personnes, si l'une dit qu'elle veut absolument travailler avec vous, et deux indiquent qu'ils peuvent travailler avec vous, mais que la dernière ne le souhaite pas, vous êtes éliminé(e) !

Car on n'incorpore pas de force à une équipe un(e) candidat(e) rejeté(e) par un de ses membres.

21 2nd/3rd job

Tell me about your professional experience. *(continued)*

"Certainly. I majored in marketing at the ... business school : I was interested in distribution and mass marketing.

I started as deputy product manager at Mousson, in the ... division.

I was lucky enough to be in charge of very popular consumer goods : *(name)*. Furthermore, they were supported by famous brands *(name)*.

There I learnt about distribution channels, but above all, right from the start, I was in charge of managing a product from beginning to end : I learnt how it was manufactured, stocked, distributed, sold, advertised, promoted at the sales point.

That was truly practical experience!

Then there were the strategic aspects, such as the 'military exercises' to get classified by the big outlets...

Two years later I had the knack of it.

That first job got me interested in international brands, and that's why I applied for a job at Tornade.

At the time, Tornade was investing heavily in 'sound' or 'audio' products, and portables, such as walkmans.

More consumer products. But as they were designed in Japan, assembled in two other Asian countries and distributed in France through three different channels, the atmosphere was quite different!

It wasn't as cozy as at Mousson, tenser... with a geometrically growing market!"

I believe you spent four years there...

"Yes, I left after the Gulf War. The market had slackened and prospects were uncertain. "*(etc.)*

TRICKS OF THE TRADE

In or out ?

It is common for the British to have interviews conducted by members of the team with whom you would be working. In that case this is how it goes.

Suppose there are four people in the team. If one says he positively wants to work with you and two say they could work with you but the last one doesn't want you, you are out !

A team never has forced upon it a candidate who has been rejected by one of its members.

Quand l'accident vous fait du bien!

En réalité les choses se sont passées moins bien que dans l'histoire idyllique racontée ici. Mais, pour ce qui est de transformer une catastrophe en un récit concret, positif et tonique, on peut difficilement faire mieux. Donc, bravo à ce candidat !

22 2e/3e poste

Citez-moi une difficulté que vous avez eu à résoudre dans votre travail, récemment.

– Laissez-moi chercher …

Je m'étais engagé(e) à faire livrer une marchandise à une date précise.

Le camion a eu un accident : il s'est renversé sur la route! La marchandise a été très abîmée.

Il n'était pas question de la livrer telle quelle. Nous avons dû refaire une fabrication et nous entendre avec notre client sur un nouveau calendrier de livraison.

J'ai dû lui faire accepter de reculer de trois semaines la date prévue.

J'ai rédigé avec lui une lettre d'excuses à toutes les personnes qui attendaient la marchandise – une lettre en fait très positive (nous annoncions une prime).

Surtout, je l'ai appelé tous les jours; c'était la meilleure façon de lui montrer que je me battais à ses côtés.

En définitive, non seulement nous n'avons pas perdu ce client, mais cet accident a resserré les liens entre nous…

22 2nd/3rd job

Tell me about a problem you have had to solve recently in your work.

"Let me see…

I had committed myself to a delivery deadline.

The truck had an accident : it overturned on the road! The goods were badly damaged.

There was no way they could be delivered in that state. We had to manufacture them again and have the client agree to a new delivery schedule.

I had to make him accept a three-week delay.

We worked together on a letter of apology to all those who were expecting the goods - in fact a very positive letter (we were announcing a bonus).

And I called him every day; it was the best way to show him I cared.

In the end, not only did we not lose this client, but the accident improved our relationship…"

When a misfortune can actually help !

In reality things went less well than in the idyllic tale told here. But, as far as turning a catastrophe into a solid, positive and stimulating story is concerned, it would be difficult to do better ! So a big cheer for this candidate !

23 2e/3e poste

Parlez-moi de votre expérience professionnelle. *(ter)*

– C'est un stage chez Tourbillon qui a décidé de ma vocation marketing. J'avais pourtant choisi, à l'école, une spécialisation économique et juridique.

Je voulais entrer chez Sable. C'est là que l'on apprend réellement le métier – car il me semble que le marketing s'enseigne sur le terrain plutôt que dans les livres. J'y ai été engagée en septembre 19…

Là, après les classiques stages de vente, j'ai travaillé sur une marque : Dune.

Sable m'a appris la rigueur et le sens du détail : par exemple, tous les argumentaires étaient poussés jusqu'au plus infime détail pour convaincre les décideurs.

J'y suis restée deux ans, et j'en suis partie car on m'a proposé de devenir directrice de clientèle dans l'agence de publicité Ouragan et de m'occuper principalement du budget d'un hypermarché.

Vendée globe ?

Si vous avez fait quelque chose d'exceptionnel (« J'étais la seule femme sur le bateau… »), vous allez forcément essuyer une batterie de questions sur le sujet.

Ce serait un comble que vous y répondiez mal ou de façon blasée !

24 2e/3e poste

C'était une belle promotion !

– Oui, c'est vrai, et d'ailleurs je n'ai pas hésité longtemps !

Dans ce nouveau poste, j'ai d'abord réalisé de nombreuses études pour connaître le profil et les motivations de la clientèle de cet hypermarché.

Puis, en tenant compte des résultats de l'enquête, j'ai mené des campagnes (de publicité) dans la presse locale et j'ai fait de l'affichage.

Nous avons aussi travaillé nos messages radio.

Mais, c'est surtout la PLV que nous avons développée de façon systématique, car nous nous étions aperçus que nous nous donnions beaucoup de mal pour faire entrer le client dans le magasin et que, une fois sur place, nous ne faisions pas grand-chose pour le séduire.

D'où notre envie de renouveler la PLV. Celle que nous avons mise en place était très séduisante. J'étais donc souvent dans les locaux de l'entreprise qui la fabriquait.

C'est donc assez naturellement que j'en suis devenue directeur commercial.

23 2nd/3rd job

Tell me about your professional experience. *(continued)*

"My training period at Tourbillon made me decide to go into marketing, although I had majored in law and economics.

I wanted to work for Sable. That's where you really learn about the job - I believe you learn marketing on the field rather than in books. I was hired in September 19…

There, after the usual sales training, I worked with a brand : Dune.

Sable taught me to be accurate and to watch details : for instance every sales presentation was studied down to the last detail in order to convince the decision makers.

I stayed there for two years and left when the Ouragan advertising agency offered me a job as senior account manager, and put me in charge of a hypermarket budget."

24 2nd/3rd job

That was quite a promotion!

"True, and I certainly didn't hesitate long!

In this new job, I first completed numerous studies in order to understand the characteristics and incentives of this hypermarket's clients.

Then, using the results of this survey, I set up advertising campaigns in the local press, and poster campaigns.

We also worked on our radio ads.

But above all, we systematically developed our point of sales advertising, because we realized that we spent a lot of time getting the client into the store and didn't do much to attract him/her after that.

Thus our wish to renew our POS. We had designed a very attractive campaign. So I spent a lot of time with the company that manufactured it.

And that's how, quite logically, I became their sales manager."

TRICKS OF THE TRADE

Out of the ordinary ?

If you have done something really out of the ordinary ("I was the only woman on the boat") you will obviously have to face a battery of questions on the subject. It would be a disaster if your answer lacked enthusiasm.

25 2e/3e poste

Naturellement ? Vous ne vous plaisiez plus chez Ouragan ?

– En fait, ce qui m'a conduite à quitter l'agence de publicité, c'est de m'être rendu compte que je préférais gérer des produits techniques plutôt que des produits de grande consommation...

Ça vous étonne ! Eh bien, oui ! Je suis très attirée par la technologie. *(rire)*

J'avais l'impression que j'allais rester toute ma vie dans cette société. J'y suis d'ailleurs restée cinq ans !

Mais j'avais envie de travailler dans une entreprise internationale. J'apprends vite et j'aime bien trouver de nouveaux axes de progression !

J'ai cherché et, en novembre 19..., je suis entrée chez Tempête, une société américaine de Chicago qui vendait des systèmes de présentation en couleurs. Ils étaient à l'avant-garde de la technologie. J'étais responsable de l'Europe du Sud. (Pour beaucoup d'Américains, l'Europe du Sud commence à Paris !)

Par la suite, je suis devenue tour à tour directrice des ventes puis directeur général pour l'Europe du Sud.

Cela correspondait tout à fait à mon tempérament de commercialiser des produits à forte valeur ajoutée, et nous avons progressé de 70 % en trois ans !

Seulement, Tempête n'a pas prévu l'évolution de la micro-informatique qui permettait d'obtenir les mêmes résultats avec un matériel meilleur marché.

Nous étions dépassés techniquement et, surtout, nous n'étions plus à la mode !

Et puis, comment lutter contre IBM et Macintosh !

Le fossé technologique s'élargissait de jour en jour...

Les ventes ont stagné, puis elles se sont effondrées.

À la même époque, enceinte, je me suis arrêtée deux mois pour avoir mon bébé.

Je ne suis pas revenue dans la même société. J'ai une dernière fois changé d'activité... *(etc.)*

Agrégé ?

L'agrégation est tout à fait inexplicable à un Anglo-Saxon, puisqu'elle est un pur produit du système français.

Mais si un agrégé « traduit » agrégation par "Ph. D." *– tout en commentant brièvement la façon dont elle s'obtient –, cela n'a rien de choquant.*

25 2nd/3rd job

Logically? You didn't like it at Ouragan anymore?

"In fact, I decided to leave the advertising agency because I realized I preferred to manage technical products rather than consumer products...

You find that surprising? Well yes, I admit technology really attracts me. *(laughter)*

I thought I was going to spend the rest of my life in that company. And I did spend five years there!

But I wanted to work for an international company. I learn fast and I like to keep improving my skills!

So I looked around and, in November 19..., I was hired by Tempête, an American Chicago-based company that sold color presentation systems. This was state of the art technology. I was in charge of southern Europe. (For a lot of Americans, southern Europe starts in Paris!)

Later on, I became in turn sales manager, then general manager for southern Europe.

Selling strong value added products suited me perfectly and our progression reached 70 per cent in three years!

However, Tempête had not foreseen the growth of micro-computing, which made it possible to achieve the same results with less expensive hardware.

We were behind technically, and above all, we had lost our popularity!

And how could one fight IBM and Macintosh !

The technological gap was increasing daily...

Sales reached a standstill, then plummeted.

I was pregnant at that time and took two months off.

I didn't go back to work for the same company. I changed again..." *(etc.)*

TRICKS OF THE TRADE

Overqualified ?

The *agrégation* is completely inexplicable to an Anglo-Saxon as it is a singularly French institution. But if an *agrégé* translates *agrégation* by PhD ,adding a brief comment on how it is obtained, that is quite acceptable.

Hegel dans le texte ?

Il ne s'agit pas ici de montrer que vous avez lu la Phénoménologie de l'esprit, *mais que, bon lecteur, vous vous tenez au courant de tout ce qui peut enrichir votre job dans les langues que vous pratiquez et, bien entendu, en anglais.*

Yin et Yang ?

Chaque défaut, comme chaque qualité, possède sa face cachée. Par conséquent, quand vous en serez à exposer vos nombreuses qualités, attendez-vous à ce que le recruteur vous attaque sur leurs revers : « Vous dites que vous êtes très organisé(e). Alors, que faites-vous quand une urgence vient démolir votre belle organisation? »

26 — 1er poste

Que lisez-vous ?

– J'apprends beaucoup par la lecture des journaux et des magazines.

Je lis plusieurs quotidiens : les « incontournables », le *Figaro,* l'*International Herald Tribune,* le *Monde...*, beaucoup d'hebdomadaires – en français et en anglais –, y compris l'*Economist* anglais.

Cette habitude me permet de ne pas manquer ce qui paraît intéressant sur notre métier et sur nos concurrents.

Je découpe beaucoup d'articles et j'ai donc à ma disposition une documentation personnelle toujours à jour.

27 — 2e/3e poste

Que lisez-vous ?

(Plus affirmé)

– Il n'est pas possible de se laisser dépasser dans son domaine. Alors je lis, découpe et classe beaucoup d'articles qui se rattachent à notre profession.

Même chose donc pour les livres, que j'annote et que je conserve.

Ce sont souvent des ouvrages de management et de méthodes qui expliquent ce que d'autres que nous ont fait dans les domaines où nous cherchons à être les meilleurs.

J'y passe pas mal de temps.

26 1st job

What do you like to read?

"I learn a lot from newspapers and magazines.

I read several dailies : the 'mandatory' ones such as *Le Figaro, The Herald Tribune, Le Monde...* a lot of weeklies - in French and English - including the *English Economist.*

This keeps me abreast of what's going on in the business and of competition.

I cut out a lot of articles, to keep an updated file."

27 2nd/3rd job

What do you like to read?

(More assertive)

"One doesn't want to lose track, so I read, cut out and file a lot of articles on our business.

I do the same for books, which I annotate and keep.

These are often books on methods and management, explaining what others did in fields in which we try to excel.

I devote a lot of time to this."

TRICKS OF THE TRADE

Which title did you say ?

It is not a question of showing that you have read *La Nouvelle-Héloïse,* but rather that you keep abreast of everything that might enrich your job, of the languages that you speak and of course English.

The other side of the picture

Every shortcoming, like every quality, has its hidden side. Therefore, when you are busy describing your many qualities, be prepared for the interviewer to question you about their other facet.

"You say you are very well organised. So what do you do when something urgent comes along and spoils your nice organisation?"

II

Votre personnalité
Évaluation personnelle
Motivation

II

Your personality
Self assessment
How to show your commitment

28 2e/3e poste

Pouvez-vous me donner un exemple de votre ténacité ?

– Lorsque j'ai travaillé chez Grand Large *(agence de publicité)*, l'un de nos annonceurs s'obstinait à vouloir montrer son usine, qui était grande, plutôt que son produit, qui était petit. *(sourire)*

Mais sans montrer le produit, on ne peut pas le vendre !

J'ai fait des tests sur les deux types d'annonce. Je lui ai montré les résultats, tous en faveur de l'annonce-produit.

Notre annonceur s'est rallié à celle-ci quand je lui ai proposé de mettre une petite photo de l'usine devant sa marque, pour signer l'annonce montrant le produit !

Dans cette affaire, j'ai pensé que nous ne garderions pas ce client avec les mauvais résultats qu'on enregistrait. J'ai donc essayé de lui montrer où était son intérêt économique.

J'avais un dossier impeccable techniquement. Il fallait y ajouter un peu de diplomatie.

Quel est votre plus gros défaut ?

Les recruteurs qui font passer des dizaines d'interviews par semaine en ont assez de tous ces gens qui leur expliquent qu'ils sont maniaques, parce que « maniaque », ça fait « pointilleux », et ça, c'est bon pour tous les métiers de contrôle, d'audit, etc.

Non, le recruteur veut savoir la vérité. Sinon il aura l'impression que vous vous moquez de lui.

Et ça, ce n'est pas bon pour votre candidature !

29 1er poste

Quelle est votre principale qualité ?

– Je suis tenace et audacieuse.

Je sais frapper aux portes, insister et patienter, jusqu'à ce que j'obtienne ce que je veux.

Lorsque je tombe sur un bec, je reviens à la charge.

Heureusement, la plupart des gens apprécient que l'on sollicite leur aide ou qu'on leur demande des conseils.

30 2e/3e poste

Quelle est votre principale qualité ? *(bis)*

– L'organisation. Dans mon travail personnel bien sûr, mais aussi dans la gestion d'une équipe.

Je sais faire travailler les gens ensemble.

ou : – Je crois avoir un certain don pour faire travailler les gens ensemble.

Peut-être parce que je sais être à leur écoute, responsabiliser chacun, déléguer.

28 2nd/3rd job

Can you give me an example of your persistence?

"When I worked for the Grand Large advertising agency, one of our advertisers insisted on showing his plant, a large one, rather than his product, which was small. *(smile)*

But you can't sell if you don't show the product!

I conducted a test on both kinds of ads. I showed him the results, all in favor of the product ad.

Our client agreed when I suggested putting a small picture of the plant in front of the brand name, as a product signature!

For this job, I thought we were about to lose the client, given the poor results achieved. So I tried to show him what would be productive for him.

The file was technically impeccable. It just needed a little diplomacy added."

29 1st job

What is your greatest quality?

"I am persistent and bold.

I know how to knock on doors, insist and be patient, until I get what I want.

When I come across a stumbling block, I give it another try.

Luckily, most people appreciate being asked for help or advice."

30 2nd/3rd job

What is your greatest quality? *(continued)*

"Organization. In my own work, of course, but also in managing a team.

I know how to make people work together."

or : 'I think I have the knack of making people work together.

Maybe because I know how to listen to them, give them responsibilities, delegate."

TRICKS OF THE TRADE

What is your greatest shortcoming ?

Interviewers who see dozens of candidates each week are sick of all those people who explain that they are fanatical because "fanatical" sounds "pernickety" and that is good for all jobs involving checking, auditing, etc.

No. The interviewer wants to know the truth. Otherwise he will have the impression that you are making a fool of him.

And that will not help you to get the job !

31 

Quel est votre principal défaut ?

– L'entêtement. Autrefois, je défendais mes idées avec acharnement. Parfois trop ! Parce que je les croyais bonnes, et même meilleures que celles des autres ! *(sourire)*

Pouvez-vous m'en dire un peu plus ?

– Aujourd'hui, je crois que cette attitude n'est pas très efficace. Ce qui l'est, c'est de prendre le temps de discuter de ses projets avec tous ceux qui en seront les acteurs, afin que soit réalisé un véritable travail d'équipe.

Bien sûr, je supporte mal les gens qui « tirent la couverture à eux » (surtout quand c'est la mienne !).

Mais je sais aussi qu'ils sont capables de se battre pour faire avancer « leur » projet. Il faut donc qu'ils se l'approprient le plus rapidement possible.

Aujourd'hui, mon principal défaut est *(sourire)*... presque en voie de disparition ! Je m'améliore au fil des années.

Avec des adjectifs !

Il existe une variante « soft » aux questions sur les qualités et les défauts – bien embarrassantes pour les candidats – c'est la question : « Décrivez-vous avec des adjectifs. »

Dans votre réponse, ne tentez pas de trouver l'équilibre à tout prix : « Je suis autonome, mais j'adore le travail en équipe... ; je suis créative... mais très rigoureuse... », etc. On ne manquerait pas, alors, de vous demander comment vous conciliez les deux, et vos explications n'y gagneraient pas forcément en clarté !

Cherchez plutôt à donner une dénomination positive aux traits dominants de votre caractère !

(à suivre...)

32 

Pour quelles fonctions vous sentez-vous le plus d'aptitude ?

Fonction d'analyse

– J'aime faire dire aux chiffres ce qu'ils ont à dire, et les traduire en objectifs pour le département, la division, le service.

Fonction de commandement

– J'aime expliquer, convaincre. Je crois qu'un groupe vaut ce que vaut son chef.

Fonction de création

– J'aime qu'une idée devienne un objet, un instrument, un outil.

31 2nd/3rd job

What is your greatest shortcoming?

"Stubbornness. I used to really fight for my ideas. I sometimes overdid it! Because I thought they were good, and even better than the others' !" *(with a smile)*

Can you elaborate a little on this?

"Today, I believe it is not a very effective attitude. One must take time to discuss one's projects with all those involved, in order to achieve real teamwork.

Of course I have trouble with people who want all the credit (especially when it's mine!).

But I also know they're capable of fighting for 'their' project. And they hasten to try to make it theirs.

Today, my greatest shortcoming is *(with a smile)* almost extinct! I have improved with time."

32 1st job

What are your major skills?

Analysis

"I like to work with explicit figures and use them as objectives for the department, division or service."

Management

"I like to explain, convince. I think a team reflects its leader."

Design

"I like to turn an idea into an object, an instrument, a tool."

TRICKS OF THE TRADE

Your main shortcoming ?

There is an "easy" alternative to the thorny questions about shortcomings and qualities. It is the request to "describe yourself using adjectives".

When you reply, don't try at all costs to find a balanced answer : "I am independent but love working in a team" ; "I am inventive but stick to the rules"…

You would then certainly be asked how you manage to reconcile the two and your explanations would not necessarily clarify the matter !

Try rather to give a positive description of your main traits of character.

(to be continued)

33 

Quel est votre style de travail ?

(Poste commercial.)

– Je prépare mon travail.

Je me donne des objectifs, dans le temps et aussi par client, et par visite.

Avant d'aller voir un client, j'étudie son dossier et je prépare mon argumentaire de vente. En fait, je sais ce que je vais lui vendre.

Je constitue une base de données sur chacun d'entre eux : heures de visites les plus favorables, noms des proches, du personnel qui me reçoit, leurs centres d'intérêt...

Ma force, c'est ma connaissance approfondie du client... et de sa propre clientèle !

Avec des adjectifs !
(suite)

Par exemple, vous êtes particulièrement teigneux(euse) ?

Ce trait de caractère qui est le vôtre jusqu'au bout des ongles, comment le définir en termes qui vous rendront indispensable au groupe ? (L'entreprise n'engage que les gens qui lui sont indispensables – pardonnez cette évidence et ne l'oubliez jamais !)

Réponse : « Je ne m'avoue jamais battu(e) ; je repars toujours à l'attaque ! »

Gagné !

34 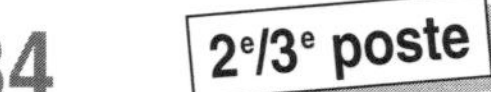

Qu'avez-vous le plus apprécié chez votre dernier employeur ?

(C'était un cabinet d'audit.)

– ... La conception qu'ils ont de l'entreprise et les critères d'efficacité et de rentabilité qu'ils s'appliquent à eux-mêmes !

Dans ce cabinet, vous devez être performant. Si vous êtes simplement moyen, vous ne restez pas !

Les critères de réussite sont objectifs et définis d'avance. Les résultats financiers doivent être au rendez-vous.

Et lorsque vous réussissez, /on vous ouvre le capital/vous devenez associé/, etc.

C'est très important de devenir associé. C'est pour le cabinet une façon de vous prouver que le secteur dont vous êtes responsable représente pour lui une priorité.

Et puis – et ce n'est pas négligeable – tous les collaborateurs sont des pointures !

Cela stimule, mais d'abord cela permet d'apprendre.

J'ai beaucoup appris en écoutant raisonner les autres et en les regardant travailler...

33 2nd/3rd job

How do you work?

(Marketing)

"I prepare my work.

I set myself deadlines, per client and per visit.

Before visiting a client, I study his file, prepare my sales pitch. In fact, I know what I want to sell him.

I have a database for each client : best time to see him, names of close colleagues, of staff seen, their main interests...

My strength lies in my extensive knowledge of the client... and of his clients!"

34 2nd/3rd job

What did you like best about your last employer?

(auditing firm.)

"... Their approach to the business and the efficiency and profitability criteria they apply to themselves!

They demand a good performance. If you're only average, you won't last!

They have objective pre-defined success criteria. Financial results must follow.

And when you do well, they offer you /shares/a partnership/, etc.

It is very important to become a partner. It's their way of showing you that the field you are in charge of is a priority.

Also - and it counts - all their collaborators are experts!

Not only is it stimulating, it teaches you a lot.

I learnt many things just by listening to people's reasoning and watching them work...

Your main shortcoming ? (continued)

For example, are you particularly stubborn ? How can you define this trait which is so "you", in terms which will make you indispensable to the company ? (The firm only takes on people whom they really need - forgive us for making this obvious remark, but never forget it !)

How do you reply ?

"I never admit to being beaten. I always go into the attack again !"

You've won !

Pourquoi vous embaucher ?

Ne vous laissez pas démonter ! Ce classique des chausse-trappes permet au recruteur d'observer comment vous réagissez quand vous êtes contesté(e) (le doute est une contestation).

Répondez avec le sourire – le sourire gomme l'inquiétude qui, sinon, apparaîtrait sur votre visage – et revenez au profil du poste et aux termes de l'annonce, selon l'argumentation :
– Vous demandez cela ?
Je suis cela, ou *je vous apporte cela (à prouver, évidemment).*

35 1er poste

Pourquoi vous embaucher plutôt qu'un(e) autre?

– Dans votre annonce, vous insistez sur les trois qualités que doit avoir le candidat :

- avoir le virus commercial;
- être organisé, méthodique;
- pouvoir devenir rapidement un des éléments de la croissance internationale de l'entreprise.

Je pense remplir les trois conditions demandées.

Les stages que j'ai faits m'ont appris que j'étais à l'aise dans les fonctions commerciales.

Dans mon premier stage, pendant les deux mois qu'a duré ma tournée, j'ai pris 700 commandes..., suffisamment pour que mon supérieur hiérarchique me félicite et me demande de revenir le voir à la fin de mes études.

Mon style de vie et de travail me paraissent correspondre au point 2.

C'est ce qui ressort, en tout cas, de l'opinion de mes responsables de stage. Voici d'ailleurs leurs appréciations concernant mon travail. *(Donner le papier en question.)*

Enfin, vous insistez sur la mobilité géographique du candidat, et sur sa volonté de commencer sa carrière à l'étranger.

Je souhaite justement partir à l'étranger et travailler, si possible, autant en anglais et en allemand qu'en français.

Je suis d'ailleurs opérationnel dans ces deux langues, comme l'indique mon CV.

Ce serait donc pour moi une chance de commencer à travailler dans votre société et d'y faire mes preuves!

35 1st job

Why should we hire you rather than someone else?

"In your ad, you insist on the three qualities required :

- be marketing-minded;
- be organized, methodical;
- be capable of rapidly becoming an element of the company's international growth.

I believe I fulfill these three conditions.

My internships have proved I was good at marketing.

During the two-month round of my first internship, I took 700 orders… enough to be congratulated by my boss, who asked me to come and see him when I'd finished my studies.

My lifestyle and work habit seem to correspond to point number two.

This is certainly what those in charge of my internships thought - here are their comments on my work *(hand over the document(s)).*

And you stress the candidate's geographical mobility and his desire to start working abroad.

In fact I do wish to go abroad and, if possible, work in English and German as much as in French.

I am operational in those two languages, as you will see on my CV.

It would therefore be a great opportunity for me to start working for your company and prove my abilities!"

Why should we give you the job ?

Don't be disconcerted ! This is a classic trap which allows the interviewer to see how you react when your ability is being questioned (any hint of doubt questions your ability).

Answer with a smile. The smile will hide any trace of anxiety which may appear on your face. Get back to the job description and the terms stated in the advertisement, your argument being :
- You want that ?
I *am* that *or* I can give you that (up to you to prove it, of course).

Dites-moi ce que vous faites !

Ne pas être suffisamment documenté(e) sur la société qui vous reçoit est suicidaire. Heureusement, les grandes entreprises ont toutes un département « communication » qui vous enverra gratuitement le rapport d'activité de la société (appelé aussi Rapport annuel). Tout y figure : vous êtes sauvé(e) !

Mais toutes les entreprises ne sont pas cotées en bourse ou championnes de l'information ! Alors, que faire quand une société, même connue sur le marché, vous balade de service en service ?

(à suivre)

36 2e/3e poste

Pourquoi êtes-vous resté(e) si longtemps dans la même entreprise ?

– En fait, j'y ai exercé des fonctions si différentes que c'est comme si j'avais changé plusieurs fois de société.

J'ai d'abord fait une carrière de commercial : de chef des ventes à directeur des ventes pour la France.

Puis, en 1989, j'ai été appelé(e) à Glasgow pour diriger une *"product business unit"*.

À l'époque, chaque ligne de produits avait un patron pour l'Europe, j'étais donc responsable de la mienne. Je suis resté(e) à Glasgow un peu moins de deux ans.

En 1991, j'ai été nommé(e) directeur général adjoint de la filiale française de Lyon.

J'avais la responsabilité de l'ensemble des opérations.

Un poste clé puisqu'on y a la charge non seulement du chiffre d'affaires, mais aussi des marges.

En fait, c'était un poste financier.

Enfin, en 1995, Londres m'a confié un poste fonctionnel, dont l'objectif était l'amélioration de la qualité, c'est-à-dire la satisfaction du client.

J'ai travaillé sur les processus de qualité totale. Un métier de directeur Qualité, et un sacré virage pour un technico-commercial !

36 2nd/3rd job

Why did you stay with the same company for so long?

"I worked in so many different departments that it's really as if I had changed companies several times.

I started out in sales : from sales manager I then was promoted to director of sales for France.

Then, in 1989, I was sent to Glasgow to manage a product business unit.

In those days, every product line had a European manager. I was in charge of one of them and spent a little under two years in Glasgow.

In '91, I was appointed deputy general manager of the French subsidiary in Lyon.

I was in charge of all operations.

This was a key role, since one is responsible not only for the turnover, but also for the margins.

It was in fact a financial job.

Then, in '95, London offered me a staff job, the role of which was to improve quality, which means client satisfaction.

I worked on the quality processes, as quality manager, which was quite a change for a sales engineer!"

TRICKS OF THE TRADE

Tell me what you do !

It is suicidal to be ill informed about the firm which is giving you an interview.

Luckily, all big companies have a communications department which will send you a free copy of the report of the firm's activities (also called Annual Report). Everything is in it.
You are saved !

But not all companies are quoted on the stockmarket or good at giving out information. So what do you do when a firm, even one well known in the market, just sends you from department to department ?

(to be continued…)

37 2e/3e poste

Pourquoi êtes-vous resté(e) si longtemps au même poste?

– J'y suis resté(e) sept ans, et je n'ai pas vu le temps passer.

Au début, il s'agissait de relancer une activité qui avait perdu beaucoup d'argent.

Cela nous a pris trois ans avant de refaire des bénéfices.

Puis nous nous sommes orientés vers un marché plus porteur et plus pointu : …

C'était presque une nouvelle activité. Nous avons d'ailleurs /constitué/recruté/ une équipe spécifique spécialisée dans ce créneau.

Maintenant cette activité progresse bien, malgré une concurrence assez vive.

Je pourrais y rester encore, mais j'ai envie de bouger. Et je crois que mon expérience dans le domaine des … peut vous être utile.

(Ou encore, après « je n'ai pas vu le temps passer », pour un consultant, par exemple :)

Pour le compte de ma société, j'ai travaillé en partenariat avec tellement d'entreprises différentes, que j'ai souvent eu l'impression de changer de secteur, de style de travail, de méthode…

J'ai toujours dû m'adapter à la « culture » de mon partenaire.

Cette position vis-à-vis de l'autre oblige à une souplesse de pensée qui permet ensuite d'appréhender n'importe quelle situation.

En tout cas, c'est ainsi que j'ai compris ce travail. Et je ne crois pas m'y être fossilisé(e) !

Dites-moi ce que vous faites ? (suite)

Consulter le Kompass, l'annuaire des entreprises qui se trouve à l'APEC ou au CIDJ.

À l'APEC, si vous y cotisez, au Centre de Documentation d'Information pour la Jeunesse [1], dans les services de documentation de la presse économique, dans les salons professionnels…

(à suivre)

1. CIDJ, 101, quai Branly, 75015 Paris.. Tél. (33) 1 44 49 12 00.

37 2nd/3rd job

Why did you keep the same job for so long?

"I stayed there for seven years, and time just flew.

At first, I was in charge of re-launching an activity that had been losing a lot of money.

It took us three years to get out of the red.

We then moved on to a more bullish and specialized market : …

It was almost a new business. We had to /create/hire/ a specific …-oriented team.

This business is still growing despite strong competition.

I could still stay there, but I'm ready for a change. And I think my experience in the field of … would be useful to your company."

(Or, after "time just flew")

"In that company, I worked in partnership with so many different companies that I often felt I was dealing with a new sector, style of work, method…

I always had to adapt to my partner's philosophy.

This is something which requires a lot of flexibility and teaches you to deal with any kind of situation.

In any case, that's how I perceived the job, and I don't think it turned me into a fossil!"

TRICKS OF THE TRADE

Tell me what you do (continued)

… Consult the Kompass, the company directory which can be found at the APEC or the CDIJ.

Go to the APEC (if you qualify) or the Centre for Research and Information for young people.

Enquire in the research department of the financial newspapers; in professional exhibitions or shows.

Trois fois en quatre ans !

Sans être franchement inquiète ou ironique, cette question manifeste clairement que vous devez rassurer.

En effet, on peut imaginer que vous êtes instable...
...et personne n'envisage de former quelqu'un et de lui communiquer les secrets de la société pour qu'il aille les apporter à la concurrence. (On sait bien que vous le ferez un jour, mais autant que ce soit le plus tard possible !)

Remonté(e) à bloc ?

Vous n'apparaissez plus comme un(e) instable, mais comme quelqu'un qui a su réagir après chaque déconvenue et repartir au combat sans état d'âme.

Vous avez complètement retourné la situation à votre profit et la fin de votre péroraison (« J'ai répondu... ») montre que vous n'avez pas froid aux yeux et que vous êtes toujours aussi combatif / combative ! Bien joué !

38

Vous avez changé trois fois d'entreprise en quatre ans ?

– C'est bien cela.

J'ai quitté la première à la suite d'un licenciement économique, selon le principe du « dernier entré, premier sorti »...

J'ai pris le second poste en me disant qu'il valait mieux être déjà dans une entreprise pour chercher un emploi plutôt que de me présenter en chômeur...

Je savais bien que je n'y ferais pas carrière !

D'ailleurs, ce poste était très en dessous de mes compétences.

Néanmoins, j'ai appris /quantité de/plusieurs/ choses qui me servent tous les jours *(citez-en une ou deux),* notamment la tarification postale, par poids et par zone géographique...

Mon troisième poste me convient, et je peux y rester autant que je veux.

Mais je le trouve maintenant répétitif et sédentaire et je n'y apprends plus grand-chose.

J'ai répondu à votre annonce parce qu'il me semble que mes compétences en ... peuvent vous être utiles, d'autant plus qu'elles sont couplées avec des connaissances en ..., que je n'ai pas encore suffisamment mises à profit dans mes activités professionnelles.

Je ne vous cache pas que j'ai très envie de travailler pour vous, parce que vous avez repensé tout votre secteur d'activité et que vous passez votre temps à innover.

Je n'ai peut-être pas le profil standard pour ce poste, mais cela n'influe pas sur mes capacités à ... . D'autre part, je suis très motivé(e) pour travailler avec vous, parce que... !

38 2nd/3rd job

You changed companies three times in four years?

"I did.

The first company was downsizing, and the 'last one in, first one out' principle was applied to me...

I accepted the second job because I feel it is better to look for a job when you have one, rather than to apply as unemployed...

But I wasn't planning on staying!

I was in fact truly overskilled for the job.

However, it taught me /lots of/several/ things I constantly use *(quote one or two),* such as postage rates by weight and area...

My third job suits me perfectly, and I could definitely stay on.

But I now find it very repetitive and sedentary and I don't feel I'm learning much.

I answered your ad because I believe you could use my ... skills, especially since they are combined with good knowledge of ..., which I haven't had much chance to use in my work.

I would really like to work for you, because you have reorganized your business and are always innovating.

I may not have the standard profile required, but that doesn't take anything away from my ... skills, and I am very eager to work for you!"

TRICKS OF THE TRADE

Three times in four years !

While not being openly anxious or ironic this question clearly requires a reassuring answer.

After all, one could easily imagine that you are not very settled - and nobody is about to train an employee and show him the company's secrets so that he can run off and give them to a rival company (They're quite aware that this will happen one day but would prefer it to be later rather than sooner !)

On top form ?

You no longer give the impression of being unstable but of being somebody who has been able to react positively after each disappointment and start again without any feeling of uncertainty/without any loss of confidence/.

You have completely turned the situation around to your own advantage, and the last part of your reply (from "I answered...") shows that you are adventurous and that you are still ready to fight ! Well played !

39 

Que connaissez-vous de notre entreprise ?

– • Je connais vos produits, plus particulièrement la gamme des ..., que j'achète moi-même.

• Je connais les caractéristiques de votre marché, l'âge moyen de vos acheteurs, dont je fais partie, vos principaux concurrents, vos différents canaux de distribution, vos campagnes publicitaires, les thèmes que vous cherchez à promouvoir (la santé, le bien-être, la minceur, l'équilibre, le retour à la nature, le « sans sucre »).

J'ai lu plusieurs articles dans la presse professionnelle sur la façon dont vous conduisez votre expansion *(citer les titres...).*

• Votre président est très médiatique. Il privilégie la qualité et le service clients, qui sont poussés très loin dans les métiers de l'achat et de la vente.

Il expose fréquemment les bienfaits de l'organisation décentralisée et je sais que vous avez beaucoup travaillé pour que vos /clients/revendeurs/ soient servis très vite – dans les 24 heures – et surtout plus vite que ne le sont vos concurrents !

Miroir, beau miroir...

Le représentant d'une entreprise est toujours très intéressé par l'image que projette son entreprise. Si vous éclairez sa lanterne avec précision, sa psyché vous rendra ce service au centuple !

40 2e/3e poste

Jusqu'à présent, vous avez travaillé dans des sociétés plus importantes que la nôtre. Vous adapterez-vous à une PME ?

– Effectivement, Tramontane est une société de 6 000 personnes. Mais, comme toute grande entreprise, elle est divisée en départements et services.

Notre département, qui faisait un chiffre d'affaires de ..., comptait 40 personnes et était géré de manière décentralisée.

Nous étions responsables de notre propre budget et de nos résultats, avec des objectifs mensuels à tenir.

D'une certaine façon, donc, je ne serai pas trop dépaysé(e) dans une grande PME comme la vôtre.

Néanmoins, Tramontane reste un diplodocus. On y attend longtemps les feux verts de la direction.

C'est pour cela que je souhaite aujourd'hui travailler dans une structure de la taille de votre entreprise, où la prise de décision est plus rapide et les relations plus directes, moins hiérarchisées.

Quelques idées !

Vous n'êtes pas obligé(e) de reprendre ces réponses fournies par trois candidats différents. Toutefois, elles vous prouvent qu'on peut être précis sans mentionner de chiffres...

À vous de trouver d'autres éléments !

39 2nd/3rd job

How much do you know about our company ?

"• I am familiar with your products, especially your range of …, which I actually buy!

• I am familiar with the characteristics of your market, the average age of your clients - being one of them - your main competitors, your various distribution channels, your advertising campaigns, the themes you are trying to promote (health, well-being, fitness, a balanced diet, natural "sugar-free" products).

I read several articles in professional magazines about the way you are managing your expansion *(give titles…).*

• You have a very charismatic president. He is devoted to quality and customer service, which are prioritized in purchases and sales.

He often stresses the benefits of a decentralized organization, and I know you have worked hard at supplying your /clients/retailers/ fast - within 24 hours - and above all faster than the competition!"

40 2nd/3rd job

So far, you have worked in larger companies. Will you adapt to a smaller one?

"Tramontane indeed employs 6,000 people. But, as all large companies, it is divided up into departments.

Our department, with a turnover of … and 40 employees, was managed in a decentralized way.

We were responsible for our own budget and results, with fixed monthly targets.

So in a way, I should feel quite at home in a medium-sized company such as yours.

Tramontane will however always remain a monster. You have to do a lot of waiting around before getting the management's OK.

That's why I would now like to move to a structure the size of yours, where decision-making is faster and relationships are more streamlined."

TRICKS OF THE TRADE

Mirror, mirror…

The representative of a company is always very interested in the image which his company produces. If you show him that you know about its achievements and successes, he will repay you a hundredfold !

A few ideas !

You do not necessarily have to use these replies offered by three different candidates. However, they do prove to you that you can be precise without actually mentioning any figures.

Up to you to find some other ideas.

41 2e/3e poste

Nous sommes une entreprise leader du marché. Ne pensez-vous pas que, venant d'une PME, vous vous sentirez mal à l'aise dans une grosse structure ?

– Non, je ne le crois pas.

Bien sûr, lorsqu'on quitte une société, on quitte des gens qu'on connaît, des dossiers, des clients... et une sorte d'acquis auquel on est habitué.

C'est changer de société qui constitue le vrai séisme : les visages changent, les noms, les lieux de travail, les clients, les fournisseurs, et les procédures... Sans oublier la taille de la nouvelle entreprise !

Cette taille est bénéfique à bien des égards : les économies d'échelle, la grande variété des métiers exercés, la qualité des gens qu'on y rencontre... la variété, aussi, de leur expérience.

J'ai l'impression que dans une entreprise de votre taille, il n'y a jamais de problèmes techniques : on trouvera toujours des gens compétents pour résoudre telle ou telle difficulté.

Je pense aussi qu'on y travaille sur un grand nombre de dossiers et que l'on met davantage de temps à prendre les décisions que dans une petite structure.

La taille de votre entreprise ne m'effraie pas. Au contraire, je pense que c'est un élément positif, dans notre métier.

Oui ou non ?

Être positif, ce n'est pas déguiser ses sentiments. Dans des circonstances dramatiques, si vous n'avez jamais eu aussi peur de votre vie, dites-le dans ces termes.

Mais si, dans un naufrage, un incendie, une explosion, un accident de la route, vous avez fait preuve d'une initiative, dites-le tout aussi simplement.

Vous pouvez ajouter : « Je me suis étonné(e) moi-même, je ne me croyais pas capable de ça... »

42 1er poste

Vous sentirez-vous mal à l'aise dans une grosse structure ?

Autre réponse :

– Mal à l'aise ? Non, je veux travailler dans une grande société ! Pour une raison : dans une grande société, on a une politique et les moyens de sa politique. En tout cas, la vôtre l'a bien montré !

Je me sens à l'étroit dans une PME, probablement un peu trop seul de mon espèce !

Je sais que les grandes sociétés ont des défauts, par exemple celui de réagir avec une plus grande inertie, mais je sais aussi qu'une entreprise comme la vôtre consacre des moyens importants aux disciplines qui sont le cœur de notre métier *(les citer).*

J'ai vraiment envie de l'exercer dans une grande équipe et de contribuer à ses bons résultats !

41 2nd/3rd job

We're market leaders. Don't you think that after working for a small company, you will feel uncomfortable in a large structure?

"I really don't think so.

Leaving a company naturally means leaving colleagues, files, clients... and a whole familiar atmosphere.

Changing companies is what's unsettling : new faces, names, offices, clients, suppliers, processes... and new company size!

There are many advantages to being large : economy of scale, different businesses, people's qualities... and also people's different experience.

I feel that in a company the size of yours, there are never any technical problems : there will always be competent people to solve a given problem.

I also believe one works on a great number of files and more time is spent on decision-making than in smaller structures.

The size of your company doesn't frighten me. On the contrary, I believe it is an asset in our business."

TRICKS OF THE TRADE

I didn't think I had it in me !

Being positive doesn't mean having to hide your feelings. In dramatic circumstances, if you have never been so frightened in your life, say so.

But if, in a shipwreck, a fire, an explosion or a traffic accident you have shown initiative, say this too. You can add : "I surprised myself, I didn't think I had it in me."

42 1st job

Will you feel uncomfortable in a large company?

Other possible answer :

"Uncomfortable? No, I want to work for a large company! And for one good reason : a large company has policies and the means to implement them. In any case your company has certainly proved that!

I feel cramped in a small company, maybe a little lonely in my field!

I realize that large companies have their shortcomings, slower response times for instance, but I also know that a company such as yours invests a lot in core business sectors *(quote them).*

I really want to be part of a large team and contribute to its success!"

43 1er/2e poste

Supportez-vous que les autres fument dans le même lieu de travail que le vôtre ?

– Je n'ai jamais fumé. Je n'en ai jamais eu le goût et, sportif, cela m'aurait été impossible.

Comme tous les gens qui ne fument pas, je suis très incommodé(e) par la fumée.

ou : – Je suis fumeur, et la fumée des autres ne me dérange pas. Mais si cela gêne les autres que je fume, je peux m'en passer quelque temps.

Dites-moi ce que vous faites (fin)

Ces recherches se révèlent peu efficaces ? Il vous reste le système D.

Si l'entreprise n'est pas trop éloignée de chez vous, poussez la porte des bistrots qui l'entourent. On vous y renseignera sur son métier.

Une fois ce minimum connu, appelez le service commercial et, en tant qu'éventuel client, demandez des précisions et faites-vous envoyer les catalogues.

44 1er poste

Quel(s) sport(s) avez-vous pratiqué(s) ou pratiquez-vous encore ?

– Je pratique les arts martiaux depuis l'adolescence.

J'ai commencé par le judo. Je l'ai interrompu un moment après mon bac, mais aussitôt entré à l'université, l'activité physique m'a manqué.

J'ai bifurqué vers l'aïkido. C'est une école d'humilité. On progresse si on s'investit suffisamment, c'est-à-dire si on s'entraîne plusieurs heures par semaine.

Il n'est pas question de tricher sur le tapis. Mais, justement, les arts martiaux vous enseignent le respect de l'autre. L'autre n'est pas un adversaire. Plutôt un partenaire dont on a besoin pour progresser.

43 1st/2nd job

Do you mind if other people smoke on the workplace?

"I have never smoked. I have never felt like it, and it would not have been good for my sports life.

Like all non-smokers, nicotine bothers me."

or : "I smoke, and smokers don't bother me. But if it bothers others, I can refrain from smoking."

44 1st job

What sport(s) did you or do you still practice?

"I have practiced martial arts since I was a teen-ager.

I started with judo. I had to give it up the year I took my baccalaureate, but when I started college, I felt I needed some kind of physical activity.

I went on to aikido. It teaches you humility. You have to put a lot into it to improve - practice several hours a week.

There is no cheating on the mat. But that's what martial arts teach you : to respect other people. You are not fighting an opponent, but working with a partner to make headway."

Tell me what you do (end)

Your research doesn't seem to work very well ? Then you are left with your own resourcefulness.

If the company is not very far from your home, try going into some of the neighbouring pubs. You'll get information on the job from there.

Once you have acquired this minimum knowledge, phone the sales department and, as a possible future customer, ask for some details and some brochures to be sent to you.

45 2e poste

Est-ce que les arts martiaux vous ont servi d'une façon particulière, à un moment donné de votre existence ?

– Curieusement, c'est dans une activité cérébrale que les arts martiaux m'ont servi.

Quand j'ai suivi le programme de MBA à …, j'avais 34 ans. J'étais seul, sans collaborateurs, à suivre toute la journée des cours de haut niveau dans une langue étrangère.

Je me suis adapté et je n'ai pas craqué !

Ne pas craquer, c'est justement ce que le judo et l'aïkido vous apprennent ! *(sourire)*

Aïkido

C'est une réponse bien construite.

Le candidat montre qu'il est armé et ne s'effondre pas à la première crise.

Il rappelle habilement qu'il a passé un diplôme dans des conditions difficiles (langue étrangère, solitude…).

Cette réponse fait progresser sa candidature.

46 2e/3e poste

Quelles sont les caractéristiques du poste qui correspondent le mieux/à vos goûts/à votre personnalité ?

– Indiscutablement, c'est l'aspect « négociation ». La négociation commerciale comme la négociation interne à l'entreprise ou la négociation salariale.

J'aime négocier. J'aime préparer les arguments, prévoir ceux de mon interlocuteur, étudier les positions de repli éventuelles, les atouts à faire jouer en dernier ressort…

Dans toute négociation, il y a une partie technique – ce qu'on offre, ce qu'on cherche à obtenir – mais aussi un contexte psychologique.

D'où la manière, bien à soi, dont on peut exprimer les choses, le style qu'on imprime à la négociation, si on le peut.

Au fil des années, j'ai appris que, dans une négociation, il ne faut jamais écraser l'autre, ni même lui donner l'impression qu'on le domine.

Il faut lui laisser une porte de sortie. La possibilité de refuser lui donne aussi celle d'accepter. [1]

1. Cette dernière réflexion est intéressante. Elle prouve que le candidat a réfléchi aux mécanismes de la négociation et qu'il ne se lance pas sans préparation.

45 — 2nd job

Were martial arts of any particular help at any time in your life?

"Strangely enough, martial arts helped me intellectually.

When I studied for the ... MBA course, I was 34. I was attending top level classes alone, with no colleagues, in a foreign language.

I had to adapt and didn't give in!

Not breaking down, that's exactly what judo and aikido teach you." *(smile)*

46 — 2nd/3rd job

What aspects of the job are best suited to /your tastes/your personality?

"Definitely the 'negotiation' aspect. Commercial negotiations, internal negotiations or salary negotiations.

I like negotiating. I enjoy preparing my arguments, foreseeing the other side's response, studying possible positions to fall back on, ultimate trump cards to use...

There is a technical side to every negotiation - what one has to offer, what one is trying to obtain - but also a psychological context.

So that there is always a personal way of expressing things, and a style to apply whenever possible.

Through the years I have learnt that in a commercial negotiation, one must never crush the other party or even give an impression of superiority.

One must always leave a door open. If there is an option to refuse, there's also one to accept. [1]"

Black belt ?

This is a well constructed answer. The candidate shows him or herself to be well armed and does not collapse at the first difficult hurdle.

He cleverly draws attention to the fact that he has obtained his qualifications in difficult conditions (in a foreign language, in lonely circumstances).

This reply helps his application to be a successful one.

1. This last comment is interesting. It shows that the candidate has thought about the mechanics of negociation and proves that he is not embarking on something without adequate preparation.

Une belle histoire d'amour ?

Ce n'est pas votre patron que le recruteur cherche à connaître, et encore moins à juger. Il s'en moque comme de sa première chemise.

Non. Il espère que vous n'êtes pas la femme ou l'homme d'une seule boîte, et que vous avez un peu l'esprit mercenaire : « Je fais mon boulot où je suis, et c'est toujours du bon boulot. »

Comme dans une entreprise de séduction, la personne que vous cherchez à séduire doit entendre qu'elle est unique. Et rien d'autre !

(à suivre…)

47 2e/3e poste

Estimez-vous avoir commis des erreurs pendant votre gestion ?

Réponse d'un DG suisse :

– Nous en avons fait beaucoup ! Nous avons surtout tardé à nous adapter à l'évolution du marché.

Le management était très hostile au changement et avait la conviction que la formule qui avait marché pendant 10 ans allait encore s'appliquer pendant les dix prochaines années.

Nous avons été victimes de notre succès et nous avons perdu près de trois ans qui nous ont coûté très cher. J'ai manqué de brutalité.

Autre erreur, mais moins grave celle-ci, notre investissement immobilier est trop important.

Nous sommes propriétaires du prestigieux siège social des Champs-Élysées et de bureaux à Genève, Lyon et Marseille.

Un patrimoine qui peut être estimé à 500 millions de francs.

48

Que pensez-vous de votre patron actuel ?

– C'est un bourreau de travail. C'est aussi quelqu'un avec qui on peut communiquer facilement, et qui admet qu'on ait une autre opinion que la sienne. J'ai eu de la chance.

ou : – Il m'a appris ce que « être exigeant » signifiait. Il en demande toujours davantage… et il obtient ce qu'il demande. J'ai beaucoup appris à son contact.

47 2nd/3rd job

Do you consider you made any management mistakes?

This is the answer of a Swiss CEO :

"We made many! Above all we didn't adapt fast enough to a changing market.

Our management was opposed to change and convinced that what had worked for 10 years would still do so for the next 10.

We were victims of our own success and we wasted almost three years, which turned out to be very expensive. I wasn't rough enough.

Another mistake, although less serious, was over-investing in property.

We own the magnificent head offices of the Champs-Élysées and our Geneva, Lyons and Marseilles offices.

Property worth 500 million francs / 500 million francs worth of property."

48 2nd/3rd job

What do you think of your present boss?

"He's a workaholic. He's also someone who is easy to talk to and who understands one might have a different opinion. I have been lucky."

or : "He taught me the true meaning of 'demanding'. He's always asking for more... and getting it. I learnt a lot with him."

TRICKS OF THE TRADE

A beautiful relationship ?

The interviewer is not trying to get to know your boss and certainly not to form an opinion of him. He couldn't care less about him.

He hopes that you are not a man or woman who is tied to one single company and that you have something of the mentality of a mercenary in you : "I do my job where I am paid to do it, and I always do it well !"

Just as in a seduction scene, the person you are trying to win over must think her/himself to be unique. And nothing else !

(to be continued...)

AUTANT VOUS LE DIRE !

Je vous connais !

Voilà un habile panachage de choses vues, lues et apprises grâce à la documentation de la candidate. Sa façon de répondre montre que la question ne l'a pas prise de court et qu'elle en veut !

Une belle histoire d'amour ? (suite)

Quelquefois, au souvenir de son ex-patron, le candidat se met à s'épancher.

En parlant de lui – ou d'elle – restez neutre, avec une tendance à la sympathie, mais gardez vos distances !

Votre ex-patron vous a beaucoup appris... vous a permis de mûrir... est une forte personnalité... vous auriez aimé travailler encore davantage avec lui/elle... etc. : toutes ces phrases donnent de vous une image positive.

En revanche, les regrets (« ah, la, la, c'était le bon temps ! ») ou les récriminations rétrospectives (« le coup qu'il nous a fait ! ») produisent un effet désastreux. Dans les deux cas, abstenez-vous.

49 — 1er poste

Pour quelle(s) raison(s) voulez-vous travailler chez nous ?

ou

Qu'est-ce qui vous a attirée dans notre société ?

– Depuis longtemps, l'automobile est associée, pour moi, à ... *(le nom de la société).* Quand j'étais plus jeune, je collectionnais les modèles réduits de vos voitures !

Plus récemment, j'ai été impressionnée par votre palmarès/dans les rallyes/en formule 1.

J'aime vos films publicitaires. *(Attention ! citez-les avec précision et sans vous tromper !)*

J'aime leur côté /fantaisiste/très soigné/argumenté/...

Le style /de vos autos, /de vos véhicules/de vos camions...

J'ai souvent apprécié la qualité de l'accueil chez vos concessionnaires et agents.

J'ai été sensible à l'effort de modernisation que vous avez entrepris, il y a dix ans. Aussi, à la sortie de l'école, ai-je relevé les petites annonces que vous avez passées dans la presse *(citer laquelle)* pour voir ce qui correspondait à mon profil...

50 — 1er poste

Combien de temps pensez-vous rester chez nous ?

– Je voudrais avant tout faire mes preuves.

J'imagine que si vous êtes satisfaits de mes résultats, vous penserez à moi quand des postes nécessitant davantage d'expérience se libéreront ou se créeront...

Aujourd'hui ma réponse ne peut pas être précise. Si je suis embauché(e), j'essaierai de faire progresser la société et d'y progresser moi-même.

49 — 1st job

For what reason(s) do you want to work for us?

or

What in our company attracted you?

"For a long time, to me automobiles meant ... *(company name)*. When I was a kid, I used to collect models of your cars!

More recently, I was most impressed by your achievements in /rallies/formula 1.

I like your commercials. *(be sure to quote them precisely, no mistakes allowed !)*

I like their /whimsical/polished/argumentative/ side.

The style of your /cars/vehicles/trucks...

I have often marveled over the way your dealers and agents welcome people.

I appreciated your modernization effort ten years ago. So after finishing school, I looked up your press ads *(quote which ones)* to see what might suit my profile..."

50 — 1st job

How long do you plan to spend with us?

"Above all, I would like to prove my abilities.

I expect that if you are satisfied with my work, you will think of me when you need to fill a higher post...

It's hard to give you a precise answer at this point. If you hire me, I will try to promote the company and develop my skills."

TRICKS OF THE TRADE

I know all about you !

This is a skillful cocktail of things seen, read and learnt, thanks to the candidate's research. The way she answers shows that the question has not caught her unawares and that she is really keen.

A beautiful relationship (continued)

Sometimes when talking about a former boss the candidate begins to pour out his feelings.

When speaking about him or her, remain neutral, with some warmth in your voice but keeping your distance.

Your former boss has taught you a great deal, has helped you to mature, has a lot of personality. You would have liked to go on working with him / her, etc. All these statements give a positive impression.

On the other hand, regrets ("Ah, those were the good old days !"), or complaints ("When I think what he did to us !") give a disastrous impression. Keep off both of them !

Sur votre trente et un !

Vos interlocuteurs britanniques seront le plus souvent sur leur trente et un.

Ils attendent de vous que vous suiviez le même code vestimentaire : hyper-classique.

C'est-à-dire, les hommes en costume sombre, cravate et chaussures nickel. Et les femmes en tailleur.

N'essayez pas d'être original(e) !

51 1er poste

Comment avez-vous financé vos études ?

– J'ai eu du mal. Je croyais pouvoir compter sur les stages. Mais comme je les ai presque tous effectués à l'étranger, ils ont servi à payer le voyage aller et retour, et le quotidien, sur place…

En définitive, j'ai pu m'en sortir grâce à *"Have a nice meal"*. J'ai travaillé dans cette chaîne de restaurants américains par séquences de trois heures en 2e et 3e années, pendant la journée et le soir.

Comme ça ne suffisait pas, j'ai donné, en 3e année, des petits cours de maths à des terminales, pendant le week-end.

Je me suis aussi endetté(e). J'ai souscrit un emprunt remboursable cinq ans plus tard, au versement de mon premier salaire.

52 1er poste

Qu'est-ce qu'on apprend en travaillant chez *"Have a nice meal"* ?

– On apprend à arriver à l'heure, à être de bonne humeur ; qu'il n'y a pas de tâche ingrate. Et aussi la religion de la propreté.

Tout cela fait partie de la fameuse méthode d'accueil de la clientèle, qui est fondée sur une très grande exigence vis-à-vis du personnel.

Ce qui m'a le plus intéressé(e), ce sont les techniques employées pour désamorcer un éventuel conflit entre un membre du personnel et un client…

51 1st job

How did you finance your education?

"It wasn't easy. I thought I could count on internships. But as I did most of them abroad, they just covered the fare and everyday expenses…

In the end, I managed thanks to 'Have a nice meal' I worked three-hour daytime or evening shifts for that chain of American restaurants during my second and third years.

As it still didn't make ends meet, in my third year I tutored 12th grade students in math during weekends.

I also borrowed money. I subscribed to a five-year loan which I will pay back with my first salary."

Dressed to kill ?

Your British interviewers will usually be very well dressed. They expect you to follow the same dress code - superclassic.

That is to say men in a dark suit; with a tie and well polished shoes. And women in a suit.

Don't try to look different !

52 1st job

What did working for 'Have a nice meal' teach you?

"To be there on time, in a good mood; that there are no menial jobs. And also how important cleanliness is.

All of that is part of the company's famous service, which is based on impeccable staff.

What interested me most was the staff's technique for defusing any potential conflict between employees and clients…"

53 1er poste

Pensez-vous avoir l'esprit d'équipe ?

– L'esprit d'équipe, je l'ai acquis dans ma famille. Nous sommes cinq enfants, et, chez nous, chacun assume des tâches ménagères précises, en fonction de son âge.

Nous savons nous serrer les coudes quand il le faut. Bref, j'ai l'habitude d'évoluer au sein d'un groupe : j'y trouve toujours ma place et je respecte celle des autres.

Je n'ai pas mentionné d'activités sportives dans mon CV parce que je les exerce à un niveau modeste.

Je pratique régulièrement le volley-ball. Je suis assidu(e) aux entraînements, j'aime l'ambiance d'une équipe.

J'en ai besoin pour me sentir bien physiquement et moralement.

Parlez-vous petites annonces ?

Mieux vaut savoir décoder les petites annonces dites « annonces classées ».

« Commercial avant tout » veut dire « Vous êtes là pour rapporter de l'argent ; le marketing, je m'en charge ! »,

« expérience significative » signifie « plusieurs années d'expérience »,

et « dans la région de telle ville » se lit « dans un bled perdu » !

54 1er poste 2e/3e poste

L'entretien touche à sa fin.

Est-ce que vous avez des questions à me poser ?

– J'en ai une.

Mais, d'abord, je vous remercie de m'avoir reçu(e). J'en profite pour vous dire que je souhaite vivement avoir la chance de travailler chez vous, parce que le poste me paraît intéressant et que je suis certain(e) d'y faire un bon travail !

Voilà ma question :

Qu'attendez-vous de moi, en termes de réalisations, au cours des six premiers mois ?

53 1st job

Do you think you have a good team spirit?

"My family taught me team spirit. I was one of five children and each one had his chores according to age.

We know how to stick together when necessary. In a word, I am used to working within a group : I can always fit in, while respecting the others.

I haven't mentioned sports on my CV, because I am no pro!

But I regularly play volley-ball. I never miss practice, I love the team atmosphere.

It is essential to my physical and mental well-being..."

54 1st job 2nd/3rd job

The interview is coming to a close.

Are there any questions you would like to ask?

«Yes, one.

But first of all, I would like to thank you for seeing me. And I'd like you to know how much I would like to work for you, because the job seems interesting and I am sure I'll be good at it!

Here's my question :

What do you expect of me during the first six months?"

TRICKS OF THE TRADE

The back of beyond !

It is as well to know how to decypher the small ads, called 'classified ads'.

'Available' means "Don't talk about timetables, school or crèches".

'Essentially a salesperson' means "You are here to bring in the money. I'll look after the marketing."

'In the region of a certain town' should be taken as "In the back of beyond" !

III

S'expatrier

Vos entretiens d'embauche en anglais s'adresse en premier lieu aux candidats à un poste offert par une entreprise internationale basée dans un pays francophone. Mais ce manuel souhaite aider tout autant les francophones attirés par une carrière à l'étranger où l'anglais sera la langue officielle ou la langue de recours du pays d'accueil.

C'est dire si les entretiens qui conduisent à une expatriation réussie sont nécessaires aux deux parties.

III

A job abroad, dos and don'ts

This book has basically been written for candidates wishing to work for an international company based in a French-speaking country. But also for French people wishing to apply for a job abroad, where English will be the official or working language.

Interviews that will lead to a successful career abroad are therefore equally important for both parties.

Avez-vous une expérience anglo-saxonne ?

(1) C'est à dessein que la question est laissée très ouverte. L'expérience est-elle personnelle, professionnelle ? C'est au candidat de le préciser. Noter que la réponse ne peut être qu'affirmative !

(2) Ce type de réponse est tellement fréquent qu'il est banalisé. Il est nécessaire de rappeler brièvement ses séjours linguistiques, mais il faut en avoir fait davantage pour intéresser un recruteur et par exemple, lui fournir quelques pistes supplémentaires comme les trois suivantes.

55 2e/3e poste

Avez-vous une expérience anglo-saxonne ? [1]

– J'ai fait plusieurs séjours en Angleterre, et passé deux fois trois mois aux États-Unis, à 16 et à 17 ans, avant de passer mon bac [2].

Mais ma vraie connaissance de l'anglais et de la vie anglo-saxonne, je la dois aux deux années que j'ai passées à l'École bilingue à Paris, de 198… à 198…

Ou : – Dans le service export pour lequel j'ai travaillé quatre ans, nous étions en rapport, régulièrement, avec une filiale anglaise. C'est là que j'ai appris à travailler avec les Anglais.

Ou : – Nous étions rattachés au siège qui est américain. Nous avons eu l'occasion de travailler à des projets communs.

La politique de la société était de faire plancher la succursale française dès le début du projet pour que nous puissions commercialiser plus facilement les produits en Europe.

Ou : – J'ai travaillé avec des Suédois, dans la pâte à papier. La langue de travail était l'anglais. J'ai fait un stage de trois mois à Malmö, en 198… . Je parle d'ailleurs un peu suédois.

56 2e/3e poste

Êtes-vous capable de travailler dans l'urgence ?

– Avec un de nos collègues aide-comptable, j'ai eu l'occasion de répertorier et de reclasser tous les prêts hypothécaires consentis par la société depuis ses débuts.

Nous avons dû faire en 15 jours un travail d'un mois, et c'est moi qui ai fait la présentation des conclusions de l'analyse – en anglais bien entendu – au téléphone, lors d'un rendez-vous téléphonique.

Cela m'a permis de constater que je gardais la tête froide dans l'urgence. Je me sentais responsabilisé(e). Ça a été très valorisant.

55 2nd/3rd job

What is your experience of Anglo-Saxon countries? [1]

" Several stays in England, and two six-week stays in the States when I was 16 and 17, before my baccalaureate [2].

But my true knowledge of English and of Anglo-Saxon life comes from the two years I spent at the Paris bilingual school, from 198… to 198…"

Or : "In the export department where I worked for four years, we communicated regularly with our English subsidiary. That taught me how to work with the English."

Or : "We reported to the American headquarters. On several occasions, we worked on common projects.

The company policy was to put the French subsidiary to work right from the start, to make it easier for us to market their products in Europe."

Or : "I worked with Swedes in paper pulp. English was our working language. I did a three-month internship in Malmö in 198… . I actually speak some Swedish."

56 2nd/3rd job

Can you work under pressure?

"With one of our accounting colleagues, I indexed and filed all the mortgage loans agreed by the company from the very beginning.

We had to do a month's work in two weeks, and I presented the conclusions of the analysis - in English of course - over the phone during a conference call.

It made me realize that I can remain cool-headed in an emergency. I felt responsible, which was very gratifying."

TRICKS OF THE TRADE

What is your experience…?

(1) The question is intentionally very open-ended. Is the experience on a personal or professional level ? It is up to the candidate to make this clear. Obviously the answer must be in the affirmative !

(2) This sort of answer is heard so frequently that it has little impact. It is acceptable to make a brief reference to language learning visits but you need much more to interest an interviewer and give him, for example, some extra lines to follow like the three given here.

57 2e/3e poste

Êtes-vous capable de travailler avec des gens de niveau hiérarchique différent ?

– Il y a un an, j'ai eu l'occasion de faire une présentation/du budget/d'un projet de rachat d'usine au sud de l'Angleterre/, avec le patron de ma division – la division « nouveaux matériaux », à son propre patron.

Nous avons préparé cette présentation, pour simplifier toujours plus et apporter tous les chiffres nécessaires.

Puis nous avons fait réaliser les tableaux, l'infographie, les transparents, les échantillons.

À l'époque, j'ai été très fier(ère) d'être associée à un travail de cette importance.

Vous sentez-vous plus à l'aise ?

Le candidat peut répondre positivement aux deux aspects de cette question. S'il est habile, il appuiera sa réponse sur des exemples très concrets pris, si possible, dans le monde anglo-saxon.

58 2e/3e poste

Vous sentez-vous plus à l'aise dans la gestion technique d'un projet ou dans la mise sur pied - et la conduite - d'une équipe autour du projet ?

Voici trois types de réponses :

– J'ai plutôt eu l'occasion de m'investir dans des projets techniques, sans avoir eu à recruter moi-même l'équipe devant suivre le projet.

Cela dit, j'ai déjà participé à l'élaboration de projets. Je ne suis pas seulement un « exécutant ».

D'autre part, ça ne me pose pas de problèmes de gérer une équipe et de donner des directives. Je sais faire passer mes idées. Peut-être parce que je suis enthousiaste par nature ! *(sourire)*

Ou : – Jusqu'ici, je n'ai eu l'occasion de m'investir que dans l'aspect terrain /d'un projet/d'un dossier....

À mon avis, avant de se préoccuper de la forme d'un projet, il faut bien en maîtriser le fond !

Ou : – J'ai envie de vous répondre : je m'intéresse aux deux aspects de la question.

La qualité technique du/projet/produit final/dépend tellement du travail de l'équipe qui le prend en charge qu'il est impossible de privilégier un aspect en négligeant l'autre.

Vraiment les deux sont intimement liés... je n'ai pas envie de les opposer.

57 2nd/3rd job

Can you work with people who have a different hierarchical position?

"A year ago, I presented a /project/budget for the takeover of a company in southern England, together with my boss - the head of the 'new material' department - to his own boss.

We made the presentation as simple as possible, yet including all the necessary figures.

We then had the tables, graphics, transparencies and samples prepared.

At the time, I was very proud to contribute to such an important project."

58 2nd/3rd job

Are you more comfortable dealing with the technical management of a project or setting up - and managing - a project team?

"I have had more opportunities to work on technical projects, without hiring the project team myself.

Yet I have also worked on setting up projects. I am capable of doing more than simply execute.

And I don't have any trouble managing a team and giving guidelines. I can get my ideas across. Maybe because I am enthusiastic by nature!" *(with a smile)*

Or : " So far I have only had the opportunity to work on the field aspect of a /project/file...

I believe in mastering the basics of a project before going into its more formal aspects!"

Or : "I feel like answering : both interest me.

The /project's/product's/ technical quality depends so much on the work of the team in charge that it's hard to favor either aspect.

Both are really closely linked... I find it hard to play one against the other."

Comfortable ?

The candidate can make a positive response to both aspects of this question. If he is clever he will support his answer with very real examples taken, if possible, from the anglo-saxon world.

Ça commence mal !

Mes habitudes de travail ?
« Par principe, j'arrive toujours tôt... »
« Par principe, je pars toujours tard. »
Mauvaises réponses : on souhaite que vous soyez là jusqu'à ce que le travail soit terminé.
La flexibilité c'est ça !

Soyez vous-même !

La réponse à la question 59 est particulièrement habile.
Le candidat sait ce qu'on attend de lui et il confirme qu'il adhère à ce système de valeurs.
Il donne ensuite ses préférences... auxquelles on aura du mal à ne pas souscrire !

59 2e/3e poste

Quelles sont vos habitudes de travail ?

– Je m'adapte d'abord aux habitudes du pays dans lequel je vis... et, bien sûr, au plan de charge.

J'aime établir – ou qu'on ait établi – un calendrier précis, et qu'on s'y réfère !

Quant à mes préférences, je suis plutôt du matin et je trouve difficile de travailler de façon efficace après 8 heures du soir quand on est à son bureau depuis 8 heures du matin !

Mais je conçois tout à fait que l'on doive faire face à des imprévus, et je suis capable de m'adapter et de laisser tomber momentanément un dossier pour me consacrer d'urgence à un autre.

59 2nd/3rd job

What is your working method ?

"First of all, I respect the conventions of the country I'm in, and also of course the company planning.

I like to set up - or work by - a precise schedule and respect it!

As for my personal preferences, I work better in the morning and find it difficult to be efficient after 8 p.m. when I start at 8 a.m.!

But I realize that emergencies can come up, and I can adapt to that, drop whatever I am doing to work on the priority of the moment."

TRICKS OF THE TRADE

A bad start !

"I make it my business always to arrive early...
always to leave late..."

A wrong answer : they want you to be there until the work is finished. That's what flexibility is all about !

Be yourself !

This answer is particularly clever. The candidate knows what is expected of him and he confirms that he sticks to this system of values.

He then states his preferences... which it would be difficult not to subscribe to.

60 2e/3e poste

Lors d'une discussion ou d'une négociation, avez-vous déjà rencontré des difficultés dues à une incompréhension entre votre interlocuteur anglo-saxon et vous ?

– Oui. À l'occasion de la campagne de publicité pour la... *(une voiture)*. Et de nos rencontres avec l'agence américaine.

Côté français, nous voulions mettre en avant la carrosserie italienne – le design – et laisser entendre que la voiture allait plus vite que toutes les autres de sa catégorie.

En face de nous, les Américains étaient obsédés par la sécurité que garantissait le modèle, et sa longévité.

Chacun était persuadé que ses arguments feraient mieux vendre le modèle sur son marché.

En fait, tout le monde avait raison... mais nous ne pouvions pas bâtir une campagne cohérente sur des conceptions aussi éloignées les unes des autres.

Nous sommes donc convenus de faire deux campagnes distinctes, correspondant aux deux marchés-cibles !

Pas d'exception à cette règle !

N'oubliez jamais que, pour un autochtone, vous avez l'intelligence et la compétence que reflète votre vocabulaire dans la langue que vous parlez avec lui.

Vous vous exprimez avec 200 mots ou 2 000 ? Dans le dernier cas, vous êtes pour lui dix fois plus intelligent que dans le premier ; les autres critères passant bien après.

Les Anglo-Saxons ne font pas exception à cette règle.

Vraiment pas !

Ces questions d'ordre général ont pour objet de comprendre qui vous êtes. Elles doivent permettre au recruteur de se faire de vous une opinion favorable.

L'entretien se poursuit avec de nouvelles questions destinées à faire réfléchir le candidat à son avenir dans l'entreprise qui l'engage, et à le faire réagir !

En effet, lors d'une expatriation, les deux parties au contrat prennent une énorme responsabilité. L'expatrié coûte très cher à la société qui finance l'opération. Elle ne peut se permettre de le laisser filer au bout de quelques semaines, au moment où il devient rentable.

Quant au candidat, il met en jeu sa carrière et, bien souvent, tout l'équilibre familial.

D'où une batterie de questions qui ont pour objet de connaître sa capacité à répondre aux exigences véritables de l'entreprise qui l'engage. En voici quelques-unes.

60 2nd/3rd job

During a discussion or negotiation, have you ever run into a problem due to a lack of understanding with an Anglo-Saxon party?

"I have. During the advertising campaign for the ... *(car)*. And our meetings with the American agency.

On the French side, we wanted to push [on] the Italian bodywork - the design - and suggest that the car was faster than all others of the same type.

As for the Americans, they were obsessed by the model's safety standards and its long life.

Both parties were convinced their arguments would better sell the car on their market.

In fact, both were right... but we couldn't build a consistent campaign on concepts that were so far apart.

So we agreed on two different campaigns, targeting each market!"

The point of these general questions is to define who you are. Your answers must make a good impression on your interviewer.

He will then go on to further questions tending to make the candidate think about his future in the company and react!

Indeed, a job abroad implies great responsibilities for both parties. It costs the company financing the operation a lot of money, one must therefore ascertain that the candidate will not leave after a short time, just when the operation is becoming profitable.

As for the candidate, his career is at stake, and often his family life as well.

Thus a series of questions to learn more about his aptitude to face the true requirements of the company hiring him. Here are a few typical ones.

TRICKS OF THE TRADE

No exception to this rule !

Never forget that for a native, your level of vocabulary in the language you are speaking with him, reflects your level of intelligence and competence.

Do you express yourself in 200 or 2 000 words ? If with 2 000, then you are for him ten times more intelligent than with 200. Other criteria come much later.

Anglo-Saxons are no exception to this rule.

They really aren't !

61 2e/3e poste

Le poste est donc situé à Hong Kong. Partirez-vous seul(e), ou bien avez-vous un conjoint, des enfants, qui vous accompagneront ?

À ce stade, le recruteur cherche à en savoir un peu plus sur votre vie privée. Êtes-vous célibataire, vives-vous avec quelqu'un d'autre, êtes-vous marié(e) ? Dans ce cas, votre conjoint peut-il quitter son job ? Avez-vous des enfants ? Dans tous les cas, le recruteur cherche à savoir si ce couple, cette famille, est disposé à partir et si son représentant a mesuré tous les enjeux de l'expatriation.

D'où cette première question exploratoire.

Quelle que soit la réponse, on suppose que – à ce stade de l'entretien – le candidat est acquis à l'idée de se déplacer pour une durée longue. Les questions et les réponses touchent donc à l'adhésion du couple ou de la famille, à ce projet qui va bouleverser sa vie.

En effet, c'est lorsque chacun des conjoints réussit dans son poste que la décision de l'un d'eux remet tout l'équilibre familial en question.

Le recruteur veut donc s'assurer que la situation a été étudiée par les deux membres du couple. Il reviendra plusieurs fois à la charge, en disant par exemple :

Les mains dans les poches ?

Toutes les réglementations étrangères sont aussi contraignantes que la nôtre dès qu'il s'agit de protéger les travailleurs du pays où vous vous rendez. Votre conjoint aura peut-être du mal à retrouver du travail, et même à trouver un poste au niveau où il (elle) était dans son pays d'origine.

Avant de partir, informez-vous sur le marché du travail.

62 2e/3e poste

Est-ce quelque chose dont vous avez parlé ensemble et dont vous mesurez toutes les conséquences ?

Pour vous obliger à réfléchir et à vous engager, le recruteur vous posera encore ce type de question :

63 2e/3e poste

Vous allez travailler aux États-Unis pendant trois ans. Si vos résultats se révèlent satisfaisants, il est probable qu'on vous enverra en Asie – en Chine ou au Japon. Serez-vous partant(e) ?

Cette question est, certes, au cœur du recrutement, mais elle vous met au bord d'un gouffre. Elle comporte de multiples réponses possibles. Voilà ce que vous pouvez dire :

– C'est une question tellement importante et nouvelle qu'elle demande que j'en parle longuement à mon conjoint.

Je vous propose que nous nous revoyions ultérieurement à ce sujet [1].

1. C'est une réponse sensée, et pas du tout éliminatoire. Une réponse positive rapide et catégorique serait très inquiétante !

61 2nd/3rd job

So you would be based in Hong Kong. Would you leave alone, or take your family along?

At this point, your interviewer is trying to find out more about your private life. Are you single, married or in a permanent relationship ? If so, can your partner leave his/her job ? Do you have any children ? Whatever the situation, the interviewer is trying to find out whether the family is happy about going abroad. Does the candidate realize what personal problems might arise as a result of this move ?

Hence this preliminary question.

Whatever the answer, it seems obvious that the candidate is ready to spend quite some time abroad, so the question is aimed at the family's reactions for this project which is going to disrupt its life.

It is indeed when one of the partners is successful in his/her job that the choice made by one of them can upset the entire family balance.

The interviewer wants to make sure everything has been discussed and agreed with them. So he will ask more questions, such as :

62 2nd/3rd job

Have you discussed it together and studied all the consequences?

To make sure you have thought things out and are truly committed, the interviewer will also ask you this type of question :

63 2nd/3rd job

You will spend three years working in the United States. If you are successful, you will probably then be sent to Asia - China or Japan. Would you be ready for that?

This is definitely a key question, but a very tricky one. There are many possible answers, for instance :

"This is entirely new to me, and I would certainly like to discuss it with my family.

I suggest we set up another meeting after I've had time to think it out. [1]"

TRICKS OF THE TRADE

Be prepared !

Foreign regulations are just as restricting as ours when it is a matter of protecting the workers in the country to which you are going.

Your other half will perhaps have difficulty in finding another job, especially one at the same level he or she had in the home country. Before leaving you would do well to get some information about the local job market.

1. This is a sensible reply, and not at all damning. On the contrary, the interviewer would be worried by a categorical yes.

64 2e/3e poste

Pour quels motifs principaux voulez-vous vous expatrier ?

– Ma compétence technique, acquise en neuf ans chez Zef, représente, à mon avis, une valeur ajoutée pour la filiale qui m'embauchera.

De mon côté, j'aime bien me dire que je vais en faire profiter les autres.

Autre type de réponse :

– Dans notre secteur, il est important d'avoir une expérience dans ce pays.

Cette expérience me fait défaut.

Travailler dans ce pays me fera acquérir la maturité professionnelle. C'est donc un élément essentiel de ma carrière.

Trop gros l'ego ?

La première réponse est excellente. Elle est réaliste, tournée vers l'entreprise (« une valeur ajoutée »), généreuse (« en faire profiter les autres »).

La seconde est égocentrique. Ce candidat paraît oublier que, pour un employeur, l'entreprise passe avant la carrière d'un cadre !

Quant au mot « carrière »... évitez de l'employer, c'est un mot un peu dépassé qui aujourd'hui sonne creux !

Restez-en à votre expérience ! (et ne parlez pas de votre « expertise », faux ami qui signifie en anglais compétence, expérience...).

65 2e/3e poste

Est-ce que votre conjoint parle anglais ?

Cette question innocente n'a pas pour objet de vous piéger, mais de vous faire prendre conscience que vous pouvez l'un ou l'autre – ou l'un et l'autre – profiter des semaines à venir pour prendre des cours intensifs...

64 2nd/3rd job

What are your main motivations for working abroad?

"I believe that my technical skills, after nine years with Zef, would be added value for the subsidiary hiring me.

I like to think they can be put to good use."

Other possible answer :

"In our business it is important to have worked in that country.

And that's an experience I lack.

Working in that country will enhance my professional qualities, it is therefore a key element of my career."

TRICKS OF THE TRADE

Too full of yourself ?

The first answer is excellent. It is realistic, directed towards the company ("an added value") and generous ("allow others to benefit").

The second is selfcentred. This candidate seems to forget that, for an employer, the company comes before an executive's career !

As for the word "career" try not to use it. It is a rather outmoded term, which today has a hollow sound.

65 2nd/3rd job

Does your wife/husband speak English?

This candid question is not meant as a trap, but implies that one or both of you might gain from a crash course over the next few weeks...

Surtout pas !

De plus en plus souvent, une annonce demande que le candidat appelle par téléphone pour qu'on lui précise la procédure à suivre.

Cet entretien rapide peut aussi permettre de s'assurer que vous répondez bien aux critères de choix qui figurent dans l'annonce, et votre interlocuteur vous encouragera à vous porter candidat... ou non !

Ne vous laissez donc pas surprendre et préparez les éléments clés de votre réponse.

C'est tout !

Pour un 2e/3e poste, une annonce dans un journal anglais mentionne fréquemment que le CV et la lettre doivent être accompagnés des "current salary details". *En clair : le salaire, les primes et avantages divers que vous touchez. Attention ! Il faut les justifier avec précision, ce qui ne vous empêche nullement de demander davantage ! (voir chap. 17).*

66

Que savez-vous de la stratégie mondiale que mène cette société ?

On cherche là à vérifier que le candidat a compris qu'il sera la principale dynamique permettant l'expansion de l'entreprise sur ce marché étranger. Le candidat est-il capable d'avoir une vision macro-économique du projet ?

Voici un type de réponse :

– Il est clair que la société Noroît a fait des États-Unis l'un des marchés essentiels de son développement, et qu'elle pourra se prévaloir, partout ailleurs, de ce qu'elle aura réussi là-bas.

La société est déjà implantée aux USA. Elle réalise l'assainissement des eaux du port de P. (dont l'ingénierie est assurée par une de ses filiales), et elle distribue l'eau de l'île de T. Elle produit même de l'électricité.

Sa stratégie me paraît être de faire connaître son savoir-faire – l'ensemble de ses métiers – aux États fédéraux et aux collectivités locales.

On peut s'en étonner puisque, aux États-Unis, les villes ont pris l'habitude de gérer elles-mêmes leur service d'eau.

C'est que, aujourd'hui, le niveau d'endettement des villes américaines ne leur permet plus de faire face à des investissements de plus en plus lourds.

Elles font donc appel à des sociétés telles que ... *(celle qui vous engage).*

Signer des contrats avec des villes-phares, et procéder à des réalisations exemplaires, sont encore les meilleurs moyens de gagner d'autres marchés et de devenir, aux États-Unis, un opérateur reconnu.

C'est la stratégie de la toile d'araignée, et elle n'est pas réservée aux *"fast food"* !

66 2nd/3rd job

How much do you know about the company's international strategy?

One is trying to find out if the candidate has realized that he/she will be a key element of the company's expansion abroad. Does the candidate have a macro-economic vision of the project?

Possible answer :

"Noroît clearly sees the United States as an essential growth market. What is achieved there will be an asset everywhere else.

The company is already established in the United States. It is in charge of purifying the waters of the port of P. (and the engineering is done by one of its affiliates) and of distributing water to the island of T. It has even gone into producing electricity.

Its strategy seems aimed at showing its know-how - in various fields - to the federal authorities and the local communities.

This might seem unusual, since, in the States, most towns manage water distribution on their own.

Yet today, American towns are so much in debt that they can no longer face ever-increasing investments.

So they use companies such as ... *(the one hiring you).*

Signing contracts with major cities and achieving remarkable work remains one of the best ways of gaining new markets and becoming a knowledgeable operator in the States.

It's the networking strategy, and doesn't only apply to fast foods !"

TRICKS OF THE TRADE

Caught on the hop ?

More and more frequently an advertisement asks a potential candidate to phone the company in order to find out how to proceed.

This brief initial discussion on the phone may also be to make sure that your profile really corresponds to the one stated in the ad, and you will be encouraged to apply for the job... or not !

Don't be caught on the hop and be sure to prepare the key elements of your answer.

Please Sir, may I have some more ?

When you are applying for a second or third job, be warned. The ad often states that the CV and accompanying letter must include current salary details. That is to say, a statement of your salary 'package', bonuses, benefits etc. which must be justified with precise details.

This does not at all prevent you from asking for more (see chapter 17).

15 Une expatriation ? Vous avez les clés pour négocier

N'y comptez pas trop !

Les entreprises prévoient rarement de recaser leurs dizaines de cadres expatriés – fussent-ils supérieurs – au siège, à Paris, Londres ou New York.

Elles ont, parfois, UN poste intéressant à pourvoir au siège, où votre compétence fera merveille. Et pas davantage.

Pensez-y. Ce risque ne fait jamais partie de la description du poste, mais il fait partie du poste.

Comme l'expatriation est un séisme familial, il vaut mieux ne pas la construire sur un faisceau d'illusions. Désormais, les questions et les réponses croisées du recruteur et du candidat sont gouvernées par l'obsession de chacune des parties au contrat, de ne pas prendre un risque inutile et coûteux.

Car expatrier un cadre coûte très cher à l'entreprise.

Aussi celle-ci cherche-t-elle à engager un(e) candidat(e) qui ne se rétractera pas au bout de quelques mois ou quelques années d'activité. Le candidat doit être solide et dynamique.

Mais il, ou elle, est rarement seul(e) à partir. En fait, la plupart du temps, c'est un couple ou une famille que l'entreprise expatrie.

C'est pourquoi, tout au long des entretiens, le recruteur vous pousse à réfléchir et à ne vous engager qu'après avoir bien pesé, en famille, les pour et les contre du déménagement.

L'expatriation, qui est une chance extraordinaire pour l'expatrié, lui fait néanmoins courir des risques. Aussi doit-il négocier ses garanties. Vous trouverez ici les balises de la négociation.

Celle-ci peut durer plusieurs mois ! Nous indiquons ici quelques questions clés qui jalonneront cette phase particulière des discussions. À ce stade, les facettes de votre personnalité comptent davantage que la pertinence ponctuelle d'une « réponse » donnée à une « question ».

C'est pourquoi, aux premières, nous préférons substituer nos commentaires.

L'enjeu est trop grave pour louvoyer. Chacun cherche à savoir s'il peut faire confiance à l'autre et le dialogue permet aux deux parties de vérifier qu'elles adhèrent aux mêmes valeurs – qui sont, bien sûr, multiculturelles.

15 Working abroad : you have the know-how to negociate

Expatriation being something of a family earthquake, it is useless to build on happy illusions. Interviewers' and candidates' questions and answers are today ruled by both parties' determination to avoid taking a useless and expensive risk.

Sending an executive abroad is very expensive for the company.

So the latter is trying to hire a candidate who will not give up after a few months or years of work. Someone strong and dynamic.

But the candidate rarely leaves alone. Most often the company is expatriating a couple or an entire family.

This is why, during the interviews, so many questions are brought up, so that you only commit yourself after having duly weighed, with your family, the pros and cons of the move.

Working abroad is a fabulous opportunity, but it does imply a number of risks. Guarantees must therefore be negotiated. This books outlines the various stages of the negotiation.

It may last several months! We are providing a few key questions that usually come up during this specific phase of the discussion. At this point, the facets of your personality are more important than the particular pertinence of an "answer" to a "question".

This is why we are providing comments rather than answers.

The stakes are too high to beat about the bush. Each party is trying to find out whether he can trust the other, and the dialogue allows both to make sure they support the same values - which are, of course, multicultural.

Don't count on it!

Firms rarely reckon on finding a job again back at head office for their dozens of expat executives, even at very senior level – neither in Paris, London nor New York.

They occasionally provide ONE interesting job at head office, which would be just great for your ability.
But not more than one !

Think about it. This risk is not part of the job description but it is part of the job!

Un témoignage de première main !

La meilleure source de renseignements sur le pays en question : votre prédécesseur, s'il est possible de le rencontrer... Insistez : son avis vaut toutes les études préalables.
Il est introuvable ou il n'existe pas ? Tentez d'interviewer de récents expatriés, des membres d'associations (France – États-Unis...) qui se sont trouvés dans une situation proche de la vôtre.

Comment se passe une négociation lors d'une expatriation ?

Pendant l'entretien, après la description de la société, de son secteur d'activité, de son environnement, de ses concurrents, etc., on vous présente l'organigramme de la société et la place qu'y occupe le poste à pourvoir.

À ce stade, il est important de savoir si ce poste se crée ou s'il s'agit d'un remplacement. Et c'est donc la première question que vous poserez.

Un remplacement ?

Cela signifie que le prédécesseur peut être encore là. C'est la situation idéale, car qui mieux que lui vous indiquera la place particulière qu'occupe le poste à l'intérieur de la société et les mille petits détails de fonctionnement de cette dernière (« Ne passez jamais par Untel, il n'a pas son pareil pour enterrer les dossiers! »)? Qui vous mettra en garde contre X ou Y? Bref, qui vous initiera (« Le chef comptable a 25 ans de maison... il connaît tout... il faut être dans ses petits papiers... »)?

Si le prédécesseur est déjà parti, il faut savoir s'il était apprécié ou non, s'il a fait un bon travail, etc. C'est toujours dur de succéder à une star. Encore plus à l'étranger. (« Est-ce que vous jouez aussi bien au golf que M. Chaumat? Il était classé... » « Est-ce que vous chantez comme M. Chaumat? Ah, quelle voix! », etc.)

Le poste se crée

Dans le cas de la création d'un poste, l'environnement psychologique est bien différent. Tout est nouveau, rien n'est rodé. Il n'y a pas d'historique, pas de chiffres, pas de jurisprudence. Vous serez un pionnier et vous aurez tout à inventer. Mieux vaut l'avoir compris avant de signer...

Viennent ensuite les questions touchant au poste : sa description technique et le profil idéal demandé.

Les qualités requises se décomposent en :

– *"must haves"* - à avoir absolument;
– *"should haves"* - qu'il est préférable d'avoir.

What is the mechanism of a negotiation ?

During the interview, after the description of the company, its activities, its environment, its competitors, etc., you are shown the company's organization chart and where the job to be filled fits in.

At this point, it is important to find out whether the position has just been created or you are replacing someone. It will therefore be your first question.

Am I replacing someone ?

This means your predecessor may still be there. This is the best news possible, because he is the ideal person to tell you more specifically about the job's importance within the company and the numerous small operational details ("Never go through X, or that will be the end of your file!"). Who could better warn you against Y or Z? In one word, he will show you the firm from the inside ("The chief accountant has been here for 25 years... he knows everything... you want to remain in his good books...").

If your predecessor has already left, find out if he was well liked, if he did a good job, etc. It's always tough to come after a star. Even more so in a foreign country. ("Do you play as good a game of golf as Mr. Chaumat? His handicap was... Do you sing too? What a voice Mr. Chaumat had!" etc.)

First-hand information !

The best source of information on the relevant country is your predecessor if you can manage to meet him. Try hard. His opinion is worth more than any other prior research.

If you can't meet him or if he does not exist, try to interview some recent expats, members of associations (France – USA...) who may have found themselves in a similar position to yours.

The position has just been created

If it is a newly created position, the psychological atmosphere is quite different. Eveything is new, nothing has been tested yet. There is no history, no figures, no precedent. You will be a pioneer and have to invent everything. You'd better find out before signing...

Then come the questions concerning the job : its technical description and the ideal profile requested.

The qualities required break down into :

- "musts" - compulsory
- "shoulds" - preferable.

Lorsque tout ce qui concerne le poste vous sera devenu palpable, vous en viendrez à poser la question essentielle :

Qu'est-ce que vous pouvez me dire sur les conditions financières attachées à ce poste ?

Vous avez ouvert la vanne. Et c'est maintenant que vos talents d'organisateur vont faire merveille, car il va vous falloir répertorier et classer tous ces éléments financiers. Ils doivent finir par s'assembler pour former la liste des clauses qui devront figurer avec précision dans votre contrat.

Auparavant, laissez-nous vous faire une recommandation :

Règle d'or n°1 :

Ne mentez jamais sur le montant de votre rémunération.

Dans la plupart des pays francophones, le tabou de l'argent et de la rémunération existe encore. Les Britanniques, et plus encore les Américains et Canadiens, sont beaucoup moins coincés que nous sur le sujet. Ne vous sentez donc pas agressé(e) quand on vous demandera :

Quelle est votre rémunération actuelle ?

Dites la vérité.

Si vous ne le pouvez pas dans l'immédiat, répondez en donnant un ordre de grandeur et commentez :

« Étant donné les primes qui s'ajoutent en fin d'année et les avantages que représentent ceci et cela, je vous confirmerai ces chiffres dans la semaine et je vous apporterai tous les justificatifs… »

Pourquoi ?

Parce que, de toute façon, on va vous demander de justifier vos chiffres. Car dans la culture anglo-saxonne, tout est précis et il faut prouver ce qu'on avance – à commencer par le montant de sa rémunération. Les Anglo-Saxons raisonnent ainsi : « Comment pourrions-nous donner des responsabilités et faire confiance à quelqu'un qui nous mentirait délibérément ?… »

À votre propre question sur les éléments financiers attachés au poste, la réponse du recruteur sera probablement :

« Nous n'avons pas arrêté un budget définitif. Donnez-moi les éléments de votre rémunération actuelle. Les avez-vous apportés ? Sinon, pouvez-vous le faire la prochaine fois ? »

Toute la vérité !

Un candidat avait été engagé par une société américaine. Il avait donc déménagé et se plaisait dans sa nouvelle activité d'expatrié. Il réussissait et donnait entière satisfaction à son employeur qui ne tarissait pas d'éloges sur lui.

Un jour, ce dernier a appris que ce candidat avait « arrondi » le chiffre du salaire réputé EXACT fourni au moment de son engagement.

Il a été sur-le-champ « remercié ».

« Comment pouvons-nous faire confiance à quelqu'un qui… ? » Ça aussi, c'est la culture américaine !

Once you are familiar with everything concerning the job, you will come to the essential question :

And what are the financial conditions?

You have opened the floodgates. And now your organizational qualities are going to be put to work, because you are going to have to index and classify all these financial elements, to make up the list of clauses which must clearly appear in your contract.

Let us first make one recommendation :

Golden rule number one :

Never lie about your present salary.

In most French-speaking countries, money and salary taboos are still very much alive. British people, and even more so Americans and Canadians are much freer on the subject. So don't feel attacked when you are asked :

What is your present salary?

Tell the truth.

If you can't for the moment, quote a gross figure and add :

"I will give you an exact and documented figure by the end of the week, taking into account the end of year bonuses and the this and that benefits."

Why?

Because you are in any case going to have to justify your figures. Anglo-Saxon culture favors precision, and one must prove what one says - beginning with one's salary. The reasoning is the following : "How could we trust someone who has deliberately lied to us, and give him responsabilities? »

To your own question about the financial details of the position, your interviewer will probably answer :

"We don't have a final budget yet. Give me the elements of your present salary. Do you have them with you? Can you bring them next time?"

TRICKS OF THE TRADE

Nothing but the truth!

A certain candidate, having been taken on by an American company, had moved house and was enjoying his new role as an expat. His employer was completely satisfied with him and constantly sang his praises.

One day the latter found out that the candidate had "rounded up" the figure of his so called exact salary, which he had quoted when taken on. He was immediately dismissed.

"How can we trust somebody who…?"

That is the American way of thinking.

Ce qu'il faut négocier

Une fois fourni le montant détaillé de votre rémunération, souvenez-vous que :

1. Tout se négocie, et vous êtes en bonne position pour le faire, d'autant plus si on est venu vous chercher (vous « chasser »).

2. Il ne serait pas habile de vous précipiter pour dire oui, surtout si le poste qu'on vous propose est le « job de votre vie ».

La négociation est commencée.

• Si la société procède à un recrutement externe, il est probable que, après les éliminatoires, vous serez quatre ou cinq candidats bien placés pour obtenir le poste. (Un chasseur de têtes n'en présentera pas plus.)

• Mais si la société a procédé à un recrutement interne, sans appel à l'extérieur, le nombre des candidats sera plus important : ils viennent de plusieurs divisions de la multinationale.

Surtout, leur caractère et leurs compétences sont parfaitement connus de la hiérarchie (ce sont souvent des « vedettes »). Il n'est pas question d'éliminer l'un d'entre eux sans avoir longuement discuté du poste avec lui – ou elle. Un « refus » laisse toujours des traces !

Si vous êtes dans ce cas de figure, les conditions psychologiques du changement de poste sont très différentes de celles d'un recrutement extérieur.

La société et vous-même n'avez plus de secrets l'un pour l'autre ! Autant dire que la marge de manœuvre s'est restreinte des deux côtés.

Quel que soit le type de recrutement, la négociation sera longue et difficile. Avant d'en baliser les points principaux, encore un commentaire :

Votre métier est de faire marcher un département, une division, une entreprise, une usine, etc. Il n'est pas de vous occuper d'expatriation. En outre, vous n'êtes pas forcément un juriste ; et, même si vous l'êtes, peut-être pas un spécialiste du droit social, des droits britannique et américain, et de la fiscalité de votre pays d'origine (matières qui évoluent vite !).

D'où la **règle d'or n° 2** en forme de triptyque :

1. Il n'est pas infamant d'admettre ce qui précède, y compris devant un chasseur de tête ou un recruteur. – Un candidat qu'on recrutait pour ses performances exceptionnelles dans son métier d'hydraulicien a insisté pour que le chasseur de têtes l'aide à comprendre ces domaines bien éloignés de ses compétences. – En revanche, il serait malvenu de vous priver d'un **conseil juridique et fiscal** personnel, (une économie qui peut vous coûter cher !).

Êtes-vous libres à dîner ?

L'entreprise cherche aussi à rencontrer votre conjoint ?

N'en soyez pas surpris(e) ! Dans la mesure où le couple que vous formez représentera à l'étranger la société qui vous embauche, celle-ci préfère connaître votre alter ego.

Choquant parce qu'indiscret ? Peut-être.

Sans conséquence sur le choix futur ? À voir !

What you must negociate

Once you have given the detailed amount of your salary, remember that :

1. Everything can be negotiated, and you are in a good position to do that, all the more so if they contacted you from the outside.

2. It would not be smart to agree too fast, especially if this is the job of your dreams.

The negotiation has begun.

• If the recruiting is done outside the company, you are probably among the four or five short-listed candidates who stand a very good chance of getting the job. (A headhunter won't have more than that interviewed.)

• If the recruitment is internal, with nobody from outside the company competing, there will be more candidates from several departments of the multinational organization.

Also, the management is well aware of their character and skills (they are often "celebrities"). None of them will be eliminated before a long discussion with him or her. A "refusal" always leaves scars!

If this is your case, the psychological conditions of the job change are very different from those that might apply to an outside candidate.

You and the company know each other well. Which leaves less room to maneuver on both sides!

Whatever the type of recruitment, the negotiation will be lengthy and difficult. Before going into the main steps, a last piece of advice :

Your job is to run a department, division, firm, plant, etc. It is not focusing on expatriation. Furthermore, you may not have extensive legal knowledge; and if you do, you may not be a specialist of employment law, British and American law and tax laws of your home country (ever changing!).

So this is the threefold **Golden rule number two** :

1. There is nothing wrong in admitting the above to a head hunter or interviewer. – A candidate who was being appointed for his outstanding performance as an engineer in hydraulics, was adamant that the headhunter should help him understand these matters which were well ouside his own field. – It would however be unwise not to get some information from your personal **legal and tax advisor** (a profitable investment!).

TRICKS OF THE TRADE

Are you both free for dinner?

Is the company also wanting to meet your partner? Don't be surprised.

Inasmuch as you, as a couple, will be representatives abroad of the company taking you on, the said company would prefer to know your other half.

Does this shock you because you find it an invasion of your private life? Perhaps it is.

No influence on the future choice of candidate? Don't be sure!

Pied à pied ?

Vous négociez pied à pied et obtenez gain de cause sur de nombreux points ?
Votre interlocuteur constate que vous êtes un négociateur coriace et vous le fait comprendre.
C'est un compliment : vous montrez ainsi à quel point vous défendrez la société quand vous en ferez partie.

2. Il est probable qu'on va vous proposer les services d'un juriste de l'entreprise. Bon. Acceptez, ce sera un avis de plus, gratuit celui-là. Mais, au service de qui est le juriste de l'entreprise ? Ayez le vôtre. Vous vous sentirez beaucoup mieux.

3. À ce niveau de la négociation, nous sommes dans la dernière ligne droite. Ce conseil juridique et fiscal a pour vocation d'être cité par vous, et de se faire connaître. Tous les candidats font référence à leur conseil. Sur les sujets délicats, vous pouvez même le faire intervenir directement, en votre nom.

Voici un « pour mémoire » de tout ce que vous pouvez négocier. Bien entendu, la liste n'est pas limitative.

Rappelez-vous enfin – c'est la **règle d'or n° 3** – que tout ce qui a été négocié doit, jusque dans les détails, se retrouver dans votre contrat.

Pour mémoire n° 1 : les clauses du contrat

Votre fonction :

- Votre rattachement hiérarchique et votre situation dans l'organigramme *(organization chart).*
- La durée minimale du contrat d'expatriation (minimum requis par l'employeur).
- Le salaire et les primes.
- Le logement, ou l'allocation logement.
- La voiture, ou l'allocation voiture.
- Les assurances :
  - assurance sur la vie,
  - assurance en cas de fermeture de la structure.
- Indemnité en cas de licenciement avant le terme du contrat d'expatriation, indemnité de retour anticipé dans votre pays d'origine.

Les modalités de votre départ

- Le voyage d'exploration (voir plus loin).
- Accès au fiscaliste de votre employeur.
- Gestion de l'appartement ou de la maison que vous quittez. Si vous devez un dédit à votre propriétaire, négocier son paiement par l'employeur.
- Période d'essai à l'étranger (que se passera-t-il exactement si la période d'essai n'est pas concluante, pour vous, pour l'employeur ?) (voir plus loin).

2. You will probably be offered the company's legal advisor's help. Sure, accept it, it will be extra advice, and free. But remember who he's working for. Have your own man, you will feel much more comfortable.

3. At this point of the negotiation, you are running the final straight. You must refer to your legal advisor - all candidates do this. On difficult issues, you can even have him speak for you.

Now a "reminder" of all the things you can negotiate. The list, of course, is not exhaustive.

And remember - **Golden rule number three** - that everything that has been negotiated must appear in your contract, down to the smallest details.

Reminder 1 : the clauses of the contract

Your position :

- Whom you report to and your position in the organization chart.

- The minimum duration of the expatriation contract (the employer's required minimum).
- Salary and bonuses.
- Housing or housing benefit.
- Car or car benefit.
- Insurances :
  - life insurance,
  - guarantees in case the structure closes down.
- Severance payment in case of dismissal before the end of the expatriation contract, allowance for an anticipated return to your home country.

Relocation terms

- The exploratory trip (studied in more detail later).
- Access to your employer's tax advisor.
- Terms of departure from your apartment or house. If you owe your landlord a penalty, negotiate its payment by your employer.
- Trial period abroad (what exactly happens if it proves unsatisfactory for you, for your employer?) (studied in more detail later).

TRICKS OF THE TRADE

Step by step?

You are negotiating step by step and winning on many points? Your interviewer realizes that you are a tough person to deal with and lets you know it. Take it as a compliment!

Your attitude clearly shows you will defend the interests of the company when you are part of it.

AUTANT VOUS LE DIRE !

Les limites de l'épure

De plus en plus de femmes figurent dans la liste restreinte des candidats retenus à l'expatriation. Quel que soit leur souhait d'être traitées à parité avec les hommes, elles ne peuvent ignorer les habitudes et attitudes culturelles qui ont cours dans les pays d'accueil.

Dans certains de ces pays que l'exercice de la diplomatie nous interdit de nommer ici, mais que tout le monde connaît, on refuse simplement d'avoir affaire à une femme à un certain échelon de responsabilité.

Ce sera celle du recruteur de ne pas présenter de candidature féminine si le pays d'accueil n'est pas vraiment... accueillant, pour ne pas courir à un échec certain.

Si vous êtes dans ce cas de figure, il vous le laissera entendre, très tôt dans les entretiens.

- Un billet de retour, pour vous, votre femme, vos enfants, une fois, deux fois par an (ça dépend beaucoup de la distance).
- Avoir préférentiel de souscription des actions de la société : « stock options » *("Equity")*. Y en a-t-il ? (De plus en plus pratiqué à l'étranger.)
- Cours d'anglais avant le départ, pour vous, votre conjoint.
- Prime d'expatriation.
- Coût du déménagement pris en charge par la société.
- Primes sur objectif, ou garanties.
- Salaire payé en F.F., en monnaie locale, dans le pays d'accueil, dans votre pays d'origine, dans un pays tiers, autorisé.
- Possibilité de défiscaliser légalement une partie de votre rémunération, surtout si la société est une multinationale.
- Et, bien sûr, pour faciliter votre retour, vous maintiendrez le contact avec les organismes qui gèrent les impôts et prélèvements suivants. D'où le :

Pour mémoire n° 2

Pendant votre absence :

- Gestion de votre impôt sur le revenu.
- Gestion de vos impôts locaux.
- Gestion de votre impôt sur la fortune.
- Vos relations avec la Sécurité sociale [1].

Le voyage exploratoire en couple

Parmi les éléments que vous allez négocier avec le recruteur ou la société qui vous engage, l'un des plus importants pour le succès de votre déménagement et de votre emménagement *(relocation)* est le voyage exploratoire dans le pays d'accueil, que vous allez faire, en couple, aux frais de votre futur employeur.

Quelle que soit sa durée, ce voyage ne s'apparente en rien à un séjour touristique.

Il a pour objet de vous faire toucher du doigt la réalité du monde dans lequel votre famille et vous allez vivre et travailler quelques années.

Pour la plupart des couples, ce voyage d'exploration commande leur réponse définitive. Les entreprises qui sont habituées à envoyer un cadre à l'étranger pour une durée longue vous le proposeront d'elles-mêmes.

1. Sur ces sujets, vous lirez avec grand profit les deux livres suivants :
– Pierre Bonneval, *Expatriés, non-résidents - Mission à l'étranger - Tout sur vos impôts,* Éditions Maxima/Laurent du Mesnil.
– Ouvrage collectif, *Travail hors de France - Protection sociale,* Éditions Francis Lefebvre.

• A return ticket for yourself, your wife and children once or twice a year (depending on the distance.)

• Right to preferential allotment of company shares *(equity).* Does this exist? (Increasingly common abroad).

• English lessons before your departure for yourself, your wife/husband.

• Expatriation bonus.

• Cost of the move paid for by the company.

• Incentive bonus or guarantees.

• Salary paid in FF, local currency, abroad, in your home country, in another authorized country.

• Possible legal tax exemption of part of your salary, especially in the case of a multinational company.

• To make your return easier, contact must be maintained with the following administrations :

Reminder 2

While you're abroad :

• Management of your income tax.

• Management of your local taxes.

• Management of your wealth tax.

• Liaising with French Social Security.

The couple's exploratory trip

Among the elements you will negotiate with the recruiter or the company hiring you, one of the most important for your relocation is your exploratory trip with your wife/husband in the country you are going to live in - paid for by the company.

Whatever its duration, this is in no way tourist sight-seeing.

The object of the trip is to familiarize you with the world you and your family are going to live in for a few years.

For most couples, this exploratory trip will be decisive. Most companies that are used to sending executives abroad will suggest it.

TRICKS OF THE TRADE

How far can discrimination go?

More and more women are appearing in the short list of candidates for work abroad. However much they may wish to be treated on an equal footing with men, they cannot ignore the customs and cultural beliefs in current use in the host country.

In some of these countries, which diplomacy prevents us from mentioning here, but which are known by everybody, there is an absolute refusal to have dealings with a woman beyond a certain level of authority.

It is up to the recruiting agent not to put forward a female candidate if the country in question is not really welcoming to women in high positions. It would be a pointless exercise.

If you are in this sort of situation, he will make you aware of it very early in the interview.

Ben, voyons !

Parmi les recruteurs et les candidats, on trouve de bonnes âmes qui pensent que trop s'entraîner aux entretiens nuit au naturel.

Pourtant les mêmes personnes paient pour voir des acteurs, entendre des musiciens et regarder des joueurs qui sont tous « merveilleusement naturels ».

Ce naturel-là est fait de 1 % d'inspiration et de 99 % de transpiration.

Le vôtre aussi.

Partir à deux 8 ou 15 jours!.. et laisser les enfants se débrouiller plus ou moins seuls pendant votre absence ? Difficile, pensez-vous – pourtant, il le faut.

Parce que, précisément, le déménagement engage toute la famille, et que la vision de votre conjoint ne sera pas forcément la vôtre.

L'affaire est trop grave pour prendre la décision sans en avoir exploré tous les aspects.

Car, et c'est **la règle d'or n° 4 :**

Vous ne pouvez pas vous passer d'un avis complémentaire, celui de votre conjoint, qui sera probablement appelé à quitter son propre poste pour vous suivre, et devra, comme vous, se faire à un tout autre genre de vie, sans se montrer, peut-être, aussi enthousiaste à l'idée de partir quelques années !

Et puis, seul(e), on ne peut tout prévoir... En pensant à deux, non seulement on pense mieux, mais on pense différemment. Et ce genre d'aventure est exactement ce qu'il est bon de partager, non ?

Quant à votre futur employeur, votre expatriation représente pour lui un investissement lourd puisque, sur place, vous lui coûterez environ 2,2 à 2,5 fois plus que votre prix dans votre pays d'origine.

C'est dire si tous les facteurs qui concourent à la réussite de votre implantation doivent être soigneusement étudiés.

En voici quelques-uns !

Les 21 questions que se posent, à deux, les couples expatriés :

- Où allons-nous habiter ?
- À quelle distance serons-nous de notre lieu de travail ?
- Mon conjoint peut-il travailler sur place ?
- Habiterons-nous une maison ? un appartement ?
- Avec un jardin, ou non ?
- Quelle est l'atmosphère du quartier ?
- Y-a-t-il un lycée français, une école française ? À quelle distance ?
- Quels sont les moyens de transport que les enfants peuvent prendre ? privés, publics ?
- Quels sont les temps de transport ? (Aux États-Unis une heure de trajet pour se rendre à son travail – 2 heures par jour, donc – est courant.)
- Magasins, commerces de proximité ? Possibilité de livraisons à domicile ?

A one or two-week trip with your wife/husband is not going to be easy to manage, you'll say. What about the children while you are away? Yet you must make this trip.

Precisely because your whole family is concerned by the move, and your wife/husband's vision may differ from yours.

It is too serious a matter to make a decision without having explored its every aspect.

For, and it is golden rule number four :

You need your wife/husband's agreement as she/he will probably have to resign from her/his own job to go with you, and also get used to a completely new life; she/he may not share your enthusiasm about living several years abroad!

Also, it is difficult to foresee everything alone... Together, your thinking will be better and different. And it is quite an adventure to share!

As for your employer-to-be, he is heavily investing in you, since abroad you will cost him 2.2 to 2.5 times more than in your home country.

So every facet of a successful relocation must be carefully studied.

Here are some of these elements.

The 21 questions an expatriated couple must ask themselves :

- Where will we live?
- How far from work?
- Can my wife/husband get a job?
- Will we live in a house? An apartment?
- With a garden?
- What is the neighborhood like?
- Is there a French lycée or school? How far?
- Will the children use private or public transportation? What is transportation like ?
- How long does it take to commute? (In the States, one hour each way is quite common.)
- Shops and shopping centers? Are deliveries possible?

TRICKS OF THE TRADE

Er, let's see!

Amongst the interviewers and the candidates, one finds some simple souls who believe that too much preparation and practice for interviews stops you from being spontaneous.

Yet these same people will pay to see actors, hear musicians and watch players who are all "wonderfully spontaneous".

But this spontaneity is made up of 1% inspiration and 99% perspiration.

So is yours.

Oh, pardon !

Souvent les francophones s'excusent de parler « salaire », prétendant que ce n'est qu'un détail...

Le sujet est abordé sans problème en Grande-Bretagne, et davantage encore aux États-Unis, par le recruteur ou par le candidat.

Dans les pays anglo-saxons, parler d'argent n'est pas un tabou. Les seules questions à se poser sont : quand va-t-on parler salaire et qui va en parler ?

- Y-a-t-il des voisins ? Sont-ils avenants, indifférents, hostiles ?
- Y a-t-il un hôpital, des médecins proches, quelle est leur réputation ?
- La pharmacie est-elle à proximité, éloignée ?
- Comment les soins médicaux sont-ils pris en charge ?
- Cadre de vie : « verdure », campagne ? Club sportif ?
- Activités culturelles possibles ? Bibliothèque, expositions, danse, cinéma, théâtre ? Cours pour adultes... université... librairies ?
- La maison/l'appartement pourra-t-il contenir les meubles de la famille ?
- La société qui recrute paiera-t-elle le déménagement ?
- Lieu de culte, église, monastère, mission... ?
- Activités bénévoles possibles ?
- Importance de la représentation francophone sur place : ambassade, consulat, légation, services culturels, Alliance française, librairie de langue française, bibliothèque de langue française. Représentants belges, suisses, africains.

(La liste n'est pas limitative...)

Le cas difficile de la période d'essai

Une période d'essai de plusieurs mois, voire une période d'essai renouvelable, est l'usage en matière d'expatriation.

D'autant plus que vous entrez dans une nouvelle société !

La période d'essai est une clause du contrat particulièrement difficile à négocier, parce que, bien souvent, chaque partie campe sur ses positions, quand elle n'en fait pas une question « qui ne se négocie pas ».

La période d'essai peut vous donner la possibilité de partir de vous-même, si vous vous apercevez que vous vous êtes fourvoyé(e). En cela, elle est aussi faite pour vous, et la société qui l'insère au contrat ne manquera pas de vous le rappeler.

Par ailleurs, si vous partez, tout le processus de recherche est à recommencer et l'entreprise perd beaucoup d'argent. C'est clair, la société qui vous engage n'a pas intérêt à ce que vous la quittiez.

Néanmoins, si vous le faites pendant la période d'essai, la société ne vous versera aucune indemnité si vous laissez votre employeur rédiger cette clause.

Pendant la période d'essai, vous vivez en zone de risque. En effet, cette période peut être dangereuse pour vous dans la mesure où les personnes qui vous ont engagé(e), et qui ont misé sur vous, ne sont pas à l'abri d'une modification radicale de leurs attributions, – ou même d'un départ ! – pendant votre période d'essai !

• Are there neighbors? Are they friendly, indifferent, hostile?
• Is there a hospital, a doctor, with a good reputation, nearby?
• Is the pharmacy close?
• How is medical care financed?
• Environment : "green", countryside? Sports club?
• Cultural activities available? Library, exhibitions, ballet, movies, theater? Classes for adults... university... bookstores?
• Will your furniture fit in your new home?

• Will the company pay for the move?
• Temples, churches, monasteries, mission?
• Possible community work?
• Local French representation : embassy, consulate, legation, cultural center, *Alliance française,* French bookstore. Belgian, Swiss, African representatives?

(The list is not exhaustive...)

The difficult case of the trial period

A trial period of several months or even a renewable trial period is a common clause of expatriation contracts.

After all, you are working for a new company!

The trial period is a particularly difficult clause of the contract to negotiate, because each party often sticks to its positions, or it is a "non negotiable" issue.

The trial period may allow you to resign if you realize you have made a mistake. So it is also beneficial to you - something the company hiring you will be sure to point out.

But should you decide to leave, someone else will have to be hired, which will be very expensive for the company. So clearly the company's advantage lies in your staying on.

However, if you leave during the trial period, the company won't owe you severance pay, if such is the clause of the contract.

During the trial period, you are at risk. It can indeed be dangerous for you insofar as those who hired you and decided to invest in you may change jobs or even leave the company during that time!

Oh, sorry!

French speakers are often apologetic about mentioning "salary", claiming that it is only an unimportant detail...

The subject is easily approached in Great Britain and even more so in the United States either by the interviewer or the candidate.

In Anglo-Saxon countries talking money is not taboo. The only consideration is who will bring the subject up and at what point.

Et si le capital de la société qui vous a engagé(e) changeait de main pendant votre période d'essai, les nouveaux propriétaires seraient-ils disposés à maintenir l'investissement lourd que représente le poste pour lequel vous avez été recruté(e) ?

L'imagination des professionnels des fusions-acquisitions n'a pas de limite, et nul ne peut prévoir ce qui va se passer dans la maison mère.

Votre position peut donc devenir précaire pour des raisons qui n'ont rien à voir avec la qualité de votre travail.

À ce constat s'ajoutent la défiance que la société paraît soudain manifester au candidat, au moment même où elle l'embauche et, pour celui-ci, la crainte de se retrouver sur le marché du travail sans aucun « parachute ».

On peut donc se demander s'il est justifié de ne pas couvrir ces risques dès le premier jour de l'entrée dans la société.

En tout cas, l'avocat du candidat aux 13 années d'expérience avait, dans son esprit, résolu la question à l'avantage de son client, lorsqu'il interpellait ainsi la société qui espérait engager son client avec une période d'essai :

– Vous vous foutez de ma gueule ?

Comment ça se prononce ?

hierarchy se prononce ah ie rar ki (4 syllabes) i court.

horizon (i diph.)

to vary se prononce vai ri (i court)

theoretically : the o rai ti cally (6 syllabes)

amphitheatre : amphitheatre (e se prononce i court.)

subsidy : sub'sidi (= subvention)

En anglais les “h” sont toujours expirés.

And should the company's capital change hands during your trial period, the new owners may not want to take over the heavy investment of the job you were hired for.

The imagination of mergers and acquisitions specialists has no limit, and nobody can be sure of what is going to happen in the mother company.

Your position can therefore be jeopardized by issues that have nothing to do with the quality of your work.

Furthermore, the company may suddenly mistrust the newly hired candidate, and the latter will fear being fired without any kind of "parachute".

So it might be quite justifiable to cover such risks from the start.

And certainly the lawyer of the candidate who had 13 years experience was protecting his client's best interests when he answered the company, who was suggesting a trial period :

- You must be bloody joking!

TRICKS OF THE TRADE

Putting forward claims?

Claim *signifie :*

1. prétendre, 2. réclamer, 3. revendiquer.

He claims he never received this letter = *Il prétend ne jamais avoir reçu cette lettre.*

(Et surtout pas « il clame », qui signifie hurler, manifester en termes violents!)

He claims his due = *Il réclame son dû.*

Nobody claimed responsibility for the attack = *Personne n'a revendiqué l'attentat.*

16 Déjeuner de travail à l'usine Sirocco

Trois ans après leur lancement, les tracteurs de jardin Sirocco sont devenus la coqueluche des jardiniers du dimanche. Ils sont en passe de prendre la première place du marché des tondeuses à gazon haut de gamme.

De quoi remettre sur pied un constructeur de tracteurs agricoles dont les parts de marché n'ont cessé de s'effriter depuis deux ans.

Car celui-ci a eu le flair, trois ans plus tôt, de prendre position dans un domaine proche du sien, où son savoir-faire a bientôt fait merveille.

À partir de septembre 1996, cette société anglaise dont le siège est à Londres, les bureaux à Paris et Francfort et l'usine à Orléans, a recherché son nouveau directeur de marketing pour l'Europe.

Huit mois plus tard, deux candidats restent en lice. L'un est français, l'autre, belge.

Le PDG de Sirocco, un Anglais du nom de Philip Gordon, *tient beaucoup à ce que son équipe de direction garde sa cohésion interne qui fait sa force.*

C'est pourquoi, avant de prendre sa décision, il a souhaité qu'elle lui donne son avis sur les candidats, et il a organisé une visite de l'usine d'Orléans suivie d'un déjeuner de travail à la cafétéria.

Vous vous appelez Étienne Constant *et vous êtes l'un de ces deux candidats.*

Ce lundi 7 avril 1997, l'équipe dirigeante de Sirocco se retrouve à 1 heure. Il manque le directeur commercial Christopher Underwood, retenu à Londres par un rendez-vous majeur. Autour de la table sont réunis :
– le directeur de l'usine, Hubert Rouillé, *un Français que vous rencontrez pour la première fois ;*
– le directeur « produits », Gérard Houtten, *un Hollandais que vous rencontrez aussi pour la première fois ;*
– Philip Gordon, *qui vous a déjà reçu deux fois.*

Faut-il préciser que ces trois cadres dirigeants rencontreront votre concurrent quelques jours plus tard, et dans le même lieu ; à moins qu'ils l'aient déjà fait !

Tout ça !

Quatre personnes sont autour de cette table. À vous d'entrer dans leurs personnages et d'être capable de jouer – successivement – les quatre rôles. C'est beaucoup de travail.

Mais il est très payant !

16 Working lunch at the Sirocco plant

Three years after their launch, Sirocco garden tractors have become the amateur gardeners' craze. They are about to become the leading up market lawnmowers.

Enough to restore the business of a farm-tractor manufacturer whose market share had been steadily crumbling for the past two years.

Indeed, three years earlier, he was astute enough to move to a field close to his own in which his expertise was soon to work wonders.

In September 1996, Sirocco, an English company headquartered in London, with offices in Paris and Frankfurt and a plant in Orleans, started searching for its new European Marketing Manager.

Eight months later, two candidates had been short-listed. One is French, the other Belgian.

Sirocco's CEO, an Englishman by the name of Philip Gordon, *very much wanted his management team to maintain the internal consistency that had so far made its strength.*

This is why, before making his decision, he chose to see the candidates for himself and organized a tour of the Orleans plant, followed by a working lunch at the cafeteria.

Your name is Étienne Constant, *and you are one of the two candidates invited to tour the plant.*

On Monday April 7, 1997, Sirocco's management team meets at 1:00 p.m. The one missing manager is Christopher Underwood (Sales), who had to stay in London for a major meeting. Around the table are :
- Hubert Rouillé, *Plant Manager, a Frenchman you haven't met yet ;*
- Gérard Houtten, *Product Manager, a Dutchman you are also meeting for the first time ;*
- Philip Gordon, *whom you have already met.*

Needless to say, these three senior officers will meet your competitor in few days, in the same place ; unless they already have !

TRICKS OF THE TRADE

All that !

There are four people at the table. You must be able to get into their shoes and act the four parts in turn. It's a lot of work, but worthwhile !

Le président et le directeur « produits » habitent Paris ; le directeur de l'usine réside à Orléans. La conversation se déroule indifféremment en anglais et en français.

Une fois à table, et après quelques minutes de propos anodins, le président s'adresse au directeur « produits ».

Philip Gordon : – Gérard, pouvez-vous brosser à Étienne Constant un tableau de notre activité en 1996 ?

Gérard Houtten *(s'adressant à Étienne Constant)* **:** – Comme vous le savez, nous sommes les troisièmes constructeurs de tracteurs dans le monde.

Et désormais les seconds, talonnant les premiers, pour le marché des mini-tracteurs.

L'année 96 a été très contrastée. Nous devons faire face à des situations très différentes selon nos gammes.

En effet, en Europe, les tracteurs traditionnels perdent du terrain chaque année – si je puis dire ! – chez nous comme chez nos concurrents. Les mini, eux s'envolent et 96 a été une grande année : + 36 % en véhicules vendus, par rapport à 1995.

Étienne Constant : – Pardon de vous interrompre... mais en dehors de Massey Fergusson, de Renault et de Fiat, avez-vous d'autres gros concurrents ?

Gérard Houtten : – L'Allemand Seiler est très présent, surtout en Europe du Nord et de l'Est. Bon. Je commence donc par les tracteurs agricoles, notre métier d'origine.

Le marché, dans son ensemble, est déprimé. En Europe, la politique agricole et la jachère qu'elle a engendrée limitent la surface des terres cultivables et les possibilités d'extension.

Bien sûr, cela ne pousse pas les agriculteurs à renouveler leur matériel ! *(Se tournant vers Étienne Constant :)* En outre, les premiers tracteurs sud-coréens, rustiques, mais peu coûteux, sont arrivés sur le marché. Ils en ont pris 8 % dès la première année. Chez nous, le C.A. de cette branche a plongé de 6 % !

Quant à notre part de marché, autant que nous puissions le savoir, elle est tombée de plus de 26 % en 1995 à 23 % en 1996 !

Dans cette gamme, tous les modèles affichent des scores de recul. Certains d'entre eux ont aujourd'hui dix ans d'âge, ce qui n'arrange rien.

Dites-moi tout !

Dans un déjeuner de travail, où il faut vous mettre en valeur, vous devez poser des questions pertinentes. Mais vous aurez toujours l'impression d'avoir très peu parlé.

En fait, l'attention que vous manifestez à chacun des intervenants est aussi importante que les mots que vous dites.

The President and the Product Manager live in Paris; the Plant Manager lives in Orleans. The conversation switches back and forth from English to French.

Once everyone has been seated, and after a few minutes of small talk, the President asks the Product Manager :

Philip Gordon : Gérard, can you give Étienne Constant an outline of our activities in 1996?

Gérard Houtten : As you know, we are the number three tractor manufacturer in the world.

Actually, we are now number two, close behind the leader, on the mini-tractor market.

1996 had its ups and downs. The situation is very different depending on the range considered.

On one hand, in Europe, traditional tractors have consistently been losing ground both for us and our competitors. But the minis are booming, and 96 was a great year : sales went up 36 % as compared to 1995.

Étienne Constant : Sorry for interrupting… but, apart from Massey Fergusson, Renault and Fiat, do you have any other major competitors?

Gérard Houtten : Seiler, the German, is very prominent, especially in the North and East of Europe. So I'll start with farm tractors, our original business.

On the whole, the market is slack. In Europe, the Common Agricultural Policy, and the ensuing set-aside, have limited the amount of cultivated land as well as extension possibilities.

That naturally doesn't encourage farmers to renew their equipment! *(Turning towards Étienne Constant :)* Furthermore, the first South Korean tractors, unsophisticated but cheap, have hit the market. They took an 8 % share just in the first year. Our revenues for that department dropped by 6 %.

As for our market share, as far as we know, it went from over 26 % in 1995 to 23 % in 1996!

All the models of the range are on the decline. Some of them are now ten years old, which doesn't help.

TRICKS OF THE TRADE

Tell me everything !

During a working lunch, where you must be at your best, you will have to ask relevant questions. But you will always feel you said very little.

Actually, the attention you show every other person is as important as what you say.

Les modèles anciens qui jusqu'à présent avaient fait bonne figure et, très amortis, contribuaient à nourrir notre marge bénéficiaire, se sont effondrés en 96.

C'est pourquoi, au début de l'année, le président et le conseil d'administration ont pris la décision de mettre en route la nouvelle gamme, et surtout de sortir en 24 mois le remplaçant de notre glorieux GMH...

Philip Gordon : – Gérard, je vais vous relayer et vous donner mon point de vue sur ces chiffres, ce qui vous permettra de faire honneur à votre salade de tomates. *(À Étienne Constant :)* La situation est certes préoccupante, mais elle n'est nullement désespérée.

En effet, depuis qu'on a mis en œuvre la PAC (Politique Agricole Commune), la surface en jachère ne cesse de se réduire. Nous allons bientôt retrouver les surfaces cultivables d'avant 1992.

Quant à nos clients, ils sont dans l'ensemble fidèles à notre marque, et plus encore à notre réseau de concessionnaires. (Ce sont les jeunes exploitants, très endettés qui ont acheté les tracteurs coréens, 25 % moins chers que les nôtres, à performance égale.)

Ils nous suivront si nos nouveaux tracteurs arrivent sur le marché à un prix inférieur à celui des anciens modèles. C'est le but que nous nous sommes fixé.

C'est pourquoi nous allons bientôt engager un directeur à l'international dont la mission sera de développer nos ventes sur les marchés nouveaux qui naissent dans les « pays émergents ».

Enfin, Gérard Houtten rappelait tout à l'heure le succès que rencontrent un peu partout nos mini-tracteurs.

En Angleterre, notamment, où les Anglais se sont pris d'affection pour leur ligne; mais aussi en Italie du nord, en France et en Allemagne!

(Se tournant à nouveau vers Étienne Constant :) Je vous ai exposé que nous avions pris, il y a quatre ans, la décision de ne pas laisser aux... *(ton légèrement méprisant)* fabricants de tondeuses le marché colossal des tracteurs de jardin.

Car il n'était pas trop difficile pour nos ingénieurs d'adapter nos monoculteurs aux gazons, pour ne pas faire mentir l'adage : « Qui peut le plus, peut le moins. »

Cette idée n'était pas de moi, je n'en suis que plus à l'aise pour vous dire que c'était une idée de génie! Elle nous permet aujourd'hui de rendre relatif l'échec momentané des tracteurs agricoles.

Où est l'accent tonique ?

eavesdropping (*ea* se prononce i) = écouter de façon indiscrète (écouter aux portes) ;

to loathe (*oa* se prononce o) = détester ;
trite = banal (i diph.) ;
asylum (y se prononce i diph.) = asile ;

granite (i court) ;

cemetery (trois syllabes) sai-me-tri (i court).

(à suivre)

The old models, which had so far been doing well, and that were well amortized, used to contribute to our profit margin, but they plummeted in 1996.

That's why, at the beginning of the year, our President and Board decided to launch the new range, and above all to get the replacement for our glorious GMH off the ground in under 24 months…

Philip Gordon : Gérard, let me take over and give you my point of view on these figures, so you can enjoy your tomato salad. *(Bending slightly towards Étienne Constant :)* The situation is certainly disturbing, but far from desesperate.

Indeed, since the CAP (Common Agricultural Policy) has been implemented, fallow areas have been steadily decreasing. We shall soon be back to the amount of land cultivated before 1992.

As for our clients, they are generally faithful to our brand, and even more so to our retail network. (The young, overextended farmers, are the ones who have been buying the Korean tractors, which are 25 % cheaper than ours for a similar performance.)

They will rally to us if our new tractors come on the market for less than the old models. This is the target we have set ourselves.

This is why we are planning to hire an International Manager, whose mission will be to develop our sales on the new markets appearing in "emerging countries".

Also, Gérard Houtten was underlining earlier how popular our mini-tractors are everywhere.

Especially in England, where the English have fallen in love with our range; but also in northern Italy, in France and in Germany!

(Turning once more towards Étienne Constant:) I explained to you that, four years ago, we had decided not to let… *(slightly contemptuous tone)* lawnmower manufacturers take over the tremendous garden tractor market.

And it certainly wasn't very difficult for our engineers to adapt our real tractors to lawns - as the saying goes : "Who can do more can do less."

It wasn't my idea, so I feel quite free to say it was a brilliant one! It has allowed us to ease the relative failure of our farm tractors today.

TRICKS OF THE TRADE

Où est l'accent tonique ? (suite)

democratic ;

area (se prononce é-ri-a) ;

geologist (se prononce dji-o-logist) ;

arabic ;

hypocritical (trois i courts) ;

cartoonist = dessinateur humoristique.

(à suivre)

Où est l'accent tonique ? (suite)

police se prononce plice ;
animosity (trois i courts) ;
liberty (deux i courts) ;
diplomatic (deux i courts) ;
contributor (un i court) ;
promise (un i court) ;
(à suivre)

En effet, pour la première fois depuis leur lancement, les mini-tracteurs ont crevé le seuil de rentabilité.

Nous en avons vendu 36 000 contre 19 000 environ en 95 et 10 600 en 94 ! – alors que nos prévisions étaient de 25 000.

(Le président s'interrompt un instant et Étienne Constant en profite...)

Étienne Constant : – Puis-je me permettre de vous interrompre, pour vérifier si j'ai bien compris l'essentiel et vous poser une ou deux questions ?

Philip Gordon : – Je vous en prie, allez-y !

Étienne Constant : – Vous êtes devant deux situations opposées.

L'une : accélérer la production de la nouvelle gamme de tracteurs, c'est-à-dire comprimer les temps de production tout en abaissant les coûts de fabrication.

Tout cela, pour vendre à un « prix d'appel » – comme dit la grande distribution – et porter un coup d'arrêt à la concurrence asiatique.

L'autre : répondre à la demande d'un nouveau public propriétaire de résidences secondaires et non pas d'exploitations agricoles. Donc plus citadin qu'agriculteur. C'est bien cela ?

Philip Gordon : – Vous avez vu juste. Comme je sais que notre ami Hubert Rouillé s'est passionné pour cette question, qui n'est pas officiellement de sa compétence (vous rencontrerez Underwood, le directeur commercial, la semaine prochaine, à Londres), nous allons le laisser vous dire ce qu'il en est !

Hubert Rouillé *(sur un ton amusé, en se tournant vers Étienne Constant)* **:** – Vous allez vite découvrir que nous sommes conduits à une certaine polyvalence !

(Redevenu sérieux) Au début, il n'était pas question de court-circuiter notre réseau traditionnel : il ne nous l'aurait pas pardonné !

Il a donc fallu qu'on explique à la nouvelle clientèle où acheter ces mini... tout comme nous nous sommes efforcés de former nos concessionnaires pour qu'ils s'ajustent à une clientèle un peu différente, composée d'un tiers de femmes ; ce qui était très nouveau pour eux !

Mais aujourd'hui, il devient évident que nous devons AUSSI vendre sur les lieux où se tient la concurrence – les fameuses tondeuses à gazon haut de gamme ! – c'est-à-dire chez les professionnels du bricolage et de l'outillage de jardin !

For the first time since they were launched, mini-tractors have gone way beyond break even point.

We sold 36,000 of them, against some 19,000 in 95 and 10,600 in 94! - whereas we had projected 25,000.

(The President stops for a minute and Étienne Constant takes the opportunity to ask...)

Étienne Constant : May I interrupt you to make sure I have fully understood, and ask you a couple of questions?

Philip Gordon : Please go ahead!

Étienne Constant : You are facing two opposite situations.

On one hand, accelerate the production of the new range of tractors, which means compressing production time while lowering manufacturing costs.

All this to sell at what mass distribution calls "loss-leader price" and halt Asian competition.

On the other hand, answer the needs of a new market of country-home owners rather than farmers. Which means city rather than country people. Am I right?

Philip Gordon : You've got the picture. As I know our friend Hubert Rouillé is very interested by this question, which is not officially his field (you will meet our Sales Manager, Underwood, in London next week) let him give us his point of view!

Hubert Rouillé *(amused, turning towards Étienne Constant)* **:** You'll soon discover we're having to become more versatile!

(Serious again) At first, we certainly weren't planning to short-circuit our traditional network : they would never have forgiven us!

So we had to tell our new customers where to buy the minis... while training our dealers to adjust to a slightly different group of customers, one third of which were women; this was entirely new to them!

But it has now become obvious that we must ALSO sell on our competitors' grounds those up-market lawn mowers we were talking about! - which means through do-it-yourself and garden tool retailers!

TRICKS OF THE TRADE

Où est l'accent tonique ? (suite)

regional (i court) ;
delivery (deux i courts) ;
diverted (i diph.) = détourné, dérivé ;
profitable (i court) ;
diversity (i diph. et deux i courts) ;
ideals (i court, e comme i court, prononcez en 3 syllabes).

(à suivre)

AUTANT VOUS LE DIRE !

Où est l'accent tonique ? (suite)

politics = la politique ;

I was seized = j'ai été saisi(e) (ei se prononce i court) ;

supremacy (e se prononce é) ;

ideology (i diph. puis i court) ;

interference (e se prononce i court).

(à suivre)

Philip Gordon *(qui a fini de se battre avec son aile de poulet)* **:** – C'est vrai que nous faisons le grand écart entre deux gammes bien différentes en termes de marketing.

D'ailleurs, Hubert passe aujourd'hui des journées à adapter à la production des tracteurs de jardin, un outillage industriel et des robots qui ont été programmés pour produire des véhicules cinq fois plus lourds !

Ce sera, effectivement, une des premières tâches du prochain directeur du marketing *(petit signe de la tête vers Étienne Constant)* de concevoir une politique de vente à deux réseaux bien différents, sans qu'on se mette à dos celui de nos revendeurs traditionnels !

Pour vous dévoiler le fond de ma pensée : je pense qu'il va y avoir un peu de casse, et qu'à l'arrivée ce sera, comme toujours, le plus fort qui aura gagné…

Étienne Constant *(très intéressé)* **:** – Je ne suis pas sûr de vous comprendre…

Philip Gordon : Ne rêvons pas ! Ce serait trop beau que cette double distribution se fasse dans la plus parfaite sérénité. Il y a trop d'argent en jeu.

(Insistant) Nous voulons que la clientèle naturelle de nos véhicules les trouve là où elle a l'habitude d'aller.

Les agriculteurs seront fidèles à nos concessionnaires, avec qui ils entretiennent des relations de génération en génération depuis des dizaines d'années ! Des relations très personnelles ! Les concessionnaires resteront leurs fournisseurs traditionnels. C'est pourquoi il faut qu'ils aient en démonstration toute la gamme Sirocco, tracteurs de jardin compris.

Les citadins, eux, doivent trouver les mini-tracteurs dans les [magasins à] grandes surfaces. Et ceux-ci doivent être incités à pousser la marque qui, on le sait aujourd'hui, plaît à cette clientèle.

Maintenant, si par malheur ces deux types de revendeurs sont voisins dans une zone industrielle, comme c'est le cas à Périgueux, il y aura forcément des tensions. Nous essaierons de les régler, cas par cas. Ce qui importe, en revanche, c'est d'harmoniser les conditions commerciales des mêmes matériels dans les deux réseaux en ne favorisant pas, de façon choquante, l'un au détriment de l'autre.

(Se tournant vers Étienne Constant :) Si vous devez prendre le dossier en main, il faudra faire preuve de prudence lorsqu'on en arrivera à la politique du crédit.

Philip Gordon *(who has finished battling with his chicken wing)* **:** It is true we are split between two very different ranges as far as marketing goes.

And Hubert is actually spending a lot of time on adapting to garden tractor production tooling and robots which were designed for vehicles five times as heavy!

So one of our new Marketing Manager's first tasks *(nodding at Étienne Constant)* will be to set up a sales policy involving two very different networks, without turning our traditional dealers against us!

I'll tell you what I think deep down : there's going to be some rough stuff, but in the end, as always, the strongest guy will win…

Étienne Constant *(fascinated)* **:** I'm not sure I'm with you there…

Philip Gordon : We've got to be realistic! There's no way this dual distribution can take place in total harmony. There's too much money involved.

(Insistent) We want our natural customers to find the vehicles where they usually do.

The farmers will stay with our dealers they have known for generations, for decades! They have built very personal relationships! These dealers will remain their traditional suppliers. This is why they must be able to display the entire Sirocco range, including garden tractors.

As for the city people, they must find mini-tractors in shopping malls. And the latter must be encouraged to promote the brand which, as we now know, is popular with these customers.

But if unfortunately both types of dealers have adjoining shops in the plaza, as is the case in Périgueux, it will necessarily create tension. We shall try to solve problems individually. However it is important that the sales conditions of the same equipment in the two networks should not excessively favor one rather than the other.

(Turning towards Étienne Constant :) If you are the one in charge of this, you will have to be careful when it comes to credit policies.

TRICKS OF THE TRADE

Où est l'accent tonique ? (suite)

historical (deux i courts) ;
obligingly (i diph.) ;
liberalization (premier i court, second i diph.) ;
to liberalize (premier i court, deuxième i diph.) ;
survival (i diph.) ;
grimy = sale, encrassé (i diph.).

(à suivre)

AUTANT VOUS LE DIRE !

Où est l'accent tonique ? (suite)

I am smitten = je suis frappé(e) (i court) ;

menial = subalterne (e se prononce i court) ;

a series = une série, une suite, une collection (ie se prononce i court) ;

adviser (i diph.) = conseiller ;

diversity (un i diph. et deux i courts) ;

financial, finance (i diph.).

(à suivre)

Nous consulterons en premier lieu la Banque des Agriculteurs qui fait ce métier depuis 30 ans ! Car en matière de crédit, les habitudes des citadins et celles des ruraux ne sont pas les mêmes.

Les premiers veulent des crédits courts, les seconds s'endettent pour beaucoup plus longtemps…

(Le déjeuner arrive à sa fin.)

Étienne Constant : – En fait, pour les agriculteurs, vous devez renouveler la gamme en deux ans et renouer avec les bénéfices dans cette activité.

Pour les citadins, une clientèle plus volatile et moins attachée à votre marque, vous devez créer un nouveau réseau, sans vous mettre à dos votre réseau traditionnel à qui vous avez envoyé cette nouvelle clientèle et à qui vous allez maintenant la retirer ! Ça m'intéressera d'en parler avec M. Underwood !

Philip Gordon *(pose sa serviette sur la table et se lève. Tout le monde fait la même chose. Puis, avec un sourire à Étienne Constant)* **:** – Je crois que vous le rencontrerez bientôt !

We shall first talk to the Banque des Agriculteurs, who have been in this business for 30 years! For, as far as credit is concerned, city and country people don't have the same habits.

The former want short-term credit, the latter get indebted for much longer…

(Lunch is coming to an end.)

Étienne Constant : In fact, for the farmers, you've got to renew the range within two years and make the business profitable again.

As for city people, who are more fleeting customers, less addicted to your brand, you've got to set up a new network without putting off your traditional network which is going to be losing these new customers you had previously sent them ! I'm looking forward to discussing this with Mr. Underwood!

Philip Gordon *(puts his napkin on the table and stands up. They all follow suit. Then, smiling at Étienne Constant)* **:** I think you'll be meeting him quite soon!

TRICKS OF THE TRADE

Où est l'accent tonique ? (suite)

coherence (e se prononce i court) ;

chaos (a se prononce é, os comme un os) ;

conglomerate

palace

confer.
To confer a degree = remettre un diplôme ;

archives (i diph. ; *ch* se prononce k.)

Attention !
circuit se prononce sœur-kett.

(fin)

Qui est le mieux armé ?

Les deux protagonistes n'ont pas une grande marge de manœuvre. D'où leur tension réciproque, perceptible dès les premiers mots...

D. Cooper ne peut laisser l'entreprise sans un responsable de la logistique. Il a probablement une « roue de secours », mais c'est Claude Rivière qu'il veut engager : elle peut prendre le poste en main du jour au lendemain. En revanche, le budget de Simoun n'est pas élastique.

Son atout : le désir bien légitime de Claude Rivière de retrouver un job au plus vite !

Claude Rivière prend un risque : elle travaille pour la première fois avec des Britanniques, et le changement de culture ne se fait pas à son avantage. En outre, elle devra déménager.

Le fait que le chasseur de tête lui ait laissé entendre qu'elle était la première de la liste est une carte maîtresse ; alors que son manque d'habitude dans la négociation joue contre elle.

* Pour la commodité de la lecture, les commentaires concernant le recruteur sont placés en italiques dans le texte.
Ceux qui ont trait au comportement de la candidate figurent dans les « Tricks of the trade ».

17 Vous savez discuter votre salaire en anglais

Après avoir passé cinq ans chez Ouragan une société de transport international basée à Rouen où elle était responsable de la logistique, Claude Rivière a été licenciée pour raisons économiques, Ouragan ayant déposé son bilan.

Âgée de 35 ans, Claude Rivière, qui s'est forgé une excellente réputation dans son secteur d'activité, gagnait 35 000 francs bruts par mois, sans autres avantages.

Quatre mois plus tard, ayant répondu à une annonce dans Le Journal du transport, *elle a passé avec succès divers entretiens – tous en anglais – pour entrer chez Simoun Ltd, une entreprise britannique de transport dont le siège est à Portsmouth et qui possède une antenne à Lyon.*

On lui propose les fonctions qu'elle occupait précédemment chez Ouragan, au sein d'une entreprise de bonne réputation en GB, mais récemment installée en France (Lyon).

Claude Rivière souhaite vivement retrouver un poste dans ses cordes. Elle connaît Simoun. Toutefois, elle est consciente de prendre un risque en entrant dans une société qui n'est présente sur le continent que depuis trois ans.

Ce matin-là, avant d'entrer dans le bureau du directeur des ressources humaines, qu'elle a déjà rencontré (un Anglais, du nom de David Cooper), elle sait deux choses :

- *l'objet de l'entretien est la négociation de son salaire avec ce dernier,*
- *si elle se met d'accord avec D. Cooper, elle sera engagée aussitôt : elle est le candidat le mieux placé, ce que le chasseur de têtes lui a laissé entendre.*

Nous sommes un mardi.

D. Cooper : – Claude, que voulez-vous gagner ?

*(D. Cooper sait ce que la candidate gagnait auparavant, car au cours des précédents entretiens, elle a eu à présenter plusieurs de ses anciennes fiches de paie.)**

17 You can negotiate your salary in English

After working for five years for Ouragan, an international transportation company based in Rouen, where she was in charge of logistics, Claude Rivière was laid off, Ouragan having filed for bankruptcy.

Claude Rivière, 35, who has built an excellent reputation in her field, had a gross salary of 35,000 FF per month, without other benefits.

Four months later, having answered an ad in Le Journal du transport, *she has had several successful interviews - all in English - with Simoun Ltd, a British transportation company headquartered in Portsmouth with a subsidiary in Lyons.*

She has been offered the post she held previously at Ouragan by this well-known British company which has just set up an office in France (Lyons).

Claude Rivière very much wishes to find a job that suits her. She knows Simoun. However, she realizes there is a risk in working for a company that has only been on the continent for three years.

On that particular Tuesday, before entering the office of the Director of Human Resources, whom she has already met, she is aware of two things :

- *the object of the meeting is to negotiate her salary with him,*
- *if she can reach an agreement with D. Cooper, she will immediately be hired : the head hunter has implied that she is the best placed candidate.*

Tuesday

D. Cooper : Claude, how much do you expect to make?

(D. Cooper knows how much the candidate earned previously, as she was asked to show several former pay slips during the first interviews.) *

TRICKS OF THE TRADE

Who has the upper hand?

Neither of the protagonists has much room to maneuver. Thus the tension which can be felt from the start on both sides…

D. Cooper can't leave the company without a logistics manager. He probably has a "second choice", but C. Rivière is the one he wants to hire. She can take over immediately. However Simoun's budget is tight.

His asset : C. Rivirère's quite legitimate desire to find a new job as soon as possible!

C. Rivière is taking a risk : she will be working with British people for the first time, and the cultural change is not to her advantage. Furthermore, she will have to relocate.

The fact that the head hunter implied she was on top of the list is a trump card, but she is not used to negotiating, which works against her.

* To make reading easier, the comments concerning the recruiter are italicized. Those concerning the candidate are in the «Tricks of the trade».

Claude : – Je n'envisage pas de rejoindre une nouvelle société pour moins de ce que je gagnais avant [1]. Mais, vous avez sans doute une proposition à me faire [2] ?

D. Cooper *(avec le sourire)* **:** – Je vous ai demandé un ordre de grandeur. Je sais très bien ce vous gagniez dans votre précédent poste.

(D. Cooper a remis le dialogue sur ses rails... tout en jouant son jeu qui est de ne pas encore lâcher un chiffre qui l'engagerait trop tôt.)

Claude *(qui a compris)* **:** – Je souhaite gagner 40 000 francs bruts, par mois [3].

D. Cooper *(sans trop se mouiller, car il sent qu'il n'a déjà plus beaucoup de marge de négociation. En même temps, il souhaite engager Claude car il connaît sa compétence)* **:** – C'est un salaire important pour ce poste par rapport à la grille de la maison. Mais nous sommes prêts à envisager un « package » comprenant :

- le salaire de base ;
- une prime liée à la performance ;
- et d'autres avantages...

(Le recruteur va avoir du mal à payer un salaire de base aussi important. C'est pourquoi il cherche à l'étaler et parle « d'autres avantages », en se gardant pour l'instant de les nommer.)

Claude : – Je ne comprends pas ce que vous voulez dire. Mais je suis tout à fait d'accord pour étudier avec vous une rémunération comportant un avantage fiscal. Vous pensez sans doute à une voiture de fonction ?

D. Cooper *(pensant que, s'il accorde une voiture de fonction, il pourra maintenir un salaire de base plus raisonnable)* **:** – En effet, certains de nos cadres bénéficient de cet avantage. Mais... pour ce qui est du salaire de base, nous n'allons pas pouvoir vous donner 40 000 francs bruts par mois.

Claude : – J'attache de l'importance à la voiture de fonction. Je suis prête à discuter avec vous du salaire de base.

D. Cooper *(Il veut réduire le salaire de base et va proposer une prime garantie – ce qui est bon pour le salarié – mais payable au terme d'une première année – ce qui est bon pour l'entreprise.)* **:** – Nous envisageons de vous proposer un salaire fixe, comparable à celui que vous aviez auparavant. Nous vous allouerons une voiture de fonction neuve, assurances et entretien payés par nous.

1. On attend de vous que vous soyez concret et que vous donniez un chiffre de préférence à une estimation. Ne citez jamais de fourchette, si vous ne voulez pas recevoir le montant le plus bas de la fourchette...

2. Soyez franc(he). Ne jouez pas au plus malin : répondez à la question posée.

3. C'est une augmentation de 20 % par rapport à l'ancien salaire ; importante donc, mais elle reste raisonnable.

Claude : I do not plan to join a new company to make less than before [1]. But you probably have an offer to make [2]?

D. Cooper *(smiling)* **:** I meant a rough amount. I know perfectly well how much you used to earn.

(D. Cooper has put the conversation back on the rails... while pursuing his game, which is not to come up yet with a figure that would commit him too soon.)

Claude *(well aware)* **:** I would like a gross salary of 40,000 FF per month [3].

D. Cooper *(without committing himself too much, as he knows he now has little room for negotiation. At the same time, he wants to hire Claude, because he knows how competent she is)* **:** That's a large salary for this post, given the company policy. But we are ready to consider a "package" including :

- your basic salary;
- a performance bonus;
- various other benefits...

(The recruiter is going to have a hard time paying such a large basic salary. This is why he is trying to spread it out and talks about "other benefits", which he still refrains from detailing.)

Claude : I don't understand what you mean by that. I am perfectly willing to study with you a salary including a tax benefit. You are probably referring to a company car?

D. Cooper *(believing that by agreeing to a company car he will be able to maintain a more reasonable basic salary)* **:** It is indeed a benefit granted to some of our executives. But, as for the basic salary, there is no way we can pay you 40,000 FF net per month.

Claude : I am interested in a company car. I am ready to review the basic salary with you.

D. Cooper *(He wants to reduce the basic salary and is going to suggest a guaranteed bonus - a good thing for the employee - but payable at the end of the first year - which is good for the company.)* **:** We were going to offer a fixed salary, comparable to the one you had before. You will have a brand new company car and we'll pay for insurance and maintenance.

TRICKS OF THE TRADE

1. You are expected to be clear and give a figure rather than an estimation. Never give a bracket, or you'll get the lowest figure quoted.

2. What are you offering ? Be frank, don't play games : answer the question.

3. This is 20 % more than her previous salary ; a big, yet reasonable raise.

D'autre part, vous aurez accès à notre politique de primes qui peut aller jusqu'à 30 % du salaire de base, et que vous toucherez au bout d'un an. Enfin, nous avons le plaisir de prendre à notre charge votre déménagement[4] de Rouen[5] à Lyon[6].

Claude : – Qu'est-ce que vous entendez par « salaire comparable » ?

D. Cooper : – Nous envisageons de vous payer un salaire fixe de 36 000 francs bruts par mois, auquel nous ajoutons une prime garantie pour la première année de 50 000 francs, que vous toucherez un an après votre entrée dans l'entreprise[7].

Claude : – Sur cette base-là[8], je vous donne mon accord. Compte tenu de mon ancienneté dans le métier, j'imagine qu'il n'y a pas de période d'essai.

(David Cooper est ennuyé car, en Angleterre, la période d'essai est moins institutionnalisée qu'en France et qu'il a négligé d'en parler…)

D. Cooper : – Comme vous le savez, la convention collective en vigueur dans notre secteur prévoit une période d'essai de trois mois. Cela vous convient-il ?

Claude : – Cela fait treize ans que je travaille dans le transport… Peut-on s'entendre plutôt sur une période d'un mois[9] ?

D. Cooper : – Bon ! Coupons la poire en deux. Vis-à-vis de ma hiérarchie, je ne peux pas vous proposer moins que six semaines…

Claude : – Entendu, j'accepte.

Je suppose que vous allez m'envoyer un contrat récapitulant notre conversation.

D. Cooper : – Vous le recevrez chez vous, à Rouen, d'ici quarante-huit heures. Quand pouvez-vous commencer ? Nous sommes mardi *(il réfléchit)*. Voyons… pouvez-vous commencer lundi prochain[10] ?

Claude : – Je serai là, lundi matin à 8 heures. L'heure vous convient-elle[11] ?

D. Cooper *(avec un grand sourire)* **:** – 8 h 30 suffisent. Rendez-vous dans mon bureau donc. Eh bien, laissez-moi vous souhaiter la bienvenue chez nous. *(Il lui donne une solide poignée de main !)*

AUTANT VOUS LE DIRE !

4. Le déménagement coûte environ 25 000 francs.

5. Notez les différences de style entre le français un peu cérémonieux (« nous avons le plaisir de… »), car cette prise en charge est exceptionnelle en France – et l'anglais, bon enfant, ("and of course, we…"*) car en Grande-Bretagne cet usage est courant.*

6. Claude est agréablement surprise car elle a déjà fait faire des devis de déménagement… mais elle n'en laisse rien paraître pour l'instant ; d'autant plus qu'elle se focalise sur le salaire de base.

7. Tout ceci doit se retrouver dans le contrat.

8. Claude a calculé qu'elle arrive à 40 000 francs/mois bruts à l'issue de la première année, qu'elle a obtenu une voiture de fonction (± 50 000 francs/an) et que le déménagement, 25 000 francs, lui est « offert ». Elle trouve le « package » très satisfaisant.

9. La longueur de la période d'essai peut parfaitement se négocier. Claude ne l'ignore pas. Elle fait ce qu'elle peut pour raccourcir ce délai. Ça marche!

10. Claude a noté le caractère quasi comminatoire de la question, puisque D. Cooper pose la question et y répond lui-même ! Elle aurait préféré avoir quelques jours supplémentaires pour préparer son déménagement ; toutefois, elle sent qu'elle a obtenu le maximum et ne doit plus discuter.

11. Entre mardi et samedi, Claude aura reçu le contrat et devra l'avoir fait contrôler par un avocat à elle. Il est vraisemblable qu'elle le signera lundi, une fois que D. Cooper aura tenu compte de ses éventuelles remarques.

And you'll also be eligible to the company's bonus pool, which can be up to 30 % of the basic salary, paid at the end of the year. And of course we'll pay for your moving expenses[4] from Rouen[5] to Lyons[6].

Claude : What do you mean by "comparable" ?

D. Cooper : We would pay you a fixed salary of 36,000 FF per month, to which we would add a guaranteed bonus of 50,000 FF for the first year, which will be paid at the end of your first year with the company[7].

Claude : I can agree on that basis[8]. Given my expertise, I expect there will be no trial period.

(This bothers David Cooper : in England, the trial period is less of an institution than in France, and he forgot to mention it...)

D. Cooper : As you know, our sector's collective agreement provides for a three month trial period. Does that suit you ?

Claude : I've been in transportation for thirteen years... Could we agree on one month[9] ?

D. Cooper All right, let's meet halfway. My management would never let me offer anything under six weeks...

Claude : That's fine, I accept.

I suppose you are going to send me a contract summarizing our conversation.

D. Cooper : You will receive it at your Rouen address within the next two days. When do you plan to start? We are Tuesday (he thinks)... Let's see... could you start next Monday[10]?

Claude : I'll be there, Monday morning, 8 o'clock. Is that a good time for you[11]?

D. Cooper *(with a big smile)* **:** 8:30 will be fine. Come to my office. Well, welcome to the company! *(He shakes her hand warmly.)*

TRICKS OF THE TRADE

4. The move will cost about 25,000 FF.

5. Note the more formal French style ("we will be happy to...") as paying for the move is most unusual in France - and the more informal English tone ("And of course we'll...") as this is a current practice in the UK.

6. Claude is pleasantly surprised as she already has invoices for the move... but refrains from saying so; especially since she is focusing on the basic salary.

7. All this must be stated in the contract.

8. Claude has calculated she will be making 40,000 FF net/month by the end of the first year, she has obtained a company car (50,000 FF/year), and the move is "free". She finds the package very satisfactory.

9. The length of the trial period can perfectly well be negotiated. Claude is aware of this. She does her best to shorten the period. It works !

10. Claude knows the question hardly needs answering, since D. Cooper answers it himself! She would have preferred to have a few extra days to prepare her move; however she feels she has obtained a maximum and mustn't argue any further.

11. Between Tuesday and Saturday, Claude will have received the contract and will have had to have it overseen by her lawyer. She will probably sign it on Monday, once D. Cooper has included her possible comments.

18 Vous mobilisez dans l'instant les mots qui sauvent

Ces mots ont souvent d'autres sens. Nous indiquons ici celui qui est le plus souvent utilisé dans le cadre professionnel.

A

ability : aptitude, capacité (à)
academic record : formation, diplômes
account for (to) : expliquer
account manager : chef de publicité, directeur de clientèle, directeur de compte(s)
accountancy : comptabilité
accountant : comptable
accounting : comptabilité
accounting (analytical –) : comptabilité analytique
accounts : comptabilité
accurate : exact
achieve (to) : réussir
achievement : résultat, réalisation, réussite, succès
acquire (to – a skill) : acquérir une compétence, une capacité
acquisition (company) : rachat (de sociétés)
act (to – as/for) : agir
acumen : perspicacité
adaptative : sachant s'adapter
additional : supplémentaire
address (to) : face (faire – à)
administration services manager : directeur de l'administration des services
administrative assistant : assistant(e) administratif (-ve)
advancement : promotion
advertised position : poste décrit
advertisement : annonce (petite)
advertising : publicité
advertising agency : publicité (agence de)
advice : conseil
advise (to) : conseiller, v. tr.
aerospace (industry) : aérospatiale (secteur)
afford (to) : moyens (avoir les – de)
after-sale service : service après-vente (SAV)
agenda : ordre du jour
agreement : accord
agricultural engineer : ingénieur agro / agri, – agronome
ahead of schedule : avance (en)
aim for (to) : aspirer à
alleged : prétendu
alternatively : en alternative
amount : montant
analyse (to) : analyser
analysis : analyse
analytical : analytique
anticipate (to) : anticiper, prévoir
appeal (to) : plaire à
appealing : attirant
applicable : pertinent, approprié
applicant (to) : candidat (à)
application form : dossier de candidature
application letter : lettre de candidature
applications engineering : ingénierie d'applications
applied mechanics : mécanique appliquée
applied modern languages : langues étrangères appliquées
applied research : recherche appliquée
apply (to – for a job) : poser sa candidature
appoint (to) : nommer (à un poste)
appointee : candidat retenu
appointment : rendez-vous, nomination (à un poste)
appointments clerk, assistant : carrières (chargé de gestion de –)
appraisal : estimation – évaluation
appraise (to) : évaluer – estimer
apprentice : apprenti
architect : architecte
area manager : directeur régional
argue with (to) : disputer (se)
argument : dispute
arrange for (to) : nécessaire (faire le – pour que)
articulate : expression (à l'– aisée)
as of : compter (à – du)
assess (to) : évaluer
assessment : évaluation
asset : atout
assignment : mission
assist in (to) : aider (à)
assistant : assistant(e)
assistant to the general manager : adjoint au directeur général
assistant to the President : directeur général
associate : associé (n.m.)

assuming : supposant (en – que)
attached : ci-joint
attend (to – a course) : suivre (un cours)
attend (to) : assister à
attorney : avocat
attractive : attirant
attribute : caractéristique
audit (to) : auditer
auditing firm : audit (cabinet d'–)
authority : autorité
automotive component supplier : équipementier automobile
automotive industry : automobile (secteur)
availability : disponibilité
available on.../in... : disponible le.../sous.../en...
avert (to) : éviter
avionics : avionique
award : prix
award (to) : conférer
awarded (to be –) : recevoir
aware : conscient (de)
aware (to be well – of / that) : courant (être au –)

B

bachelor diploma : maîtrise, licence
back up (to) : soutenir
backlog : retard
balance : solde
balance (on –) : réflexion (à la –), somme toute
balance sheet : bilan
balanced : équilibré
bankrupt : faillite (en)
bankruptcy : faillite
barrister : avocat
based : basé
basic : élémentaire, de base
behalf (on – of) : nom (au – de)
belong (to) : partie (faire – de)
benefit : avantage
beverages : boissons
bid : enchère, offre
bilingual : langue, bilingue
biochemistry : biochimie
block letters : majuscules – capitales
board (of directors) : conseil d'administration
bond : obligation
bonus : prime
bookkeeper : employé administratif/ comptable
bookkeeping : comptabilité
boost (to) : relancer
born : date de naissance
branch : succursale
branch manager : chef d'agence – directeur de succursale
brand : marque
brand manager : chef de marque
breakdown : panne
bright : brillant
bring up date (to) : moderniser
broadcasting : radiodiffusion
broaden (to) : élargir
broker : courtier
budget analyst : analyste budgétaire
build (to) : construire
building industry : construction
building site : chantier (de construction)
bulk (in –) : gros (en)
business : secteur, affaires
business acumen : sens des affaires
business lawyer : juriste d'affaires
business school : école de commerce
business trip : voyage d'affaires
busy : occupé
buy-out (company) : rachat (de sociétés)
buyer : acheteur
buying : achats
by-product : sous-produit

C

call up (to) : appeler au téléphone
capacity (industrial) : capacité de production
car allowance : frais de déplacement
career : carrière
career development : carrière (développement de –)
career development prospect : carrière (perspective de)
career evolution : carrière (évolution de –)
career history : expérience professionnelle
career objective / goal : carrière, objectif de –
career plans / planning : carrière, plan de –
carrier : transporteur
carry out (to) : effectuer
carry out research upon (to) : recherche (faire de la – sur)
carry responsibilities (to) : comporter des responsabilités
cash collection : recouvrement
cash flow : trésorerie
catch a chance (to) : occasion (cueillir une –)
catch up with (to) : rattraper
catering : restauration collective
cause (to) : entraîner
cautious : prudent
centralise (to) : centraliser
certified public accountant : expert-comptable
chair (to) : présider
chairperson / president : PDG, président directeur général
challenge : défi
charge of (in –) : chargé de
chart : tableau
chartered accountant : expert-comptable
cheap : bon marché
check (to) : vérifier
chemical engineer : ingénieur chimiste
chemicals : chimie (secteur)
chemist : chimiste, pharmacien
chemistry : chimie (science)
chief accountant : chef comptable
chief engineer : directeur technique
Chief Executive Officer : directeur général

chief maintenance engineer : ingénieur d'entretien, ingénieur de maintenance
choice : choix
circulation manager : directeur de la diffusion
citizenship : nationalité
civil engineeer : ingénieur en génie civil / travaux publics
civil engineering : travaux publics
civil servant : fonctionnaire
civil service : fonction publique
clarify (to) : déterminer, éclaircir
clerk : employé
client : client
closing (month-end –) : clôture mensuelle
clothing & textiles industry : textile (secteur)
cohabitation : concubinage, vie maritale
collaborate (to) : collaborer
colleague : collègue
collect (to) : recouvrer
collection : encaissement
college : université
combine (to) : combiner (deux choses différentes)
command : maîtrise
commercial lending : crédits commerciaux
commission (to) : passer commande (de)
commissioning : mise en service
commit oneself (to) : engager (s'– à)
commitment : engagement
committee : jury
commodity : marchandise
company : société
company car : voiture de fonction
company lawyer : juriste d'entreprise
company location : lieu de travail
company secretary : secrétaire général
comparative study : étude comparative
comparison : comparaison
compensate (to) : indemniser
compensation : indemnité
competence : expertise
competition : concurrence
competitive : concurrentiel
compile (to) : rédiger
complete (to) : compléter
completion date : terminé le...
comply with (to) : se conformer à
component : composant, n.m.
comprehensive : complet
comptroller : contrôleur
compulsory : obligatoire
computer : ordinateur
computer literacy : aisance avec l'ordinateur
computer operator : opérateur (-trice) de saisie
computer science : informatique
computer scientist : informaticien
computerized : informatisé
conceive (to) : concevoir
conclude (to) : conclure
conduct (to) : mener
conduct a survey (to) : étude (faire une –)
confidentiality : confidentialité
connect (to) : relier
consider (to) : examiner
construction industry : bâtiment et travaux publics (BTP)
consultancy : conseil
consultant : consultant – conseil
consulting : conseil
consumer : consommateur
consumer goods : biens de grande consommation
consumer protection : protection des consommateurs
contractor : sous-traitant
contractual : contractuel
contribute (to) : contribuer
contribution : contribution
control (to) : contrôler
controller : contrôleur
convert (to) : convertir
convey (to) : transmettre (une idée, un sentiment, etc.)
cook : cuisinier
coordinate (to) : coordonner
copywriter : concepteur-rédacteur
core departments : services généraux
corporate : groupe (du –), société (de la –)
corporate name : raison sociale
corporate secretary : secrétaire général
corporate strategy : stratégie d'entreprise
corporation : groupe
correct (to) : corriger
cosmetics : cosmétique
cost control manager : contrôleur financier
counsel (to) : conseiller, v. tr.
counsellor : conseiller, n.m.
counterpart : homologue
courier : coursier
covering letter : lettre de motivation
creativity : créativité
credit and collection manager : directeur du recouvrement
criterion (a) : critère(s)
currency : devise, monnaie
current : actuel
customer : client
customer services manager : directeur du service après-vente (SAV)
customer support manager : ingénieur de soutien après-vente
cut down / back (to) : réduire
cut out for the job : fait pour le poste
cutback : réduction
CV / resume (chronological) : CV chronologique
CV / resume (functional) : CV de compétences

D

damage : dégât
damages (in law) : dommages et intérêts

data : données
date (to) : jour (à ce –)
date of birth : date de naissance
dates of employment : dates d'emploi
day-to-day operations : routine (opérations de)
dead end : impasse
debt : dette
decentralise (to) : décentraliser
decide (to) : décider de
decision maker : décideur, décisionnaire
decision making : prise de décision
decisive : décisif
decrease (to) : diminuer
dedicated to : dévoué à
dedication : motivation
deem (to) : estimer
deepen (to) : approfondir
defer (to) : différer
deferment : report
define (to) : définir
degree (college) : diplôme
delegate (to) : déléguer
demonstrate (to) : preuve (faire – de)
demote (to) : rétrograder
department : service
department manager : directeur de département
dependable : fiable
dependants : personnes à charge
dependent children : enfants à charge
deposit bank : banque de dépôt
depreciation : amortissement
deputy : adjoint
deputy general manager : directeur général adjoint
derivatives markets : marchés des valeurs à terme
design (to) : concevoir
design and engineering consultancy : bureau d'études et d'ingéniérie
design engineer : ingénieur d'études, – de conception, projeteur
design engineering : étude de conception
determine (to) : déterminer
develop (to) : développer
development engineer : ingénieur de développement
development manager : directeur du développement
devise (to) : concevoir
diploma : diplôme
direct (to) : ordonner
direct marketing : marketing direct
Director, Administration : directeur administratif
Director, Finance : directeur financier
Director, Marketing : directeur marketing
Director, Production : directeur de la production
Director, Research & Development : directeur de la recherche et du développement
disability : handicap
discussed (to be –) : débattre (à –), négocier (à –)
dismiss (to) : congédier, renvoyer
dispute : conflit
dissertation : mémoire (universitaire)
distance learning : cours par correspondance
distribution manager : directeur de l'administration des ventes et de la logistique
divorced : divorcé(e)
doctorate : doctorat
dole : allocations chômage
domestic : intérieur, national
double : double
double (to) : doubler
downmarket : gamme (bas de –)
downsize (to) : réduire les effectifs
downsizing : réduction(s) d'effectifs
downward trend : tendance à la baisse
draft (project) : avant-projet
draft contract : projet de contrat
drawback : inconvénient
drilling engineer : ingénieur de forages
drilling rig (offshore, oil) : plate-forme (pétrolière)
drive : motivation
dual nationality : double nationalité
duties : responsabilités, attributions (d'un poste), fonctions (dans un poste), obligations (que comporte un poste)
duty : obligation
dye : teinture
dynamic : dynamique

E

e-mail : courrier électronique
eager : impatient
eagerness : motivation
early : avance (en)
earmark (to) : affecter
earn a degree from (to) : obtenir un diplôme
earnings : gains
ecology : écologie
economic : économique
economical : économique, bon marché
economics : économie
economist : économiste
economy : économie
edge (on the leading – of) : pointe (à la – de)
edit (to) : corriger – éditer
editing : édition
editor : éditeur
education : formation
efficiency : efficacité, rendement
efficient : efficace
electrical engineer : ingénieur électricien
electronics : électronique
eliminate (to) : éliminer
emergency : urgence

emphasis (to emphasize) : accent (mettre l'– sur)
employment contract : contrat de travail
enclosed : ci-joint
end (in the –) : au bout du compte
end (to) : terminer
energy : énergie
enforce (to) : respecter (faire –)
engineer : technicien
engineer (to) : usiner – fabriquer
engineer : civil / road / highway : ingénieur des ponts et chaussées
engineering : génie, ingéniérie
engineering consultant : ingénieur-conseil
engineering trainee : ingénieur stagiaire
enhance (to) : améliorer
ensure (to) : assurer (s'– de)
entail (to) : entraîner, comporter, impliquer
entertainment : spectacle (secteur)
enthused : enthousiasmé
enthusiasm : enthousiasme
entitled (to be –) : avoir droit (à)
entrepreneurial : qui a l'esprit d'entreprise
environmentally-friendly : écologique
equipment : matériel
essentials : essentiels (points –)
estimate : estimation
ethical (adj.) : éthique
ethics (n.) : éthique
evaluate (to) : évaluer
evening classes : cours du soir
evidence : preuve
executive : cadre
exhaustive : exhaustif
expand (to) : étendre
expenses : frais
experienced : expérimenté
expertise : connaissance(s)
explain (to) : expliquer
export : exportation
Export (sales) manager : directeur commercial export
extensive : exhaustif

F

facility : infrastructure
factoring : affacturage
factual : factuel
failure : échec
family man : père de famille
fashion : mode
fault : faute
favorably : favorablement, positivement
feasibility study : étude de faisabilité
feature : particularité, caractéristique
fee : honoraire
feedback : information(s) en retour
fellowship : bourse de recherche
fidelity (improving customer) : fidélisation (de clientèle)
field : terrain
field engineer : arpenteur, ingénieur de travaux
fieldwork : terrain (travail sur le –)
figure : chiffre
file : dossier
fill in a form (to) : remplir un questionnaire, un imprimé
final : définitif
finance : finance(s)
financial : financier
financial analysis : analyse financière
financial controller : contrôleur de gestion
financial management : gestion financière
financial mangement skills : compétences financières
financial markets : marchés financiers
fire (to) : renvoyer
firm : société
first name, forename : prénom
fit (to) : convenir
fix (to) : arranger
flexibility : flexibilité
flexible : souple
flexible (time) : variable (temps)
flowchart : organigramme
FMCG – fast moving consumer goods : biens de grande consommation, biens à rotation rapide
follow-up : suivi
follow-up letter : lettre de relance
following : suite à
food processing industry : agro-alimentaire (secteur)
force majeure : force majeure
forecast : prévision
forecast (to) : prévoir
foreign language : langue étrangère
foreman : contremaître
form : classe (scolaire ou universitaire)
formal : formel
formation : constitution (de quelque chose)
formulate (to) : formuler
forward payment : acompte (n.m.), – avance, n.f.
freight : fret
fringe benefits : avantages en nature
front desk employee : hôtesse d'accueil
fulfil (to) : accomplir
full name : nom, prénom
full-time (job) : temps plein (emploi à)
fundamental research : recherche pure
furniture industry : mobilier (secteur)
further to : suite à

G

gain access (to)   accéder à
general (in –) : général (en)
generate (to) : générer
genius : génie
geotechnical engineer : ingénieur en géotechnique
get along with (to) : entendre (s'– avec)
get the hang of (to) : attraper le tour de main

get things done (to) : faire les choses
glass industry : verre (secteur)
globalisation : mondialisation
go bankrupt (to) : faillite (faire)
go by (time) (to) : écouler (s'– temps)
go through (a bad patch) (to) : traverser (une mauvaise période)
goal : objectif
goods : marchandises
grade : grade, catégorie, échelon, classe (scolaire ou universitaire) – note (universitaire ou scolaire)
grade point average : moyenne (scolaire)
graduate (to) : obtenir le diplôme
grant : bourse (scolaire / universitaire), aide, subvention
Green : Vert, écologiste
green card : permis de travail
gross : brut
growth : croissance
guarantee (to) : garantir

H

hand over (a file, a position) (to) : remettre (un dossier, un poste)
handle a situation (to) : face (faire – à une situation)
handling : manutention
hands-on : tas (sur le –)
handwritten : manuscrit
hard-working : assidu
hardware : matériel informatique
have (all) the qualifications for (to) : qualifié (être –) pour
have a good command of (to) : maîtriser
have a position with a company (to) : occuper un poste dans une société
have a working command of (to) : opérationnel (être – en)
have an argument with (to) : disputer (se)
head (to) : diriger (une société)
head office : siège social
health care industry : santé (secteur)
held back (to be –) : redoubler
help (to) : aider
high school : lycée
high school diploma : baccalauréat
high tech : haute technologie (de)
high technology : haute technologie
Higher Leaving Certificate : baccalauréat
highlight (to) : mettre en exergue
hire (to) : employer, embaucher, engager
history : histoire
home address : adresse personnelle
Home manager (sales) : directeur commercial (France)
home number : téléphone personnel (numéro de)
honours : mention (universitaire ou scolaire)
hotel management : gestion hôtelière
hours (working, opening) : horaire (de travail, d'ouverture, etc.)
human resources : ressources humaines
hydraulics engineer : ingénieur hydraulicien

I

idea (a fair –) : idée (une – assez claire)
illness : maladie
implement (to) : respecter, mettre en œuvre, appliquer
implementation : mise en œuvre
import(s) : importation
impress (to) : impressionner
improve (to) : améliorer
improvement : amélioration
in the wrong (to be –) : tort (être en –)
in-depth : approfondi
incentive : incitation
include (to) : joindre
income : revenu
increase : hausse
increase (to) : augmenter
indebtment : endettement
inducement : encouragement
industrial drawing : dessin industriel
industrial engineer (operations engineer) : ingénieur d'exploitation
industrial engineer (production engineer) : ingénieur de production
industrial engineering : organisation industrielle
industrial marketing : marketing industriel
industrial park : zone industrielle
industrial products : produits industriels
industry : secteur, industrie
information : information(s), renseignement
information technology (IT) : informatique
infrastructure : infrastructure
initiate (to) : débuter (faire)
innovative : novateur
inquiry : demande de renseignements
install (to) : installer
installation : mise en place
instigate (to) : provoquer
instructor : instructeur
insurance & banking : bancassurance
insurance broker / underwriter : courtier / agent d'assurance
insurance company : assurance (compagnie d'–)
insure (to) : assurer
intelligent : intelligent
intensive course : cours intensif
interest : intérêt
interesting : intéressant
intern : stagiaire
internal auditor : auditeur interne
international : operations manager directeurs des opérations internationales
international relations : relations internationales

international trade : commerce international
internship : stage
interpersonal skills : contact humain (sens du –)
interpret (to) : interpréter
interview : entretien
interview (to) : interviewer
interviewer : enquêteur
introduce (to) : présenter
inventory : inventaire
inventory control : contrôle des stocks
investigate (to) : enquêter
investment : investissement
investment bank : banque d'affaires
investment manager : directeurs des investissements
investor : investisseur
involve (to) : comporter
involved : impliqué
involving : concernant
irreplaceable : irremplaçable
issue (note, a memo, etc.) (to) : envoyer (une circulaire)
item rubrique
itemize (to) détailler

J

JIT – Just In Time management : flux tendus par le Juste-à-Temps (gestion des stocks en –)
job : poste, emploi (also : un job)
job (on the –) : sur le tas
job history : expérience professionnelle
job requirements : exigences du poste
job title : titre
job-sharing : partage de poste
jobber : intermédiaire, grossiste
jobless : chômeur
journalist : journaliste
judge : juge
junior high school : collège

K

keep (to) : tenir (s'en – à)
key account : compte (grand –)
knowledge : connaissance(s)
knowledgeable : compétent
lab (laboratory) : labo (laboratoire)
labour relations : relations industrielles

L

language proficiency : langue, niveau de
languages : langues
last (to) : durer
last name : nom de famille
launch : lancement
launch (to) : lancer
law : loi, droit
lawyer : avocat – juriste
lay off (to) : renvoyer
lead (to) : mener à, conduire (des hommes, par ex.)
leadership : autorité
leadership skills : aptitudes de meneur d'hommes
leading (a – company) : leader (une société –)
leak : indiscrétion (fuite)
learn (to) : apprendre
leave : congé
legal (affairs) department : service juridique
leisure : loisir(s)
letter of thanks (courtesy letter) : lettre de remerciements
liability : responsabilité
liaise (to) : se mettre en contact avec
licence (driving) : permis (de conduire)
line position : poste opérationnel
line supervisor : contremaître, chef d'équipe
line worker : travailleur à la chaîne
liquidate (to) : liquider
liquidation : dépôt de bilan, redressement judiciaire
literature : documentation
localize (to) : localiser
locate (to) : repérer
located : situé
location : situation géographique
logistics : logistique
look for a job (to) : chercher un emploi
loss : perte
lump sum : paiement forfaitaire
M&A – mergers and acquisitions : fusions et acquisitions
machine tool industry : machine-outil (secteur)
machinery : machines
machinery industry : mécanique
maiden name : nom de jeune fille
mail : courrier
mail shot : mailing
main subject : matière principale (universitaire ou scolaire)
maintain (to) : maintenir
maintenance : entretien
major : important, majeur, matière principale (universitaire ou scolaire)
make sure (to) : assurer (s'– de)
man / person (to be the right – for the job) : homme (être l'– de la situation)
manage (to) : diriger
management : encadrement, gestion
management consultant : organisation (conseil/consultant en)
manager : cadre
managerial responsibilities : responsabilités d'encadrement
managerial skills : compétences de dirigeant
Managing Director : directeur général
managing skills : compétences de management
mandatory : obligatoire
manufacture (to) : fabriquer
marine engineer : ingénieur du génie maritime, des constructions mécaniques de la marine

marital status : situation de famille
mark : note (universitaire ou scolaire)
market (to) : commercialiser
market manager : chef de marché
market niche : niche de marché
market research, market survey : étude de marché
market researcher : enquêteur
market share : marché (part de –)
marketing : marketing, mercatique
marketing plan : plan marketing
married : marié
master (to) : maîtriser
master a skill (to) : posséder une compétence
material science : sciences des matériaux
material strength : résistance des matériaux
materials management : approvisionnements (gestion des)
mathematics : mathématiques
maths, math : maths
matter : matière, sujet, dossier
mature : mûr
measurement engineer : ingénieur de mesures
mechanical engineer : ingénieur mécanicien
mechanics : mécanique
medal : médaille
media manager : directeur des médias
media planning : média-planning
media policy : plan de communication
medical supplies : fournitures médicales
medium (small)-sized firm : PME / PMI (petite et moyenne entreprise / industrie)
medium (a) : média(s)
meeting : réunion
merchant bank : banque d'affaires
merger (company) : fusion (de sociétés)
metals industry : métaux (secteur)
methods engineer : ingénieur méthodes
middle manager : cadre moyen
middleman : intermédiaire
military service : service militaire
mineral industry : minéraux (secteur)
mineral resources engineer : ingénieur en minéralogie
mining engineer : ingénieur des mines
minor : mineur, matière annexe (universitaire ou scolaire)
minutes : compte-rendu
misinformed : renseigné (mal –)
misinterpret (to) : interpréter (mal)
misunderstanding : malentendu
mobile number : téléphone portable (numéro de)
mobility : mobilité géographique
modernise (to) : moderniser
monitor (to) : surveiller
monitoring : veille
moonlighting : noir (travail au –)
motivate (to) : motiver
motor industry : automobile (secteur)
move up (the ladder) (to) : promu (être –)
mulimedia designer : concepteur-réalisateur multimédia

N

name : nom
national service : service national
nationality : nationalité
nationalized [US] : naturalisé
naturalised : naturalisé
nature of business : type d'activité
negligence : faute professionnelle, négligence
negotiate (to) : négocier
negotiating skills : compétences de négociateur
negotiation : négociation
network : réseau
new assignment : transfert
new media : nouveaux médias
notice (advance – period) : préavis
nuclear power : énergie nucléaire
nuclear research : recherche nucléaire
numerate : chiffres (à l'aise avec les –)

O

obsolete : périmé
obtain (to) : obtenir
off the books : noir (au –)
offer (to) : proposer
office : bureau
office (IT) equipment : bureautique
office manager : responsable administratif, directeur des services généraux
office number : téléphone professionnel (numéro de)
offset (to) : compenser
oil engineer : ingénieur des pétroles
oil industry : pétrole (secteur)
one-off : isolé (événement)
one-to-one : tête-à-tête (en)
open-ended question : question (ouverte)
opening : poste vacant
operate (to) : fonctionner (faire)
operating budget : budget de fonctionnement
operational research : recherche opérationnelle
operations management : gestion des opérations
operations marketing : marketing opérationnel
operations supervisor : directeur des opérations
opinion (in my –) : avis (à mon)
opportunity : occasion
lost – : occasion manquée
opposite number (fig.) : homologue
order (to) : passer commande (de)
order book : carnet de commandes
order form : bon de commande
order fulfillment : gestion des commandes

order processing : traitement des commandes
organisation : organisation
organising skills : compétences en organisation
organize (to) : organiser
originate (to) : découler de
out of term address : adresse de vacances (scolaires)
outlook : perspective(s)
outpace (to) : dépasser
output : production
outstanding : exceptionnel
outstanding, overdue (debt, invoice...) : impayé
overall : général, global
overdraft : découvert
overdue : arriéré (paiements, etc.), retard (en –)
overheads : frais généraux
overseas : outre-mer
oversight : oubli
overtime : heures sup' (supplémentaires)

P

pace : rythme
packaging : conditionnement, emballage
packer : préparateur de commandes
paid leave : congés payés
paint : peinture (secteur)
palletise (to) : palletiser
paper industry : papier (secteur)
part-time (job) : temps partiel (emploi à)
participate in (to) : participer à
partner : associé (n.m.)
passion : passion
patent : brevet
patent (to) : breveter
pattern : schéma
pay : salaire
pay back (to) : rembourser, restituer
pay slip : salaire (bulletin de –)
peer : collègue
peer judgement : jugement de ses pairs
pending : en attente, en cours
percentage terms (in –) : pourcentage (en)
performance : résultats
perk : avantage
persistent : persévérant
personal : personnel
personal data / marital status : état-civil
personal / data sheet / history : CV / curriculum vitae
personal secretary : assistant(e) de direction
personality conflict : conflit de personnalité
personnel management : gestion du personnel
personnel manager : directeur du personnel
petro-chemical engineer : ingénieur en pétrochimie
pharmaceutical industry : pharmaceutique (secteur)
philosophy : philosophie
physicist : physicien
physics : physique
pick up (to) : redresser (se)
pie chart : camembert (infographie)
pilferage : chapardage
pioneer : pionnier
pioneer (to) : innover dans, faire découvrir
plan : projet, plan
plan (to) : projeter, planifier
planning : planification
plant [US] : usine
plant engineer : ingénieur d'usine
plant equipment : outillage
plant manager : directeur d'usine
plastics industry : plasturgie (secteur)
pledge : engagement
plough back profits (to) : réinvestir
point : question
point (strong –) : qualité
point (to make a –) : remarque (faire une –)
point of sale : vente (lieu de)
point out (to) : souligner
policy : politique
politics : politique
portfolio analysis : portefeuille (analyse de)
portfolio management : portefeuille (gestion de)
POS (point-of-sale) advertising : PLV (publicité sur le lieu de vente)
position held : poste occupé
position sought : poste recherché
positively : absolument
postcode : code postal
postgraduate diploma (in...) : DEA, DESS
posting : poste
postpone (to) : différer
precision instruments : instruments de précision
premises : locaux
prepare (to) : préparer
present (to) : présenter
present salary : rémunération actuelle
press agent : attaché(e) de presse
press release : communiqué de presse
pressure : stress
prevail (to) : prévaloir
prevent (to) : empêcher
price : prix
printing : imprimerie
process (to) : traiter
process engineer : ingénieur process
process research : étude des méthodes
procure (to) : procurer
procurement : approvisionnement
produce (to) : produire
product manager : chef de produit
productivity : productivité
productivity (asset –) : rentabilité
professional achievements : expérience professionnelle
professional membership : affiliation professionnelle

profit sharing : intéressement
profitable : rentable
profits : bénéfices
programme : programme
programme (to) : programmer
programmer : programmeur
programmer-analyst : analyste-programmeur
programming engineer : ingénieur-programmeur
project (research, eg) : projet
project engineer : ingénieur de projet
project engineering : ingéniérie de projets
project manager : chef de projet
promote (to) : promouvoir
Promotions manager / executive : directeur de la communication / promotion des ventes
proof : preuve
proposal : proposition
pros and cons : pour et le contre (le)
prospect : perspective
prove (to) : prouver, se révéler
provide (to) : fournir
provided that : condition (à – que)
provisional : provisoire
PTO (please turn over) : TSVP (tournez s'il vous plaît)
public high school, college : lycée (public)
public relations (PR) : relations publiques (RP)
public school [GB] : lycée (privé)
public sector : fonction publique
public-sector management : management public
publications : publications
Publicity / advertising manager : directeur de la communication / publicité
publish (to) : publier
publisher : éditeur
publishing (industry) : édition
purchase (to) : acheter
purchasing : achats
purchasing manager : directeur des achats
put (to) : mettre
put back (to) : retarder
put in for a transfer (to) : demander son transfert

Q

qualifications : diplômes
qualify (to) : qualifié (être –) pour
qualify for (to) : avoir les caractéristiques requises pour
quality engineer qualiticien
quality management (TQM : total quality management) : gestion de la qualité (totale)
quarter : trimestre
question (closed –) : question fermée

R

radio engineer : ingénieur radio
raise : augmentation (de salaire)
range : gamme, éventail, fourchette
range (product –) : gamme (de produits)
rank (military) : grade (militaire)
rate : taux
raw material : matière première
reach (to) : atteindre
real estate : immobilier
real estate broker/agent : immobilier (agent)
realistic : réaliste
realtor : immobilier (agent)
reason for leaving : motif de départ
reassign (to) : réaffecter
receptionist : réceptionniste
reckon (to) : calculer
recommend (to) : recommander
recommendation : reco (recommandation)
record : résultats, expérience professionnelle, dossier
recover (to) : recouvrer
recovery : redressement, reprise
recruit (to) : recruter
recruitment : recrutement
recycling : recyclage
red tape : paperasserie
redundancy : licenciement
reengineer (to) : remettre en question, remettre à plat, repenser
reengineering : réorganisation
refer (to) : référence (faire – à)
references : références
refinery : raffinerie
refund : remboursement
Regional Sales Manager : directeur commercial France
registered trademark : marque déposée
regulate (to) : réguler
regulation : réglementation
reimbursement : remboursement
reject (to) : rejeter
relate (to) : établir un / lien / rapport
relative : parent
relevant : pertinent
reliable : sérieux
relieve (to) : alléger, soulager
relocate (to) : déménager
reluctantly : contrecoeur (à)
renegotiate (to) : renégocier
reorganise (to) : réorganiser
repeat a course (to) : redoubler
report : rapport
report (to) : dépendre de (hiérarchiquement)
reporting to : rattaché à
representative : représentant
request : demande
request (to) : exiger
require (to) : avoir besoin de
research : recherche
research (to) : étudier une question
research and development : recherche et développement
research engineer : ingénieur de recherche
researcher : chargé d'études, chercheur
residence : résidence
residence permit : permis de séjour

resident : habitant
resident engineer : ingénieur stagiaire
resident visa : visa de résident
resign (to) : démissionner
resignation : démission
respect (to) : respecter
responsibilities : responsabilités
responsible (for) : responsable (de)
result-oriented : concret
results : résultats
resume (chronological) : CV chronologique
resume (functional) : CV de compétences
resume work (to) : reprendre le travail
retail : commerce de détail
retail sale : particuliers (vente aux)
retire (to) : retraite (prendre sa)
return : retour, rendement
revalue (to) : réévaluer
review (to) : examiner
revise (to) : réviser
revitalise (to) : revitaliser
rewarding : motivant
rider, addendum : avenant
right : droit
ring up (to) : appeler au téléphone
rise (in salary) : augmentation (de salaire)
risk analysis : risque (analyse du)
routine : usages
row : dispute, rangée
run (in the long –) : terme (à long)
run (to – a department) : diriger (un service, p. ex.)
run (to) : gérer, fonctionner (faire)

S

sack (to) : renvoyer
salaries and wages clerk : assistant(e) de paye
salary : rémunération, salaire
salary expectations / requirements : prétentions
salary increase : augmentation (de salaire)
salary negotiation : négociation salariale
sale : vente
sales administrator : gestionnaire commercial(e)
sales assistant : vendeur (se)
sales engineer : ingénieur commercial, ingénieur des ventes, technico-commercial
sales figures : vente (chiffres de)
sales force : force de vente
sales Manager : directeur commercial
sales representative : représentant de commerce -VRP
salesmanship : vendeur (caractère –)
salesperson : vendeur (se)
salvage (to) : récupérer
save (to) : économiser, sauver
schedule : planning
schedule (to) : programmer
scheduling : ordonnancement
scholarship : bourse (scolaire / universitaire)
scholastic record : dossier scolaire, formation
school : école
scientist : chercheur
search : recherche (de personnel)
secure a job (to) : décrocher un poste
securities analyst : valeurs (analyste de)
securities market : marché des valeurs mobilières
security : sécurité
see (to) : occuper (s'– de)
select (to) : sélectionner, choisir
selection interview : entretien de recrutement
self-employed : indépendant (travailleur)
sell (to) : vendre
semester : semestre
senior high school : lycée (public)
seniority : ancienneté
service engineer : technicien réparateur
service industry : services (secteur)
set back (to) : retarder
set up (to) : créer
setback : échec
settle (to) : régler, trancher (une question)
shape (to) : donner forme à
share : action (en Bourse)
shareholder : actionnaire
shipbuilding : construction navale
shipping & warehousing : logistique
shipyard : chantier naval
shop steward : délégué syndical
shortage : manque
shortlisted : retenu (préselectionné)
sickness : maladie
simplify (to) : simplifier
single : célibataire
sit an exam (to) : passer un concours / un examen
site (at –) : locaux (dans nos)
site engineer : chef de chantier
site manager : directeur de chantier
site supervisor : responsable de chantier
skill(s) : compétence(s)
skilled : compétent
skills (analytical –) : capacités d'analyse
slowdown (economy) : ralentissement (économique)
software : logiciel
software engineer : informaticien
software manager : ingénieur système
solicitor : avocat
solve (to) : résoudre
sophisticated : perfectionné
sort out (to) : trier, mettre de l'ordre
spare parts : pièces détachées
spare time : temps libre
specialisation : spécialisation, spécialité (universitaire ou scolaire)
specific : particulier, adj.

specification : caractéristique technique
specify (to) : préciser
speculative letter : lettre de candidature spontanée
sponsoring : mécénat
sponsoring director : directeur du mécénat
sponsorship : parrainage
sponsorship manager : directeur du mécénat
sports achievement : réussite sportive
spouse : conjoint
spread (to) : étendre
staff : personnel
staff (to be on a company's –) : appartenir à une société
staff (to) : engager le personnel
staff position : poste fonctionnel
staff representative : délégué du personnel
stage : étape
stake (at –) : jeu (en –)
standard : norme (industrielle)
standardised : normalisé
standardize (to) : standardiser
start (to) : commencer, débuter
start work (on...) (to) : commencer le travail (le...)
state-of-the-art : pointe (de)
stationery : papeterie
statistician : statisticien
statistics : statistiques
status : statut
steady : régulier
steel : acier
step up (to) : accélérer
stick (to) : tenir (s'en – à)
stimulate (to) : stimuler
stimulating : stimulant
stock : actions (capital d'une société), stock
stock control / management : stocks (contrôle / gestion des)
stock level : stocks (niveau des)
stock management : gestion des stocks
stock position : stocks (états des)
stock turnover : stocks (rotation des)
stockbroker : change (agent de)
stockmarket : Bourse
stockowner : actionnaire
storage : magasinage
store manager : directeur de magasin
story : histoire
strategic management : gestion stratégique
strategic marketing : marketing stratégique
strategic planning : planification stratégique
streamline (to) : rationaliser
stress resistance : résistance au stress
strike : grève
structural engineer : ingénieur de structures, en charpentes
studies abroad : études à l'étranger
study : étude
study (to) : étudier
subordinate : subordonné
subsidiary : filiale
subsidiary subject : matière annexe (universitaire ou scolaire)
subsidy : subvention
success : succès, réussite
sue (to) : poursuivre en justice
suit (to) : convenir
suitability : aptitude
suitable for (to be –) : adapté (être – à)
sum up (to) : résumer
superior : supérieur hiérarchique
supervise (to) : encadrer, superviser
supervisor : superviseur, inspecteur, surveillant
supplier : fournisseur
supplies : approvisionnement
supply (to) : fournir
supply management : approvisionnements (gestion des)
supposed to : censé (+ infinitive)
surname : nom de famille
survey (to) : enquête (mener une –)
surveyor : arpenteur
system analysis : systémique
systematic : méthodique
systems engineer : ingénieur système
systems engineering : ingéniérie système

T

take (to – a course) : suivre (un cours)
take again (to) : redoubler
take an exam (to) : passer un concours / un examen
take over (to) : contrôle (prendre le – de), charge (prendre en)
take responsibility for (to) : assumer – prendre la responsabilité de
takeover bid : OPA (offre publique d'achat)
talk shop (to) : parler travail
tape (cut the red –) : affiner les procédures
target : cible, objectif
target (to) : viser (un marché)
task : tâche
taste : goût
tax : impôt, taxe
teach (to) : enseigner, apprendre
team spirit : équipe (esprit de –)
teamwork : travail d'équipe, en équipe
technical : technique
telecommunications : télécommunications
telephone market researcher : enquêteur par téléphone
telephone number : téléphone (numéro de)
telephone sales : marketing téléphonique
telephone sales manager : directeur du télémarketing
temp (to) : intérim (travailler en)
temping agency : intérim (agence d')
temporary job : intérim

tender : appel d'offres
term : trimestre
terms : conditions
test : essai
test (to) : essaye, tester
test engineer : ingénieur d'essais, vérificateur
thesis : thèse (universitaire)
think (an offer) over : réfléchir à une proposition
thorough : approfondi
tick (a box) (to) : cocher (une case)
tighten (to) : resserrer
timber industry : produits forestiers (secteur)
time limit : délai
time schedule : horaire
time-consuming : temps (qui prend du –)
time-wasting : temps (qui fait perdre du –)
topic : sujet
tourism industry : tourisme (secteur)
toy industry : jouet (secteur)
trade : commerce
trade (to) : commercer en – échanger
trade department manager : directeur des opérations
trade jobs (to) : changer de travail
trade union : syndicat
trademark : marque de fabrique
train (to) : former
trainee : stagiaire
training manager : responsable de formation
training period : stage
translate (to) : traduire
transport engineer : ingénieur des transports
transportation : transports
transportation management : transports (gestion des)
travail social : community work
travel (to) : voyager
travelling expenses : frais de déplacement
travelling salesperson : représentant de commerce -VRP
treasurer : trésorier
trend : tendance
trust (to) : confiance (faire –)
trustee : syndic
turn (around) in (to) : convertir
turnover : chiffres d'affaires

U

undertake (to) : entreprendre
unemployed : chômeur
unemployment : chômage
unfair dismissal : licenciement abusif
union representative : délégué syndical
unpaid leave : solde (congé sans)
unsolicited application : candidature spontanée
update : jour (mise à –)
update (to) : jour (mettre à –)
upkeep : maintenance
upmarket : haut de gamme
upset (to) : bouleverser
upward trend : tendance au redressement
usefulness : utilité

V

vacancy : poste vacant
vacant position : poste disponible
vacant situations : offres d'emploi
vacation address : adresse de vacances (scolaires)
variety (a – of) : divers
Vice-president Sales / Director of Sales : directeur commercial
volunteer (to) : se porter volontaire
volunteer work : volontariat

W Y Z

wage round : négociation salariale
wages : salaire
waiter : serveur
waitress : serveuse
warehouse manager : responsable d'entrepôt
warn (to) : avertir, mettre en garde
waste : gaspillage, déchets, perte
wholesale : commerce de gros
wholesaler : grossiste
widowed : veuf/ve
will, willingness : volonté (de)
willing to relocate : mobile (géographiquement)
willpower : force de volonté
work one's way through college (to) : payer ses études en travaillant
work out (to) : établir, calculer
work permit : permis de travail
work-study engineer : ingénieur en organisation
workforce : main-d'œuvre
workload : charge de travail
write (to) : écrire
write off (to) : passer par pertes et profits
yield : rendement
zipcode : code postal

18 You have instant recall of the words which are your lifeline

The words often have other meanings as well. We give here the most usual meaning in the business world.

A

accéder à : to gain access to
accélérer : to step up
accent (mettre l'– sur) : emphasis (to emphasize)
accomplir : to fulfil
accord : agreement
achats : purchasing, buying
acheteur : purchaser, buyer
acier : steel
acompte : forward payment
acquérir (une compétence, une capacité) : to acquire (a skill)
action (en Bourse) : share
actionnaire : shareholder, stockowner
actions (capital d'une société) : stock
actuel : current
adapté (être – à) : to be suitable for
adjoint : deputy
adjoint au directeur général (cf. directeur général adjoint) : assistant to the general manager
administrer : to run
adresse de vacances (scolaires) : out of term address, vacation address [US]
adresse personnelle : home address
aérospatiale (secteur) : aerospace (industry)
affacturage : factoring
affecter : to earmark
affiliation professionnelle : professional membership
affiner les procédures : to streamline, to cut the red tape
agir : to act (as/for)
agro-alimentaire (secteur) : food processing industry
agronome : agricultural engineer
aisance avec l'ordinateur : computer literacy
alléger, soulager : to relieve
allocations chômage : dole
amélioration : improvement
améliorer : to improve, to enhance
amortissement : depreciation
analyse financière : financial analysis
analyser : to analyse, to analyze [US]
analyste : analyst
analyste-programmeur : programmer-analyst
analytique : analytical
ancienneté : seniority
annonce (petite) : advertisement
anticiper : to anticipate
appartenir à une société : to be on a company's staff
appel d'offres : tender
appeler au téléphone : to ring up, to call up [US]
apprendre : to learn [US]
apprenti : apprentice
approfondi : in-depth, thorough
approfondir : to deepen
approprié : applicable
approvisionnement : supplies, procurement [US]
approvisionnements (gestion des) : materials management, supply management
aptitude : ability
aptitudes de meneur d'hommes : leadership skills
arpenteur : field engineer, surveyor
arranger : to fix
arriéré (paiements, etc.) : overdue
aspirer à : to aim for
assidu : hard-working
assistant(e) administratif (-ve) : administrative assistant
assistant(e) de direction : personal secretary / assistant
assistant(e) de paye : salaries and wages clerk
assister à : to attend
associé (n.m.) : associate, partner
assumer : to take responsibility for
assurance (compagnie d') : insurance company
assurer : to insure
assurer (s'– de) : to ensure, to make sure, to insure [US]
atout : asset
attaché(e) de presse : press agent
atteindre : to reach
attirant : appealing, attractive
attraper le tour de main : to get the hang of
attributions (d'un poste) : duties
au bout du compte : in the end
audit (cabinet d') : auditing firm
auditer : to audit
auditeur interne : internal auditor

augmentation (de salaire) : rise (in salary), raise (U.S.), salary increase [US]
augmenter : to increase
automobile (secteur) : automotive / motor industry
autorité : authority, leadership
avance (en) : ahead of schedule, early
avance, n.f. : forward payment
avant-projet : draft (project)
avantage : benefit, perk
avantages en nature : fringe benefits
avenant : rider, addendum
avertir : to warn
avionique : avionics
avis (à mon) : in my opinion
avocat : attorney, solicitor, barrister, lawyer [US]
avoir besoin de : to require
avoir droit (à) : to be entitled (to)
avoir les caractéristiques requises pour : to qualify for

B

baccalauréat : baccalaureate
– Higher Leaving Certificate
– high school diploma [US]
bancassurance : insurance & banking
banque d'affaires : merchant bank, investment bank [US]
banque de dépôt : deposit bank, commercial bank [US]
basé : based
bâtiment et travaux publics (BTP) : construction industry
bénéfices : profits, earnings
biens de grande consommation : consumer goods
biens de grande consommation à rotation rapide : FMCG – fast moving consumer goods
bilan : balance sheet
biochimie : biochemistry
boissons : beverages
bon de commande : order form
bon marché : economical, cheap
bouleverser : to upset
Bourse : stockmarket
bourse (scolaire / universitaire) : grant, scholarship
bourse de recherche : fellowship
brevet : patent
breveter : to patent
brillant : bright
brut : gross
budgétaire (analyste) : budget analyst
bureau : office
bureau d'études et d'ingéniérie : design and engineering consultancy
bureautique : office (IT) equipment

C

cadre : manager, executive [US]
cadre moyen : middle manager
calculer : to reckon, to work out
camembert (infographie) : pie chart
candidat (à) : applicant (to)
candidat retenu : appointee
candidature : application
candidature (poser sa –) : to apply for
capacité de production : capacity (industrial)
capacités d'adaptation (aux bonnes –) : adaptative
caractéristique : feature
– (d'une personne) attribute
caractéristique technique : specification
carnet de commandes : order book
carrière : career
carrière, développement de : career development
carrière, évolution de : career evolution
carrière, perspective de : career development prospect
carrière, objectif de : career objective / goal
carrière, plan de : career plans : career planning
carrières (chargé de gestion de –) : appointments clerk : appointments assistants
catégorie : grade
célibataire : single
censé (+ infinitive) : supposed to
centraliser : to centralise, to centralize
change (agent de) : stockbroker
changer de travail : to trade jobs
chantier (de construction) : building site
chantier naval : shipyard
chapardage : pilferage
charge (prendre en) : to take over
chargé d'études : researcher
chargé de : in charge of
charge de travail : workload
chef comptable : chief accountant
chef d'agence : branch manager
chef de chantier : site engineer
chef de marché : market manager
chef de marque : brand manager
chef de produit : product manager
chef de projet : project manager
chef de publicité : account manager
chef de rayon : department(al) manager
chercher un emploi : to look for a job
chercheur : researcher, scientist
chiffre : figure
chiffres (à l'aise avec les –) : numerate
chiffres d'affaires : turnover, gross sales
chimie (science) : chemistry
chimie (secteur) : chemicals
choix : choice, alternative
chômage : unemployment
chômeur : jobless, unemployed
ci-joint : enclosed, attached
cible : target
classe (scolaire ou universitaire) : form, grade [US]
client : customer, client
clôture mensuelle : month-end closing
cocher (une case) : to tick (a box)
code postal : postcode, zipcode [US]

collaborer : to collaborate
collège : junior high school
collègue : colleague, peer
combiner (deux choses différentes) : to combine
commencer : to start
commencer le travail (le...) : to start work (on...)
commerce : trade
commerce de détail : retail
commerce de gros : wholesale
commerce international : international trade
commercer en, échanger : to trade
commercialiser : to market
communiqué de presse : press release
community work : travail social
comparaison : comparison
compenser : to offset
compétence : skill
compétences d'analyse : analytical skills
compétences de dirigeant : managerial skills
compétences de management : managing skills
compétences de négociateur : negotiating skills
compétences en organisation : organising skills
compétences financières : financial mangement skills
compétent : skilled, knowledgeable
complet : comprehensive
compléter : to complete
comporter : to entail, to involve
comporter des responsabilités : to carry responsibilities
composant, n.m. : component
comptabilité : accounts, accounting, accountancy, bookkeeping
comptabilité analytique : analytical accounting
comptable : accountant
compte (grand –) : key account
compte-rendu : minutes
compter (à – du) : as of
concepteur-réalisateur multimédia : mulimedia designer
concepteur-rédacteur : copywriter
concernant : involving, concerning
concevoir : to conceive, to design, to devise
conclure : to conclude
concret : result-oriented
concubinage : cohabitation
concurrence : competition
concurrentiel : competitive
condition (à – que) : provided that
conditionnement : packaging :
conditions : terms
conduire (des hommes, par ex.) : to lead
conférer : to award
confiance (faire –) : to trust
confidentialité : confidentiality
conflit : dispute
conflit de personnalité : personality conflict
congé : leave
congédier : to dismiss
congés payés : paid leave
conjoint : spouse
connaissance(s) : knowledge, (spécialisées) expertise
conscient (de) : aware
conseil : consultancy, advice, consultant, consulting
conseil d'administration : board (of directors)
conseiller, n.m. : counsellor
conseiller, v. tr. : to advise, to counsel
consommateur : consumer
constitution (de quelque chose) : formation
construction : building industry
construction navale : shipbuilding
construire : to build
consultant : consultant
contact humain (sens du –) : interpersonal skills
contractuel : contractual
contrat de travail : employment contract
contrecœur (à) : reluctantly
contremaître : foreman
contribuer : to contribute
contribution : contribution
contrôle (prendre le – de) : to take over
contrôle des stocks : stock taking inventory control
contrôler : to check
contrôleur : controller, comptroller [US]
contrôleur de gestion : financial controller
contrôleur financier : cost control manager
convenir : to suit, to fit
convertir : to convert, to turn (around) into
coordonner : to coordinate
corriger : to edit, to correct
cosmétique : cosmetics
courant (être au –) : aware (to be well – of/that)
courrier : mail
courrier électronique : e-mail
cours du soir : evening classes
cours intensif : intensive course
cours par correspondance : distance learning
coursier : courier
courtier : broker
courtier / agent d'assurance : insurance broker / underwriter
créativité : creativity
crédits commerciaux : commercial lending
créer : to create, to set up
critère(s) : criterion (a)
croissance : growth
cuisinier : cook
CV / curriculum vitae : Curriculum vitae, personal data sheet, personal history, resume
CV chronologique : chronological CV / resume
CV de compétences : functional CV / resume
DEA – DESS : postgraduate diploma (in...)

date de naissance : born / date of birth
dates d'emploi : dates of employment
débattre (à –) : to be discussed
débuter : to start
débuter (faire) : to initiate
décentraliser : to decentralise
déchets : waste
décider de : to decide to
décideur : decision maker
décisif : decisive
décisionnaire : decision maker
découler de : to originate
découvert : overdraft
décrocher un poste : to secure a job
défi : challenge
définir : to define
définitif : final
dégagé des obligations militaires : compulsory military service completed
délai : time limit
délégué du personnel : staff representative
délégué syndical : shop steward, union representative
déléguer : to delegate
demande : request
demande de renseignements : inquiry
demander son transfert : to put in for a transfer
déménager : to relocate [US], to move in
démission : resignation
démissionner : to resign
dépasser : to outpace
– (légèrement) to be just over
dépendre de : to report to
dépendre de (hiérarchiquement) : to report to
dépôt de bilan : liquidation
dessin industriel : industrial drawing
détailler : to itemize
déterminer : to determine
déterminer (avec précision) : to clarify
dette : debt
développement : development
devise : currency
dévoué à : dedicated to
différer : to postpone, to defer
diminuer : to decrease
diplôme : degree (universitaire), diploma (général) :
diplômes : qualifications, academic record
directeur administratif : Director, Administration
–Vice-president / director of Systems and Operations
– Vice-president Strategic planning
– General Manager
– Corporate Secretary
directeur commercial : Sales Manager [GB] : habituellement rattaché au Director, Marketing)
– Vice-president Sales / Director of Sales [US] : habituellement rattaché au President)
– Field Sales manager [US] : rattaché au Director of Sales)
directeur commercial export :
– Export (sales) manager
– International Sales manager
directeur commercial France :
– Home (sales) manager
– Regional Sales manager (East Coast / Midwest / West Coast, etc.)
directeur d'usine : plant manager
directeur de chantier : site manager
directeur de clientèle : account manager (banking)
directeur de compte(s) : account manager
directeur de département : department manager
directeur de l'administration des services : administration services manager
directeur de l'administration des ventes et de la logistique : distribution manager
directeur de la communication / promotion des ventes :
– Promotions manager
– Promotion executive
directeur de la communication / publicité :
– Publicity manager
– Publicity and advertising executive
directeur de la diffusion : circulation manager
directeur de la production : Director, Production
– Vice-president Production / Director of Production
directeur de la recherche et du développement : Director, Research & Development
– Vice-president Research & Development / Research & Development director [US]
directeur de magasin : store manager
directeur des achats : purchasing manager
directeur des médias : media manager
directeur des opérations : trade department manager, operations supervisor [US]
directeur des services généraux : office manager
directeur du développement : development manager
directeur du mécénat : sponsoring director, sponsorship manager
directeur du personnel : personnel manager
directeur du recouvrement : credit and collection manager
directeur du service après-vente (SAV) : customer services manager
directeur du télémarketing : Telephone Sales manager
directeur financier : Director, Finance [GB], Vice-president Finance / Director of Finance [US]
directeur général : Chief Executive Officer, Managing Director,

Assistant to the President [US]
directeur général (adjoint au) : assistant to the general manager
directeur général adjoint : deputy general manager
directeur marketing : Director, Marketing, Vice-president Marketing / Marketing Director [US]
directeur régional : area manager
directeur technique : chief engineer
directeurs des investissements : investment manager
directeurs des opérations internationales : international operations manager
diriger : to manage, (un service, etc.) to run, (une société) to head
discrétion :
disponibilité : availability
disponible le.../sous.../en... : available on.../in.../in...
dispute : row, argument
disputer (se) : to argue with, to have an argument with
divers : a variety of
divorcé(e) : divorced
doctorat : doctorate
documentaliste : researcher
documentation : research department
dommage : damage
dommages & intérêts : damages (in law)
données : data
donner forme à : to shape
dossier : file, record, matter
dossier de candidature : application form
dossier scolaire – formation : scholastic record
double : double
double nationalité : dual nationality
doubler : to double
droit : law, right
droit (avoir – à) : to be entitled to
durer : to last
dynamique : dynamic

E

échec : failure, setback
échelon : grade
éclaircir : to clarify
école de commerce : business school
école, grande : special top-level undergraduate school (ou une périphrase semblable)
écologie : ecology
écologique : environmentally-friendly
écologiste : Green
économie : economics, economy
économique : economic (qui a trait à l'économie)
– economical (bon marché)
économiser : to save
économiste : economist
écouler (s') (temps) : to go by (time)
écrire : to write
édition : publishing (industry)
– editing
effectuer : to carry out
efficace : efficient
efficacité : efficiency
élargir : to broaden
électronique : electronics
élémentaire (de base) : basic
éliminer : to eliminate
emballage : packaging
embaucher : to hire
empêcher : to prevent
emploi : job
employé : clerk
employé administratif/comptable : bookkeeper
employer du personnel : to employ
en attente, en cours : pending
encadrement : management
encadrer : to supervise
encaissement : collection
enchère : bid
encouragement : inducement
endettement : indebtment
énergie : energy
énergie nucléaire : nuclear power
enfants à charge : dependent children
engagement : commitment – (formel) pledge
engager : to hire
engager (s'– à) : to commit oneself
enquête (mener une –) : to survey
enquêter : to investigate
enquêteur : interviewer, market researcher
enquêteur par téléphone : telephone market researcher
enseigner – apprendre : to teach
entendre (s'– avec) : to get along with
enthousiasme : enthusiasm
enthousiasmé : enthusiastic
entraîner : to entail – to cause
entreprendre : to undertake
entretien : interview – maintenance
entretien de recrutement : selection interview
environnement : environment
envoyer (une circulaire) : to issue (note, a memo, etc.)
équilibré : balanced
équipe (esprit de –) : team spirit
équipementier automobile : automotive component supplier
ergonomie : ergonomics
essai : test
essayer : to test
essentiels (points –) : essentials
estimation : estimate – appraisal
estimer : to appraise – to deem
établir : to work out
étape : stage
état-civil : personal data – personal details – marital status
étendre : to expand – to spread
éthique : ethics (n.) – ethical (adj.)
étranger (n) : foreigner
étude (faire une –) : to conduct a survey
étude comparative : comparative study
étude de conception : design engineering

étude de faisabilité : feasibility study
étude de marché : market research, market survey
étude des méthodes : process research
études : education
études supérieures : higher education
études à l'étranger : studies abroad
étudier : to study
étudier une question : to research
évaluation : assessment, appraisal
évaluer : to assess, to evaluate- to appraise
éventail : range
éviter : to avert, to avoid
exact : accurate :
examiner : to consider, to review
exceptionnel : outstanding
exhaustif : extensive, exhaustive
exigences du poste : job requirements
exiger : to request
expérience professionnelle : career history, professional achievements, track record, job history [US], experience record [US]
expérimenté : experienced
expert-comptable : chartered accountant – certified public accountant [US]
expertise : competence
expliquer : to explain, to account for
exportation : export
expression (à l'– aisée) : articulate

F

fabriquer : to engineer, to manufacture
face (faire – à une situation) : to handle a situation
factuel : factual
faillite (en) : bankrupt
faillite (faire) : to go bankrupt
faillite : liquidation, bankruptcy
faire les choses : to get things done
fait pour le poste : cut out for the job
faute professionnelle : negligence
fiable : dependable
fidélisation (de clientèle) : improving customer fidelity
filiale : subsidiary
finance(s) : finance
financier : financial
flexibilité : flexibility
flux tendus (gestion des stocks en –) : JIT – Just In Time management
fonction publique : civil service – public sector
fonctionner (faire) : to operate, to run
fonctions : functions
fonctions (dans un poste) : duties
force de vente : sales force
force de volonté : willpower
force majeure : force majeure
formation : education & training
– scholastic/academic record
– education & qualifications [US]
former : to train
– (composer) to form, to make up
formuler : to formulate
fournir : to supply
– (au sens d'apporter) to provide
fournisseur : supplier
fournitures médicales : medical supplies
frais : expenses
frais de déplacement : travelling expenses, car allowance
frais généraux : overheads
fret : freight
fusion (de sociétés) : merger (company)
fusions et acquisitions : M & A – mergers and acquisitions

G

gains : earnings
gamme (bas de –) : downmarket
gamme (de produits) : range (product –)
garantir : to guarantee
gaspillage : waste
général : overall
général (en) : in general
générer : to generate
génie : genius, engineering
gérer : to run
gestion de la production :
gestion de la qualité (totale) : quality management (TQM : total quality management)
gestion des commandes : order fulfillment
gestion des opérations : operations management
gestion des stocks (cf. flux tendus) : stock management
gestion du personnel : personnel management
gestion financière : financial management
gestion hôtelière : hotel management
gestion stratégique : strategic management
gestionnaire commercial(e) : sales administrator
global : overall
goût : taste
grade (militaire) : rank (military)
grève : strike
gros (commerce de –) : wholesale
gros (en) : in bulk
grossiste : wholesaler – (en Bourse) jobber
groupe : corporation
groupe (du –) : corporate

H

habitant : resident
handicap : disability
hausse : increase
haut de gamme : upmarket
haute technologie (de) : high tech, hi tech [US]

heures sup'(supplémentaires) : overtime
histoire : (matière académique) history
– (personnelle) story
hobby : hobby
– (dans un CV) personal interests, extracurricular activities
homme (être l'– de la situation) : man / person (to be the right – for the job)
homologue : counterpart, opposite number
honoraire : fee
horaire : time schedule, hours
hôtesse d'accueil : receptionist, front desk employee

I

idée (une – assez claire) : idea (a fair –)
immobilier : real estate
immobilier (agent) : real estate broker/agent, realtor [US]
impasse : dead end
impatient : impatient, eager
impayé : outstanding, overdue (debt, invoice…)
impliqué : involved
impliquer : to entail
important : major
importation : import(s)
impôt : tax
impressionner : to impress
imprimerie : printing
incitation : incentive
inconvénient : drawback
indemniser : to compensate
indemnité : compensation
indépendant (travailleur) : self-employed, independent
indiscrétion (fuite) : leak
informaticien : computer scientist, software engineer
information(s) : information
information(s) en retour : feedback
informatique : information technology (IT), computer science
informatisé : computerized
infrastructure : infrastructure, facility
ingéniérie : engineering
ingéniérie d'applications : applications engineering
ingéniérie de projets : project engineering
ingéniérie système : systems engineering
ingénieur agro / agri : agricultural engineer
ingénieur chimiste : chemical engineer
ingénieur commercial : sales engineer
ingénieur d'entretien : chief maintenance engineer
ingénieur d'essais : test engineer
ingénieur d'études : design engineer
ingénieur d'exploitation : industrial engineer, operations engineer
ingénieur d'usine : plant engineer
ingénieur de conception : design engineer
ingénieur de développement : development engineer
ingénieur de forages : drilling engineer
ingénieur de maintenance : chief maintenance engineer
ingénieur de mesures : measurement engineer
ingénieur de production : industrial engineer, production engineer
ingénieur de projet : project engineer
ingénieur de recherche : research engineer
ingénieur de soutien après-vente : customer support manager
ingénieur de structures : structural engineer
ingénieur de travaux : field engineer
ingénieur des constructions mécaniques de la marine : marine engineer
ingénieur des mines : mining engineer
ingénieur des pétroles : oil engineer
ingénieur des ponts et chaussées : civil / road / highway engineer
ingénieur des transports : transport engineer
ingénieur des travaux publics : civil engineer
ingénieur des ventes : sales engineer
ingénieur du génie maritime : marine engineer
ingénieur électricien : electrical engineer
ingénieur en charpentes : structural engineer
ingénieur en développement : development engineer
ingénieur en génie civil : civil engineeer
ingénieur en géotechnique : geotechnical engineer
ingénieur en minéralogie : mineral resources engineer
ingénieur en organisation : work-study engineer
ingénieur en pétrochimie : petrochemical engineer
ingénieur hydraulicien : hydraulics engineer
ingénieur mécanicien : mechanical engineer
ingénieur méthodes : methods engineer
ingénieur process : process engineer
ingénieur radio : radio engineer
ingénieur stagiaire : engineering trainee, resident engineer
ingénieur système : software manager, systems engineer
ingénieur-conseil : engineering consultant
ingénieur-programmeur : programming engineer
innover dans : to pioneer
inspecter : to inspect
inspecteur : supervisor

installer : to install (une machine) –to put up (un stand)
instructeur : instructor
instruments de précision : precision instruments
intéressement : profit sharing
intérêt : interest
intérieur (ex. marché –) : domestic
intérim : temporary job
intérim (agence d') : temping agency
intérim (travailler en) : to temp
intermédiaire : middleman
interpréter : to interpret
interpréter (mal) : to misinterpret
interviewer : to interview
introduire : to introduce
inventaire : inventory
inventer : to create, to invent
investisseur : investor
investissement : investment
irremplaçable : irreplaceable
isolé (événement) : one-off

J

jeu (en –) : at stake
joindre : to include
jouet (secteur) : toy industry
jour : day
jour (à ce –) : to date
jour (mettre à –) : to update
jour (mise à –) : update
journaliste : journalist
juge : judge
jugement de ses pairs : peer judgement
juriste : lawyer
juriste d'affaires : business lawyer
juriste d'entreprise : company lawyer
jury : jury (au sens judiciaire) – committee (le plus souvent, dans les autres sens : scolaires, etc.)

L

labo (laboratoire) : lab (laboratory)
lancement : launch
lancer : to launch
langue étrangère : foreign language
langue, bilingue : bilingual
langue, niveau de : language proficiency
langues étrangères appliquées : applied modern languages
leader (une société -) : leading (a leading company)
lettre de candidature : application letter
lettre de candidature spontanée : unsolicited application letter, speculative letter
lettre de motivation : covering letter
lettre de relance : follow-up letter
lettre de remerciements : letter of thanks, courtesy letter
licence : bachelor diploma
licenciement : redundancy
licenciement abusif : unfair dismissal
licencier : to sack, to fire
lieu de travail : company location
liquider : to liquidate
littérature : literature
localiser : to localize
locaux : premises
locaux (dans nos) : at site
logiciel : software
logistique : logistics, shipping & warehousing [US]
loi : law
loisirs : leisure
– (dans un CV) personal interests, extracurricular activities
lycée : high school
lycée (privé) : public school, prep school [US]
lycée (public) : senior high school, college, public high school [US]

M

machine-outil (secteur) : machine tool industry
machines : machinery
magasinage : storage
mailing : mail shot
main d'œuvre : workforce
maintenance : upkeep
maintenir : to maintain
maître d'hôtel : maître d'[US], headwaiter [GB]
maîtrise : command, bachelor diploma
maîtriser : to have a good command of, to master
majuscules : block letters
maladie : sickness, illness
malentendu : misunderstanding
management public : public-sector management
manque : shortage
manuscrit : handwritten
manutention : handling
marchandise : commodity, goods
marché (part de –) : market share
marché des valeurs mobilières : securities market
marchés des valeurs à terme : derivatives markets
marchés financiers : financial markets
marié : married
marketing direct : direct marketing
marketing industriel : industrial marketing :
marketing opérationnel : operations marketing :
marketing stratégique : strategic marketing :
marketing téléphonique : telephone sales :
marque : brand :
marque de fabrique : trademark :
marque déposée : registered trademark :
matériel : equipment :
matériel informatique : hardware :
mathématiques : mathematics :
maths : maths [GB], math [US]
matière : matter
– (universitaire ou scolaire) matter
matière annexe (universitaire ou scolaire) : subsidiary subject, minor [US]
matière première : raw material

matière principale (universitaire ou scolaire) : main subject, major [US]
mécanique : (science) mechanics
– (secteur) machinery industry
mécanique appliquée : applied mechanics
mécénat : sponsoring
médaille : medal
média(s) : medium (a)
média-planning : media planning
mémoire (universitaire) : dissertation
mener (à) : to lead (to)
mention (universitaire ou scolaire) : honours, honors [US]
mercatique : marketing
métaux (secteur) : metals industry
méthodique : systematic
mettre : to put
mettre en exergue : to highlight
mettre en garde : to warn
mettre en oeuvre : to implement
militaire, service : military service
minéraux (secteur) : mineral industry
mise en oeuvre : implementation
mise en place : installation
mise en service : commissioning
mission : assignment
mobile (géographiquement) : willing to relocate
mobilier (secteur) : furniture industry
mobilité géographique : mobility
mode : fashion
modèle : model
modernisation : modernisation, modernising
moderniser : to bring up to date, to modernise
mondialisation : globalisation
monnaie : currency
montant : amount
motif de départ : reason for leaving
motivation : (enthousiasme) drive
– (dévouement) dedication
– (empressement) eagerness
motiver : to motivate
moyenne (scolaire) : grade point average
moyens (avoir les – de) : to afford
mûr : mature

N

national (ex. marché –) : domestic
nationalité : nationality, citizenship
naturalisé : naturalised, nationalized [US]
nécessaire (faire le – pour que) : to arrange for
négligence : negligence
négociation : negotiation
négociation salariale : (collective) wage round
– (individuelle) salary negotiation
négocier : to negotiate
négocier (à –) : to be discussed
niche de marché : market niche
noir (au –) : off the books
noir (travail au –) : moonlighting
nom : name
nom (au – de) : on behalf of
nom de famille : surname, last name [US]
nom de jeune fille : maiden name
nom, prénom : full name
nomination (à un poste) : appointment
nommer (à un poste) : to appoint
normalisé : standardised, standardized [US]
norme (industrielle) : standard
note (universitaire ou scolaire) : mark, grade
nouveaux médias : new media
novateur : innovative

O

objectif : goal, target
obligation : duty, obligation, bond
obligations (que comporte un poste) : duties
obligatoire : compulsory, mandatory
obtenir : to earn, to obtain
obtenir un diplôme : to graduate from, to earn a degree from
obtention (d'un diplôme) : graduation
occasion : opportunity
occasion (saisir une –) : to seize an opportunity
occasion manquée : lost opportunity
occupé : busy
occuper (s'– de) : to see to
occuper un poste dans une société : to have a position with a company
offre : bid
offres d'emploi : vacant situations
OPA (offre publique d'achat) : takeover bid
opérateur (-trice) de saisie : computer operator
opérationnel (être – en) : to have a working command of
ordinateur : computer
ordonnancement : scheduling
ordonner : to direct
ordre du jour : agenda
organigramme : flowchart
organisation (conseil/consultant en) : management consultant
organisation industrielle : industrial engineering
organiser : to organize
oubli : oversight
outre-mer : overseas

P

paiement forfaitaire : lump sum
palletiser : to palletise
panne : breakdown
paperasserie : red tape
papeterie : stationery
papier (secteur) : paper industry
parent : relative
parler travail : to talk shop
parrainage : sponsorship
partage de poste : job-sharing
participer (à une conférence, un séminaire, etc.) : to attend
participer à : to participate in

particularité : feature
particulier, adj. : specific
particuliers (vente aux) : retail sale
partie (faire – de) : to belong, to be involved with
passer commande (de) : to order, to commission
passer un concours / un examen : to sit / to take an exam
passion : passion
payer ses études en travaillant : to work one's way through college
PDG – président directeur général : chairman
peinture (secteur) : paint
père de famille : family man
perfectionné : sophisticated
périmé : obsolete
permis (de conduire) : (driving) licence [GB], (driver's) license [US]
permis de séjour : residence permit
permis de travail : work permit, green card [US]
persévérant : persistent
personnel, adj. : (adj.) personal – (n.m.) staff
personnes à charge : dependants
perspective : prospect, outlook
perspicacité : acumen
perte : loss, waste
pertes (passer par – et profits) : to write off
pertinent : relevant
pétrole (secteur) : oil industry
pharmaceutique (secteur) : pharmaceutical industry
pharmacien : chemist
philosophie : philosophy
physicien : physicist
physique : physics
pièces détachées : spare parts
pionnier : pioneer
plaire à : to appeal to
plan de communication : media policy
plan marketing : marketing plan
planification : planning
planification stratégique : strategic planning
planifier : to plan
planning : schedule
plasturgie (secteur) : plastics industry
plate-forme (pétrolière) : drilling rig (offshore, oil)
PLV (publicité sur le lieu de vente) : POS (point-of-sale) advertising
PME / PMI (petite et moyenne entreprise / industrie) : medium (small)-sized firm
pointe (de) : state-of-the-art, leading edge
politique : politics, policy
portefeuille (analyse de) : portfolio analysis
portefeuille (gestion de) : portfolio management, unit trust
poser sa candidature à : to submit one's application for / to apply for
posséder une compétence : to master a skill
poste : posting, job, position
poste décrit : advertised position
poste disponible : vacant position
poste fonctionnel : staff position
poste occupé : position held
poste opérationnel : line position
poste recherché : position sought
poste vacant : opening, vacancy
pour et le contre (le) : pros and cons
pourcentage (en) : in percentage terms
poursuivre en justice : to sue
préavis : notice (advance – period)
préciser : to specify
prendre la responsabilité de : to take responsibility for
prénom : forename : first name
préparateur de commandes : packer
présenter : to present (des avantages) –to introduce (une personne)
présenter sa candidature : to apply (for a job)
président : Chairman, President
présider : to chair
prétendu : alleged
prétentions : salary expectations / requirements
preuve : evidence, proof
preuve (faire – de) : to demonstrate
prévaloir : to prevail
prévenir : to warn
prévision : forecast
prévoir : to forecast, to anticipate
prime : bonus
prise de décision : decision making
prix : price, awards
procurer : to procure
production : output
productivité : productivity
produire : to produce
produits forestiers (secteur) : timber industry
produits industriels : industrial products
programme : programme [GB], program [US]
programmer : to programme : to program
programmeur : programmer
projet : plan (personal) – project (research, eg)
projet de contrat : draft contract
projeter : to plan
projeteur : design engineer
promotion : advancement, promotion
promouvoir : to promote
promu (être –) : to move up (the ladder)
proposer : to offer
proposition : proposal
protection des consommateurs : consumer protection
prouver : to prove
provisoire : provisional
provoquer : to instigate
prudent : cautious
publications : publications
publicité (agence de) : advertising agency
publier : to publish

Q

qualifié (être –) pour : to have (all) the qualifications for – to qualify
qualité : (morale) strong point – (industrielle) quality
qualiticien : quality engineer
question : question, point
question (fermée) : closed question
question (ouverte) : open-ended question

R

rachat (de sociétés) : acquisition, buy-out (company)
radiodiffusion : broadcasting
raffinerie : refinery
raison sociale : corporate name
ralentissement (économique) : slowdown (economy)
rapport : report
rationaliser : to streamline
rationnel : systematic
rattaché à : reporting to
rattraper : to catch up with
réaffecter : to reassign
réalisation : achievement
réaliste : realistic
réceptionniste : receptionist
recevoir : to be awarded
recherche : research
recherche (de personnel) : search
recherche (faire de la – sur) : to carry out research upon
recherche appliquée : applied research :
recherche et développement : research and development
recherche nucléaire : nuclear research
recherche opérationnelle : operational research, operations research [US]
recherche pure : fundamental research
recherches (faire des – sur) : to investigate
recommander : to recommend
recouvrement : cash collection
recouvrer : to recover – to collect
recrutement : recruitment
recruter : to recruit
récupérer : to salvage
recyclage : recycling
rédiger : to compile
redoubler : to be held back (scolaire) – to repeat a course (universitaire) – to take again [US]
redressement : recovery
redresser (se) : to pick up
réduction : cutback
réduction(s) d'effectifs : downsizing
réduire : to cut down / back
réduire (se) : to decrease
réduire les effectifs : to downsize
réévaluer : to revalue
référence (faire – à) : to refer to
références : references
réfléchir à une proposition : think (an offer) over
réflexion (à la –) : on balance
réglementation : regulation
régler : to settle
réguler : to regulate
régulier : steady
réinvestir : to plough back profits
rejeter : to reject
relancer : to boost
relations industrielles : labour relations – labor relations
relations internationales : international relations
relations publiques (RP) : public relations (PR)
relier : to connect
remarque (faire une –) : point (to make a –)
remboursement : refund – reimbursement
rembourser : to pay back
remettre (un dossier, un poste) : to hand over (a file, a position)
remplir (une mission) : to fulfil
remplir un questionnaire : to fill in a form
rémunération actuelle : present salary
rendement : efficiency, return, yield
rendez-vous : appointment
renégocier : to renegotiate
renseigné (mal –) : (mis) informed
renseignement : information
rentabilité : productivity (of an asset)
rentable : profitable
renvoyer : to dismiss, to lay off, (fam) to sack, to fire
réorganisation : reengineering
réorganiser : to reorganise, to reorganize [US]
repérer : to locate
report : deferment
reporter : to defer
reprendre le travail : to resume work
représentant : representative
représentant de commerce -VRP : sales representative, travelling salesperson
reprise : recovery
réseau : network
résidence : residence
résistance au stress : stress resistance
résistance des matériaux : material strength
résoudre : to solve
respecter : to respect (une personne) – to implement (une règle)
respecter (faire –) : to enforce
responsabilités : responsibilities, duties
responsabilités d'encadrement : managerial responsibilities
responsable (de) : responsible (for)
responsable administratif : office manager
responsable d'entrepôt : warehouse manager
responsable de chantier : site supervisor
responsable de formation : training manager
resserrer : to tighten
ressources humaines : human resources

restauration collective : catering
restituer : to pay back
résultats : results, achievements, performance, record
résumer : to sum up
retard : backlog
retard (en –) : overdue
retarder : to put back, to set back
retenu (préselectionné) : shortlisted
retraite (prendre sa) : to retire
réunion : meeting
réussite : achievement
réussite sportive : sports achievement
revenu : income
revitaliser : to revitalise
risque (analyse du) : risk analysis
routine (opérations de) : day-to-day operations
rubrique : item
rythme : pace

S

sachant s'adapter : adaptable, adaptative
salaire : pay (général)
– salary (employés et cadres)
– wages (ouvriers)
salaire (bulletin de –) : pay slip
santé (secteur) : health care industry
sauver : to save
schéma : drawing, pattern
sciences des matériaux : material science
sciences économiques : economics
se conformer à : to comply with
se porter volontaire : to volunteer
se révéler : to prove
secrétaire général : company secretary, corporate secretary [US]
secteur : business, industry
sécurité : security
sélectionner, choisir : to select
semestre : semester
sens des affaires : business acumen
sérieux : reliable
serrer : to tighten
serveur : waiter
serveuse : waitress
service : department
service après-vente (SAV) : after-sale service
service juridique : legal (affairs) department
service national : national service
services (secteur) : service industry
services généraux : core departments
siège social : head office
simplifier : to simplify
situation de famille : marital status
situation géographique : location
situé : located
sociabilité : interpersonal skills
société : company – firm
société (de la –) : corporate
solde : balance
solde (congé sans) : unpaid leave
souligner : to highlight – to point out
souple : flexible
sous-produit : by-product
sous-traitant : contractor
soutenir : to back up
spécialisation : specialisation – specialization [US]
spécialité (universitaire ou scolaire) : specialisation, major [US]
spectacle (secteur) : entertainment
stage : training period – internship [US]
stagiaire : trainee, intern [US]
standardiser : to standardize
statisticien : statistician
statistiques : statistics
statut : status
stimulant : stimulating
stimuler : to stimulate
stocks (états des) : stock position
stocks (gestion des) : stock control / management
stocks (niveau des) : stock level
stocks (rotation des) : stock turnover
stratégie d'entreprise : corporate strategy
stress : pressure
subordonné : subordinate
subvention : subsidy
succès : achievement, success
succursale : branch
succursale (directeur de) : branch manager
suite à : further to, following
suivi : follow-up
suivre un cours : to attend, to take (a course)
sujet : topic (dissertation), subject
supérieur hiérarchique : superior
superviser : to supervise
superviseur : supervisor
supplémentaire : additional
supposant (en – que) : assuming
sur le tas : on the job
surveillant : supervisor
surveiller : to monitor
syndic : trustee
syndicat : trade union
systémique : system analysis

T

tableau : chart
tâche : task
tas (sur le –) : on-the-job, hands-on
taux : rate
taxe : tax
technicien : engineer
technicien réparateur : service engineer
technico-commercial : sales engineer
technique : technical
teinture : dye
télécommunications : telecommunications
téléphone personnel (numéro de) : home number
téléphone portable (numéro de) : mobile number
téléphone professionnel (numéro de) : office number
temps (qui fait perdre du –) : time-wasting
temps (qui prend du –) : time-consuming
temps libre : spare time

temps partiel (emploi à) : part-time (job)
temps plein (emploi à) : full-time (job)
tendance : trend
tendance à la baisse : downward trend
tendance au redressement : upward trend
tenir (s'en – à) : to keep to, to stick to
terme (à long) : in the long run
terminé le… : completion date
terminer : to end – to complete
terrain : field
terrain (travail sur le –) : fieldwork
tester : to test
tête-à-tête (en) : one-to-one
textile (secteur) : clothing & textiles industry
thèse (universitaire) : thesis
titre : job title
tort (être en –) : to be in the wrong
tourisme (secteur) : tourism industry
traduire : to translate
traitement des commandes : order processing
traiter : to process
trancher (une question) : to settle
transfert : new assignment
transmettre (une idée, un sentiment, etc.) : to convey
transporteur : carrier
transports (gestion des) : transportation management
travail d'équipe, en équipe : teamwork
travaux publics : civil engineering
traverser (une mauvaise période) : to go through (a bad patch)
trésorerie : cash flow
trésorier : treasurer
trier – mettre de l'ordre : to sort out
trimestre : quarter – (scolaire) term
TSVP (tournez s'il vous plaît) : PTO (please turn over)
type d'activité : nature of business

U

université : university, college [US]
urgence : emergency :
usages : routine :
usine : plant [US], factory [GB], works
usiner : to engineer
utilité : usefulness

V Z

valeurs (analyste de) : securities analyst
variable (temps) : flexible (time)
veille : monitoring
vendeur (caractère –) : salesmanship
vendeur (se) : salesperson (man, woman), sales assistant
vendre : to sell
vente : sale
vente (chiffres de) : sales figures
vente (force de) : sales force
vente (lieu de) : point of sale
vérificateur : test engineer
vérifier : to audit, to check
verre (secteur) : glass industry
veuf/ve : widowed
vie maritale : cohabitation
visa de résident : resident visa
viser (un marché) : to target
voiture de fonction : company car
volontariat : volunteer work
volonté (de) : will, willingness
voyage d'affaires : business trip
voyager : to travel
zone industrielle : industrial park

Table des "Tricks of the trade"

COMMENT LE DIRE EN ANGLAIS

Bien sûr, nous parlons anglais. Mais nous ne sommes pas fiers de nous pour autant car nous offrons à nos interlocuteurs de l'à-peu-près, et jamais l'expression qui tombe juste pour eux !

Dès que nous parlons anglais, adieu les nuances et notre proverbial esprit de répartie ! Impossible de dire, comme en français, « Ce n'est pas demain la veille… Ils n'en font qu'à leur tête… Tu peux toujours courir… » !

Impossible ? Allons donc ! « Comment le dire en anglais » commence à traduire là où manuels et cours s'arrêtent. Retenez quelques tournures chaque jour, bientôt vous ne vous reconnaîtrez plus ! Quant à vos partenaires anglais et américains, ils n'en reviendront pas ! ("They'll hardly believe their ears ! ")

> Nous vous recommandons fortement cette petite merveille. Gardez-la sur votre bureau ou à côté de votre lit et essayez une page par jour…
> *We highly recommend this newly released wonder. Keep it on your desk or bedside and try a page or two a day…*
>
> The American library in Angers Newsletter

> « But alors, you are French… »
> « Ils sont copains comme cochons… » *"They are as thick as thieves…"* On peut avoir appris l'anglais et ne pas savoir *Comment le dire en anglais…* Sous ce titre, un ouvrage propose deux mille expressions courantes et leur traduction en anglais. Un index permet de les retrouver avec plusieurs entrées et de se familiariser avec la langue telle que la pratiquent les *natives* (les gens du cru).
>
> Le Monde

COMMENT VOYAGER EN ANGLAIS

En voyage, si personne ne comprend votre français et que vous ne parlez ni allemand, ni arabe, ni chinois, ni japonais, ni... que parlez-vous ? L'anglais ? On va voir ça ! Sauriez-vous dire, par exemple : « Je voudrais changer mon bébé », ou « Quelle heure est-il chez vous » ?
Alors ? Vous alliez dire : "I'd like to change my baby", ce qui signifie « J'aimerais changer *de* bébé » ! Vous avez vu la tête que fait l'hôtesse ? (On dit : "I'd like to change my baby's/nappy/diaper.")
Quant à la seconde phrase, elle est faussement facile puisque c'est : "What time is it *with* you ?"
Les voyages ont le chic de provoquer des situations imprévues qui tournent souvent à la crise. En voici quelques-unes :

Scène 11: Vous êtes sur la liste d'attente...
Scène 21 : Plus de sièges non-fumeurs ?
Scène 29 : On a perdu ma valise !
Scène 30 : Un taxi qui vous prend pour un pigeon !
Scène 34 : Mais nous avons payé d'avance...
Scène 36 : Je me fais faire un brushing.
Scène 47 : Peut-on faire garder les enfants ? etc.

Chacune d'elles peut devenir un piège car il faut à la fois comprendre le problème qui se pose (on se garde bien de vous l'expliquer !), défendre ses intérêts et obtenir gain de cause. Le tout très vite, et en anglais !
À New York, mais aussi à Bangkok, à Bahreïn ou à Singapour, ne pas trouver *dans l'instant* les mots justes peut vous entraîner dans un quiproquo qui vous gâchera le voyage.
Dans « Comment voyager en anglais », les 80 scènes bilingues français/anglais que vous découvrez sont plus vraies que nature. C'est normal, elles sont les plus répandues et des dizaines de milliers de voyageurs les vivent chaque jour. Aussi sont-elles accompagnées de commentaires - the « tricks of the trade » - bilingues eux aussi, toujours amicaux et chaleureux. Ils sont surtout de bons tuyaux, car dévoilés par des professionnels de l'hôtellerie, de la restauration et des compagnies aériennes, ils vous avertissent des risques qui vous guettent au cours du voyage.
C'est vrai qu'en voyage il faut parler anglais, sans cesse et partout. Heureusement, avec « Comment voyager en anglais », vous déjouez les pièges et économisez de l'argent. En clair, vous êtes tiré(e) d'affaire. Alors, bons voyages !

TRAVAILLER EN ANGLAIS

« Des entretiens d'embauche au pot d'adieu,
un an de votre vie professionnelle
dans une entreprise anglo-américaine »

Guy de Dampierre et Victoria Mortimer

Dans la vie professionnelle, l'anglais est souvent la seule langue que nous ayons en commun avec nos partenaires. Il faut donc le parler aussi bien que le français ! Pour franchir cette étape dont dépend votre avenir, vous avez aujourd'hui un allié précieux, c'est :

« Travailler en anglais »

Vous voilà immergé(e) dans une entreprise anglo-américaine, grâce à 48 scènes bilingues prises sur le vif pendant un an, telles que :

- des entretiens d'embauche ;
- un voyage de prospection ;
- le lancement d'un produit nouveau ;
- le départ d'un collaborateur ;
- la présentation des résultats et des projets ;
- une demande d'augmentation, etc.

Des scènes vivantes, parce qu'authentiques : ici tout est vrai !

« Travailler en anglais » vous met dans le bain ! Mais vous n'y êtes pas seul(e) : près de 330 *"tricks of the trade"* vous éclairent. Ce sont des commentaires sur le vocabulaire et les usages dans cette entreprise anglo-américaine. Désormais, vous comprenez ce qui s'y passe et, avec votre anglais régénéré, vous y êtes chez vous !

Les 48 scènes de « Travailler en anglais » ont été enregistrées à Londres par des comédiens professionnels américains et britanniques, sous la forme de **trois cassettes audio** au chrome (2 heures 40).
Ces cassettes sont irremplaçables : elles vous aident à assimiler la vitesse à laquelle parlent Américains et Anglais et leurs intonations si différentes ! (Les Anglais dans les aigus, les Américains dans les graves !) En outre, elles favorisent la mémorisation et activent votre compréhension, avant de vous conduire à parler LEUR anglais !

If you want to do business in French (« Working knowledge of French »), this is the book for you too ! Just use the left-hand pages !

Achevé d'imprimer le 3 novembre 1997 sur les presses de l'imprimerie «La Source d'Or»
63200 Marsat - Dépôt légal : 4ème trimestre 1997 - Imprimeur n° 7084